中华人民共和国法律释义丛书
全国人民代表大会常务委员会法制工作委员会编

中华人民共和国
信托法释义

主　编　卞耀武　（全国人大常委会法制工作委员会副主任）
副主编　李　飞　（全国人大常委会法制工作委员会研究室主任）
撰稿人　卞耀武　李　飞　田燕苗
　　　　李建国　王　清　杨合庆

法律出版社

图书在版编目(CIP)数据

中华人民共和国信托法释义/卞耀武主编. --北京:法律出版社,2002.5(2018.11 重印)
(中华人民共和国法律释义丛书)
ISBN 978-7-5036-3728-5

Ⅰ.①中… Ⅱ.①卞… Ⅲ.①信托-财政法-法律解释-中国 Ⅳ.①D922.282.5

中国版本图书馆 CIP 数据核字(2002)第 015973 号

中华人民共和国信托法释义
ZHONGHUA RENMIN GONGHEGUO XINTUOFA SHIYI

卞耀武 主编

责任编辑 麦 锐
装帧设计 李 瞻

编辑统筹 法规出版分社
出版 法律出版社
总发行 中国法律图书有限公司
经销 新华书店
印刷 北京玺诚印务有限公司
责任印制 吕亚莉
开本 850 毫米×1168 毫米 1/32
印张 10.375
字数 257 千
版本 2002 年 5 月第 1 版
印次 2018 年 11 月第 2 次印刷

法律出版社/北京市丰台区莲花池西里 7 号(100073)
网址/www.lawpress.com.cn
投稿邮箱/info@lawpress.com.cn
举报维权邮箱/jbwq@lawpress.com.cn
销售热线/010-83938336
咨询电话/010-63939796

中国法律图书有限公司/北京市丰台区莲花池西里 7 号(100073)
全国各地中法图分、子公司销售电话:
统一销售客服/400-660-6393
第一法律书店/010-83938334/8335 西安分公司/029-85330678 重庆分公司/023-67453036
上海分公司/021-62071639/1636 深圳分公司/0755-83072995

书号:ISBN 978-7-5036-3728-5 **定价**:46.00 元
(如有缺页或倒装,中国法律图书有限公司负责退换)

总　　序

人类文明的历史上，还没有哪一个时代像中国的改革开放40年一样，在历史长河中掀起如此巨大的浪花——它不仅深刻改变了一个国家的面貌与精神气质、使数亿人摆脱贫困，还极大地改变了世界格局。

1978，在那一年的年底，中共中央一次全体会议——十一届三中全会扭转了中国的前进方向，开辟了一个时代。回首过去，我们发现，一些观念从那时开始在中国出现，一些声音从那时开始逐渐响起，一些人物开始登上历史舞台。从这一年开始，随着"加强社会主义民主，健全社会主义法制"历史性任务的提出，"法制"两个字进入了人们的视野；政法机关开始恢复重建；法律院系开始蓬勃发展。一部部法律从庙堂走进了人们的生活，一次次裁决推动着国家前进的脚步。从"有法可依、有法必依、执法必严、违法必究"到"科学立法、严格执法、公正司法、全民守法"；从"法制"到"法治"；从法治观念的形成到"依法治国，建设社会主义法治国家"写进宪法，再到"法治国家、法治政府、法治社会一体建设"，人们对法治的认识步步深入，中国的改革不断向前推进，结出丰硕的果实。在中国共产党的带领下，这个励精图治的古老国度，再一次创造了改革的奇迹。

40年发生了无数故事,40年产生了许多事物。为了纪念这难忘的40年,本社组织编辑出版了一批“纪念改革开放40周年”主题图书。这些图书,将40年来颁布的重要法律及其释义甄选汇集,将法学领域有代表性的学术论文萃取精编,把有关政法机关的重建、法律院系的重生与发展进行展现,将一批被时代改变命运的人物再次唤起。我们希望从法律与法律人的视角,重新审视过去的40年,认真体会这不平凡的40年。

如江河东下,逝者如斯。岁月总会过去,人事总有代谢,但一个不平凡的时代留下的深刻痕迹,永远不会磨灭。“不忘初心,牢记使命”,习近平总书记在党的十九大报告中向全党发出的号召,使我们有理由期待,下一个40年,中国将更加惊艳!

法律出版社编辑委员会

2018年10月

出 版 前 言

《中华人民共和国法律释义丛书》是由全国人大常委会法制工作委员会主持组织编辑的一套系列丛书。

该套丛书由一系列法律释义组成。邀请有关专家、学者和部分参与立法的同志编著。该丛书坚持以准确地反映立法宗旨和法律条款内容为最基本要求,在每部法律释义中努力做到观点的权威性和内容解释的准确性。

我们相信,该套丛书的陆续出版,将会给广大读者进一步学好法律提供有益的帮助。

重 印 说 明

本次重印，是为改革开放40周年制作的特别纪念版，为了保持内容原貌，未对正文和附录作实质修改。个别法条内容有修订或修正的，以脚注形式作了标注。特此说明。

2018年10月

目　录

第一部分 绪 论

信托关系规范化及其现实意义

全国人大常委会法制工作委员会副主任 卞耀武

中华人民共和国信托法于 2001 年 4 月诞生,并于当年 10 月施行。这部法律是为规范信托关系而制定的,是在中国确立信托法律制度的基本法律。因此,有必要对这部法律中信托所具有的涵义,信托关系规范化所具有的实际意义,信托关系的基本规范,特别是信托设立的条件、信托财产的属性、信托当事人之间的权利义务关系等方面的内容,进行一些法理上、实务上相结合的分析,并介绍一些个人所知的立法时的考虑。这对读者了解和运用这部法律可能是有参考作用的。

一、对信托的定位

1. 问题的提起

从在中国议论制定信托法律开始,到在立法机关审议信托法律草案的过程中,都遇到法律上如何给信托定位的问题,实质上就是如何给信托作一个法律上的定义,明确它在中国信托法中的含义。

这个问题在理论上和实践中都有一定的复杂性,它的表现比如有：

信托这个词，在经济生活中、社会来往中、金融业务中都在使用，在国内使用日益增多，在国外更是频繁，但还没有一个公认的、统一的定义。

信托历史悠久，可以上溯到古埃及、古罗马，绵延数千年。近代信托发源于英国，后来传到美国，信托制度有了新的发展，然后又传到日本和其他发达国家，有些内容作了移植，有些内容则适应本国传统作了变动。国家之间，对信托的相互借鉴，并非是划一的理解、划一的规则。

信托的发展是与社会经济的发展相联系的，生产力的发展，物质的丰富，财产管理的复杂化，专业化要求的提高，都会影响对信托的理解和运用，赋予信托以特定的含义。这些方面，还会受到经济的具体发展、文化背景、体制选择的影响。

信托的理论阐述是丰富的，有不同的见解，如债权论、物权论、管理权论、风险论或者债权物权结合论等，各有所持，各自阐述其所长，为信托作定义，也得研究这些有影响的理论。

国内学者或者到国内来发议论的一些国外学者，由于研究背景的差异，所接触的法律传统也有所不同，阐述对信托的含义，有相同处，也有不同处，仁者见仁，智者见智。比如，受托人取得的信托财产，是完全所有权，还是双重所有权，仅仅是排他性管理权，解释不一，各有所见。

信托在国内是有一定实践的，有的是在探索中，有的取得了一定经验，有的则被认为是教训。在什么样的基础上研究国内的实践，总结已有的经验，将其与中国国情结合，反映于法律中，这也是应当关注的问题。

正由于上述种种情况，当然还不仅仅是这些情况，这就使得明确信托在法律上的含义有了相当的复杂性，而且在立法中要给信托作出定位的问题又是不容回避的，理应作出决断，让信托在法律中有明确的定位。

2. 信托在法律上的定位

这就是要在制定中国信托法时明确地界定什么是信托，具有什么法定的含义。在立法过程中，经过广泛地征求意见，考虑多种相关因素，反复研究后，提出了供选择的方案，最后经最高立法机关依照法定程序作出决定，这就是信托法第二条所表述的内容，即本法所称信托，是指委托人基于对受托人的信任，将其财产权委托给受托人，由受托人按委托人的意愿以自己的名义，为受益人的利益或者特定目的，进行管理或者处分的行为。

所以在法律中对信托作出这样的定位，主要考虑是：

第一，在中国应当将信托作为一种理财制度，或者称之为财产管理制度，它的核心内容就是“受人之托，代人理财”。这种托付是以信任为基础的，有信任才有托付；这种托付是一种委托，区别于赠与，委托的内容是理财；这种理财的目的是为了受益人的利益，它体现了委托人的意愿。所以，信托从字面上看，就是信任而委托。如果进一步的概括，就是“得人之信，受人之托，代人理财，履人之嘱”。实际上信托被定位成委托人将自己的财产委托给所信任的第三人（受托人），按照一定的目的即信托目的，为受益人的利益（委托人自己的或者他人的），而管理或者处分该财产的制度，也就是理财制度。

第二，信托是一种特定的理财制度，信托关系中的当事人有三个，即委托人、受托人、受益人。这是信托制度的一个特点。在信托关系当事人中，受托人是以自己的名义管理、处分财产的，这又是一个特点。

第三，在信托关系中所考虑的是委托人所委托的是财产权，这是一种既包括有形财产又包括无形财产的权利，或者说是具有一定物质内容和直接体现一定经济利益的权利。财产权的内容为：一是对财产的实际使用权；二是获取财产收益的受益权；三是实施对财产管理的权利；四是对财产的处分的权利。这四种权利各有具体的、丰富的内容，可以形成不同的范围和不同的层次。这四种权利是可以分离的，分别行使或者分别加以组合。在信托关系中委托人所委托的是财产权，至于在其所包含四种权利中，委托的具体内容，委托的范围大小，委托的层次深浅，行使权利的方式，所授的权力和所受的限制，伸缩性很大，可作出多种选择，而这种灵活性，这种选择权，都由委托人来运用。这也就是被称为委托人的财产所有人，有权依照法定的规则，自主地决定其财产运用信托的具体内容、具体方式。这种信托关系中的委托，是可以体现信托特点的，反映了信托的本质属性。

第四，在一个国家确立信托法律制度，应当考虑本国的国情，也就是社会背景、经济背景、文化背景等，对于已具有的法律传统，也是需要考虑的重要因素。这样考虑，目的是便于接受和施行信托制度，更能发挥其作用。当然，信托法律制度也是与其他一些法律制度相联系的，需要考虑有利于其相互之间的衔接。比如，将信托定位为受人之托，代人理财，是委托人将财产委托管理和处分的行为，是一种财产管理制度，这样可能便于接受；如果将信托表述为，从委托人来说，委托人一旦将财产交付信托，即丧失其对该财产的所有权，不再属于其自有财产，这就会使一些人接受起来颇费思量。

第五，将信托定位为理财制度，实质上是在社会财富增加的基础上，发挥科学理财、专家理财的作用，使之制度化、专业化，使财产所有人能按一定的制度委托他人管理和处分其财产。所以信托属于是在法律框架下，人们所需要的一种社会行为，也会是人们为谋求利益的经济行为。

3. 信托定位是信托立法的基点

在信托立法中对信托作出定位，从而就可以以这个定位作为基点，展开表述相应的法律关系，确立相应的法律规范，构造明确的信托法律制度。

中国信托法对信托所作的法律定位，是借鉴了国际上在实践中经过检验的有益的经验，但又并不是沿袭了某一个国家的做法，这种沿袭是没有必要的，也不易收到好的效果，因为涉及财产管理制度，各国的国情迥异，自然应当根据各国的实际情况，设计和确定最适合本国需要的制度。当然，一个国家设计了信托这样的财产管理制度，会与某一些国家的有所不同，当衡量这些制度时，较为合适的方法是注意本国的实际，避免以与某一国的差异断是非。最佳的选择，也是力求遵循的原则是立足本国实际与借鉴国外有益经验很好的结合。

中国的信托是早就有了，但是实践还不丰富，今后肯定要不断发展，会提供许多新的经验，因此，现在对信托的定位将是一个很重要的起点，将在实践与发展中得到检验与完善，所以应当坚持法制的原则，重视这个起点，并从这个起点开始，推行信托关系的规范化。

上述内容是就中国信托法关于信托的定位进行阐述的，以下的内容将是以信托的法律定位为基点，阐述信托制度的运用和各项规定的内容，介绍和研究信托的基本概念和基本法律关系。

二、信托制度的运用

中国信托法所确立的信托法律制度是有广泛的实用价值的，对这种价值的理解可以从以下几个方面进行考察。

1. 信托法律制度的确立为推行信托制度开辟了道路

中国信托法的制定，明确的目的是为了调整信托关系，规范信托行为，也就是在法律上确立信托制度，使这项制度在社会生活中和经济事务中能有效地运用。信托是以财产管理为内容的一项制度，它直接关系到信托当事人的许多利益，这种利益不仅要合理地体现，而且要有一定的安全保证，因此，必须规范地进行，受法律的保护，在法律的轨道上才能发挥信托的功能，使这种理财方式在社会经济生活中得以合法存在并有发展的可能。

2. 信托法的适用范围

这是信托法产生法律效力的范围，也是信托法所要规范的对象。在立法过程中出现过两种想法：一种是内容集中一些，主要规范商业信托，供投资者运用；另一种想法是，从建立信托制度考虑，覆盖面宽一些，应当包括营业信托、民事信托、公益信托。经过研究，从发展市场经济考虑，也从适应民事活动的需要考虑，认为信托法所调整的对象可以广泛一些，将具有信托特征的社会行为、经济活动都涵盖进去，有利于确立适应现实需要的信托法律制度。为此在信托法中规定，信托当事人在中华人民共和国境内进行民事、营业、公益信托活动，皆适用信托法。这也就是立法机关选择了调整范围较宽的立法思路，着眼于建立基本制度，使信托能在较为广泛的领域中运用。

民事信托、营业信托、公益信托的主要区别在于信托目的不同，从而在信托当事人、信托的具体方式上也形成了一定的差异。民事信托，是以完成一般的民事法律行为为内容的信托，通常是以个人财产为抚养、赡养、遗产继承等目的而设立的信托，它相对于营业信托（商事信托）而又称为非营业信托。营业信托，是以营利为目的，委托营业性的信托机构实施商事行为的信托，所以又称商事信托，与民事信托相对。公益信托，是以促进和举办公益事业为目的的信托，为社会公众谋求利益，而不是为特定的个人谋私利。

3. 信托的运用与发展

中国现实的社会经济生活中，对信托是有许多需要的，这种需要为制定信托法提供了有利的条件，使这部法律得以诞生。同时，现实的需要也使信托法所规范的信托制度得以采用，并且呈现出了能广泛发挥作用的前景。

对于信托的现实需要，源于两方面的事实：第一，由于社会经济的发展，个人的、法人的、公共的财富都比过去有明显的增加，并且还在增加中，这就是信托不仅有了对象，而且这个对象的规模在扩大，从而为信托的运用构造了一个坚实的基础。在这个基础上，人们对所掌握的财富要求有更好的运用、更好的管理，要求提高对财产的管理水平，保障财产的安全和按照其意愿合理地运用与处理，这就是有了信托的动机，这是在掌握了财富之后出现的动机。第二，人们掌握了财富，无论是以个人的形式或者是以团体的形式掌握的，都需要管理，可以是自己直接管理，也可以托付他人管理，当然还有一种由遗嘱而设立的信托。在这两种管理方式中，除特殊情况外，会有相当一部分的财产，由于个人的或者本团体的管理知识、用于管理的时间、力量安排、经验的积累等方面的限制，需要委托他人管理，而不是一概由自己直接管理。并且会随着社会财富的增加，人们还会为所掌握的财富寻求多种途径实现更有效益的管理运用，促进和实现财产管理的科学化、专业化。这种情况下，信托受到人们的关注，从而适应多个领域的、不同层次的理财的需要。总之，现实生活中财富的增加和借助他人理财的需要，使信托具有了广泛的实用价值。

4. 信托关系表现与实践

中国制定信托法，首先对信托关系作出规范，在社会经济生活中人们就会循着法定的规则运用信托关系从事多种多样的活动，这种多样性有些是已经表现出来的，有的还会运用人的创造性而逐步创设。正如信托制度的历史那样，从传统的到现代的，从较为单一的到日益丰富复杂的，是在发展变化中更充分地体现信托法律制度的功能。事实上也是这样的，如果是一项内容丰富的法律制度，在现实生活中运用起来，就会有丰富的、多样的表现，信托的多样性和很强的适应能力也可能出现这种有特点的情景。

现实生活中已经出现的和将会出现的，运用信托关系进行的活动比如有：

个人扶养、赡养等为目的的信托；

个人以保障子女教育费用等为目的而设立的信托；

个人为遗产继承而设立的信托，通过遗嘱将财产委托给受托人，受托人成为遗嘱执行人。

可以说，信托是从个人拥有财产开始的，个人对财产的管理、处理会由于许多种因素致使出现许多种考虑，也就会有许多种运用信托关系的具体表现，这是难以一一列举齐全的，上面列举的三例，仅仅是很一般的情况。

以获取收益为目的的信托，或者以提高财产管理水平为宗旨同时又有其他特定目的而运用信托的活动，将会在现实中大量出现，当前提及的比如有：

证券投资基金，这是以信托关系为基础而设立的，启动才三、四年，资产总值就已经连年增加，可以表明信托是有吸引力的，再一个原因是它的运作有一定的规范，从而易于使信托关系的运用获得人们的信任。

当前经常提及并且预测今后会是规模很大的社会保险基金、养老基金以及其他一些基金等，有可能在其形成过程中或者在其管理运用过程中引入信托关系，使这些领域成为发挥信托制度功能的重要领域。当然在这个领域中信托会发挥财产管理制度的一般作用，同时还应注意到这方面的信托是以价值形态出现的，其信托物是货币或者有价证券，从而与融通资金联系起来，带有一些特点。

在信托中，除了货币、有价证券外，物品、商品等动产的信托也会存在，人们为了管理、处理各种形式的动产，会想到运用信托关系，它们有的是社会行为，有的是作为经营事务来安排的，信托同样能适应这种需要。

不动产的信托在现实生活中不仅是出现了，而且在增多，一是由于不动产需要管理，二是由于不动产的一部分需要处理。因为在这种需要面前,利用信托关系将是一种可行的选择,人们将根据自己的经验和信托关系运用的成果,进而决定在多大的范围内采用不动产信托。

无形财产的管理运用,也为信托关系发挥作用扩大了空间,在这些方面,一是会引入信托关系,用信托方式管理自己的无形财产;二是会进行积极的探索,积累以信托方式管理运用无形财产的更多的经验。但是应当肯定,无形财产是可以作为信托物的,以这样的信托物为中心构成信托关系。

上面一些概要的叙述和分析,可以表明:

一是,信托法中所规范的信托关系在现实生活中会有多种表现形式,这种状况是由信托关系的丰富内涵所决定的。

二是,规范信托关系时,或者说制定信托法时,视野不应停留在已有的一些信托机构活动方面,而需要为确立信托法律制度有更为开阔的视野,着眼于发挥信托制度应有的功能。

三是,要使信托关系规范化,就需要按信托法办事,这并不是限制信托的运用,更不是限制信托功能的发挥,而是在规范中发挥其作用。

在制定信托法后,公益信托会得到发展,能推进人们增强公益意识,热心公益事业,有关内容将在叙述公益信托时分析。

三、信托的设立

信托法确定了信托的定义,并规定了这部法律的适用范围,信托的设立就是依照法律规定形成有效的信托关系,或者说是依照法律的要求实施信托行为并得到法律上的确认。信托的设立是需要具备一定条件的,这些条件如果是以法律形式作出规定,则成为法定条件。信托法对信托设立所规定的条件主要有:

1. 必须有合法的信托目的

这是设立信托所必须具备的条件,其实质要求是:第一要有信托目的;第二是信托目的必须具有合法性。

因为信托关系的产生是起源于为了一定的目的而委托他人管理财产,在信托定义中则表述为,为受益人的利益或者特定的目的。这是在社会经济生活中所以逐步形成信托制度并持续存在的一个直接原因,如果人们不因一定的目的而需要信托,则信托是不会存在的,或者即使出现也不会持久,所以设立信托,必须是有其目的的。

信托目的的具体内容应当说是很丰富的、多样的,这与人们在社会经济生活中的多种需要是一致的。不同的人、不同的团体、不同的领域、不同的背景、不同的愿望,等等,都会形成不同的目的,所以信托目的是多种多样的,这是客观事实。在法律中没有对信托目的的内容作出具体的规定,实际上也是难以作出要求。

但是对信托目的却有一个明确的限定,就是信托目的必须是合法的,也就是都要具有合法性,这个限定是强制性的,包括所有的各种各样的信托都不得有例外,法律的普遍性在信托设立条件中同样有效。信托目的合法性也就是要求在法律允许的范围内确定信托目的,不能有违反法律的非法的信托目的,这里所指的法律是国家制定的所有法律,并不仅仅是有关财产的。要求信托目的具有合法性,实质上是限定只能在法律许可的范围内管理运用财产,不允许利用信托去实现非法的目的,也就是只能为合法的目的理财。

2. 必须有确定的信托财产

这项条件在信托法中的规定是,设立信托,必须有确定的信托财产,并且该信托财产必须是委托人合法所有的财产。信托法所称的财产包括合法的财产权利。这些规定作为设立信托的一项重要的条件,包括以下几层意思:一是,信托是一种以信托财产为中心建立起来的法律关系,不能没有信托财产,如果缺少了信托财产,信托就无以凭借;二是,信托财产必须是确定的、真实存在的,只有这样,凭借其建立的信托关系才会是确定的、真实存在的;三是,用以设立信托的信托财产是委托人合法所有的财产,只有这样,信托财产才可能是确定的,否则,不是委托人所有的、合法的财产,它就难以有确定性;四是,可以用作信托财产的财产,包括合法的财产权利,这表明在信托法第二条所指的财产是一个广义的概念,它既是指有形财产,也指无形财产,动产、不动产等有实物形态的财产包括在内,而依附于财产而形成的权利,即归委托人合法所有的财产权利也都列入财产范畴之中。上述关于信托财产的内容,仅是从设立信托的条件而言,有关信托财产的其他许多内容将另行阐述。

3. 应当采用书面形式

形成信托关系应当有信托文件,这就是信托法所规定的,设立信托应当采取书面形式。在有些国家并不要求信托合同都采取书面形式,而我国则要求都采取书面形式,这是从有利于确定信托目的和信托当事人权利义务来考虑的,使之能明确地表现出来并增强确定性。虽然这是从形式上说的,但也是重要的,可以减少纠纷,或者有利于纠纷的解决。

信托文件包括书面形式的信托合同、遗嘱或者法律、行政法规规定的其他书面文件等。关于对合同的书面形式的要求与合同法的规定是衔接的,因为合同法规定了法律、行政法规规定采用书面形式的,应当采用书面形式,而信托法正是在这方面的规定。关于法定的其他书面文件,这是指除信托合同、遗嘱以外的可以据以形成信托关系的依法产生的文件,或称书面形式,比如证券投资基金采用的一些形式。

设立信托,采取书面形式,势必要求有一个界定的标志,即在什么状况下,标志着信托的成立,因此,信托法按照信托文件形式的不同对两种情形作出规定:一种是采取信托合同形式设立信托的,信托合同签订时,信托成立;另一种情形是采取其他书面形式设立信托的，则在受托人承诺信托时，信托成立。前一种情形是签订合同时，当事人有了共同的意思表示；而后一种情形则是一方当事人有了信托的要求并设定了一定的条件，而在另一方作出承诺之时，这就取得了一致，所以作为信托成立。

信托文件虽然不是单一形式的，但是其所载明的事项则由法律分为两类，一类为法定记载事项，是必须载明的；另一类是自主决定是否记载的事项，可称其为任意事项。

法定记载事项都是必要的，包含了对形成信托关系有决定意义的内容，共有五项：

（1）信托目的；

（2）委托人、受托人的姓名或者名称、住所；

（3）受益人或者受益人范围；

（4）信托财产的范围、种类及状况；

（5）受益人取得信托利益的形式、方法。

在信托文件中由当事人自主决定是否记载的事项如：信托期限、信托财产的管理方法、受托人的报酬、新受托人的选任方式、信托终止事由等，这些内容固然重要，但是对其可以酌量减少也可以作增加。

4. 应当依法办理信托登记

这项条件的完整意思是，设立信托并不要求都必须进行登记，但是对于信托财产，如果有关法律、行政法规规定应当办理登记手续的，则应当依法办理信托登记，只有办理了信托登记的，该设立信托才是有效的；对于未依法办理信托登记的，信托法所作的规定，先是要求补办登记手续，给当事人以弥补的机会，只有对应当补办而不补办的，才在法律上明确该信托不产生效力，即不承认设立信托的行为是具有效力的。

对于一定的信托财产需要依法进行信托登记，用意在于对其已设立信托的事实予以确认，有利于保护第三人的利益。但这方面,信托法只是作出了基本规定,具体操作则有待于具体化,形成进一步的规范。

5. 信托无效

信托无效,是指意欲设立信托,但其行为不符合法律规定,而不被法律所承认,因而是无效的。信托无效与信托的终止、信托关系的消灭、信托的撤销都不一样,信托无效是自始就没有产生信托行为,而其他几种行为则是存在过信托,但由于种种事由致使信托不存在了。

信托法所规定的下列六种信托无效的情形是与前述设立信托的条件相对应的,或者在法律原则上是一致的。信托的设立或者允许其存在,都必须有合法的、正当的目的,符合法定的条件,否则就应当将其排除,采取使之无效的法律措施是必要的。六种信托无效的情形是:(1)信托目的违反法律、行政法规或者损害社会公共利益;(2)信托财产不能确定;(3)委托人以非法财产或者本法规定不得设立信托的财产设立信托;(4)专以诉讼或者讨债为目的设立信托;(5)受益人或者受益人的范围不能确定;(6)法律、行政法规规定的其他情形。

6. 设立信托的被撤销

这是对信托设立不当所作处理的专门规定,从一定意义上讲它也是否定信托设立行为的一项法律措施。信托法规定,委托人设立信托损害其债权人利益的,债权人有权申请人民法院撤销该信托;人民法院依照上述规定撤销信托的,不影响善意受益人已经取得的信托利益;债权人的申请权,自债权人知道或者应当知道撤销原因之日起一年内不行使的,归于消灭。这些规定对债务人利用信托逃避债务的行为作出限制,合理地保护了债权人的利益,所以通过债权人的申请权和人民法院的撤销权来排除设立信托中的不正当的行为,这种行为既含有不正当的目的,又是有欺诈性的,不应当让这种信托有效地存在。但是在这过程中应当考虑的有两个方面，一是需要保护善意受益人的利益；二是如果债权人放弃行使申请权的，则也有相应的处置。

7. 设立遗嘱信托的特别规定

遗嘱信托是根据遗嘱来管理和处理财产。有关遗嘱的订立、效力等事项，不应属于信托法的内容，而应当执行继承法的规定，所以信托法明确，设立遗嘱信托，应当遵守继承法关于遗嘱的规定，这是法律上应有的衔接。

继承法规定："公民可以依照本法规定设立遗嘱处分个人财产，并可以指定遗嘱执行人。"按照这个规定，立遗嘱者是可以指定其个人财产作为信托财产时的受托人的，但是这个被指定的受托人拒绝担任，或者无能力担任的，信托法则专门规定由受益人另行选任受托人。所以如此规定，因为遗嘱是在立遗嘱者死亡后生效，遗嘱信托也应当是在立遗嘱者死亡后才能生效，即立遗嘱者死亡是遗嘱信托可以生效的必要条件。这样，另行选任受托人只能由受益人进行，但是，如果受益人为无民事行为能力人或者限制民事行为能力人的，信托法又专门规定，依法由其监护人代行选任。信托法中除了上述规定外，还考虑到遗嘱中如果对选任受托人另有规定的，则明确从其规定，这也就是尊重立遗嘱者在生前对遗产管理、处理的意愿。

对于设立遗嘱信托，除了有特别规定外，其他的有关一般条件的事项也都适用信托法的规定。

四、信托财产

信托财产是信托标的物，信托关系以信托财产为中心而形成，信托财产的存在在信托设立的条件中已作出规定，在信托法的信托财产一章中则对其性质、范围、权利保护、继承等方面作出规定。

1. 信托财产的性质

信托财产在法律上有自己的特征，它不是一般的财产，对这种特征，信托法作出了明确的表述，就是指它是受托人因承诺信托而取得的财产。也可以说这就是信托财产特定的性质，从法律上具体表现为：

一是，信托财产是由委托人因一定的信托目的而转到受托人手中的财产，这种财产在信托成立后，委托人不能再直接管理运用。

二是，受托人因承诺信托即信托依法设立而从委托人手中取得了委托其管理运用的财产，这种财产是以受托人名义为一定的信托目的管理运用的。在立法过程中曾有意见提出，不以受托人的名义管理运用信托财产行不行，对此问题，如果以信托的法律特性衡量，受托人是不可缺少的，应当用其名义。

三是，信托财产一旦形成，就与委托人未设立信托的其他财产相区别，信托财产是以信托的方式交由他人管理的财产，未信托的财产则无此特性。

四是，信托财产是以受托人的名义管理运用的，但又不属于是受托人自己所有的财产。为便于表示受托人原有财产的特征，所以简称为受托人的固有财产。

五是，信托财产可以根据信托文件有形态上的变化，比如，信托设立之初是一幢房子，后来卖掉成了金钱，然后以货币买成债券，再由债券变成商品，商品又变成了另外一些不动产，财产形式几经转换，虽然呈现出多种形式，但仍然是信托财产，信托财产的性质不起变化，仍然由受托人管理运用，受益人的权益没有变化，这是信托财产的特征之一，有的理论称它为信托财产的物上代位权。

以上几点都是表示信托财产性质的，并由于这种性质还决定了信托财产的一些其他的法律特征。

2. 信托财产的范围

依照对信托财产的性质、功能的界定，信托法对信托财产的范围作出规定，主要有三个方面：

一是，信托财产中所称的财产包括财产权利。

二是，受托人因信托财产管理运用、处分或者其他情形而取得的财产，也归入信托财产。这样就对信托财产所应包含的内容作出了法律上的界定，即受托人在信托设立时所取得的信托财产；信托财产在管理运用、处分过程中转换了形式后所形成的财产；信托财产的增值部分，或者说由其孳生的利益，都应当归入信托财产的范围。

三是，在信托财产的种类上，它的范围限定在可以合法流通的财产。按照信托的性质，信托财产应当是可以流通、可以转让的，但又并不是所有的财产都在这个范围内。因此，信托法规定，法律、行政法规禁止流通的财产，不得作为信托财产；法律、行政法规限制流通的财产，依法经有关主管部门批准后，可以作为信托财产。

上述是从不同角度在法律上界定了什么是信托财产，什么财产应当依法归入信托财产，什么财产可以依法作为信托财产，目的是明确信托财产的范围，也就是依法划定信托的标的物。

3. 信托财产的处置

这是考虑到设立信托后可能出现的几种情况，涉及信托财产及其受益权的处置，因此，信托法作出了有关的规定，几个层次的意思为：

(1)信托财产是有独立性的，它与委托人未设立信托的其他财产相互区别，所以对其处置有专门的规定，这是信托法律制度有特点的内容。

(2)信托设立后，委托人死亡或者依法解散、被依法撤销、被宣告破产时，委托人是唯一受益人的，信托终止，信托财产作为其遗产或者清算财产。这项规定的基础是委托人为信托的设立人，由其提供了信托财产；重要的条件是出现了法定的事由，委托人是唯一的受益人,在这种情况下,信托不再存续,而作终止处理。

(3)与上述情况相联系,而委托人不是唯一受益人的,也就是还有其他受益人的,即使委托人死亡或者因其他有可能使信托消失的法定事由出现,已设立的信托仍然存续,信托财产不能作为委托人的遗产或者清算财产。可以说,这就是信托财产独立性在法律上的具体体现。

(4)委托人作为共同受益人,也就是委托人不是唯一受益人,而还有其他受益人存在,信托存续的情况下,委托人死亡或者因法定事由消失的,其信托受益权作为其遗产或者清算财产,这是将信托财产与信托受益权区别开来,保护合法的信托受益权。

4. 信托财产区别于受托人固有财产

这是保证信托财产独立性的一项基本规定,是信托制度中必须坚持的重要法律原则。信托财产是为了一定的信托目的而委托给受托人管理运用的财产;这种财产应当与受托人自己拥有所有权的财产区别开来,不能混淆,不得合为一体。因此,信托法明确规定,信托财产与属于受托人所有的财产相区别,不得归入受托人的固有财产或者成为固有财产的一部分。在立法过程中曾有意见主张,对于受托人所有的财产不必简称为固有财产,而称之为自己的财产。后来经过研究,考虑到受托人在管理运用信托财产时,也是以自己的名义进行的,在受托人的同一名义下存在着两种应当相区别的财产,所以分别用信托财产、固有财产这两个词来表述,表示不同的法律性质。

信托财产具有独立性,不同于受托人的固有财产,对于两者的区别,特别是两者之间的一些非常重要的法律关系,信托法作出了下列明确规定:

(1)受托人死亡或者依法解散、被依法撤销、被宣告破产而终止,信托财产不属于其遗产或者清算财产。这项规定表明,信托财产是受托人受他人委托而管理运用的财产,并非是自己拥有所有权的财产,因此,对于受托人来说,信托财产在受托人死亡时不能作为其遗产继承,也就是信托财产不能被列为继承对象;如果受托人是依法解散、被依法撤销、被宣告破产而不再存续下去,也就是终止其受托人身份时,信托财产不能与受托人自己拥有所有权的财产一样列为清算财产,债权人不应主张以信托财产偿债,委托人、受益人的权益应当受到保护,受托人不得乘机侵占信托财产。

(2)受托人管理运用、处分信托财产所产生的债权,不得与其固有财产产生的债务相抵销。这项规定的立法基础仍然是保障信托财产的独立性,信托财产所产生的债权是属于信托财产范畴的,固有财产产生的债务是固有财产范畴的,两者不能混淆,不得抵销,如果发生抵销,那就可能是受托人将信托财产变成了其固有财产,这在各个种类的信托中都是不允许的,维护信托财产的独立性在信托制度中是一个普遍的原则。

(3)受托人管理运用、处分不同委托人的信托财产所产生的债权债务,不得相互抵销。这是保障信托财产独立性的又一项法律原则,它所要求的是,不同委托人的信托财产都是相互独立的,有独立的权利,独立的利益,也有独立的责任,各自的义务,在由同一受托人以同一个名义管理运用、处分时,也不能混同、抵销。受托人有责任将管理运用、处分的不同委托人的信托财产的权利和义务分清。只有将信托财产独立性具体体现到每一个委托人的信托财产上,这种独立性才是可操作的,真正维护委托人、受益人利益的。这实际上就表明信托财产这样一个特点,即信托财产处于受托人的控制之下,它们来源于不同的委托人,虽然这时并不是一个个独立的法人,但是它们都是在同一个受托人名义下一个个独立的个体,有各自的不应混淆的权益。

5. 信托财产不得强制执行及其例外

信托财产具有独立性,区别于委托人未设立信托的其他财产,也区别于受托人的固有财产,因此,委托人、受托人的一般债权人是不能追及信托财产的,所以对信托财产不得强制执行是一般的原则,但是在设立信托前已产生的权利和由于处理信托事务而产生的债务是要除外的。信托法对于一般原则作出肯定,同时对除外情形作出规定,这是合理的也是必要的,保障了受益人的权益,也保护了债权人的权益。信托法的规定核心在于,除法定的情形外,对信托财产不得强制执行,而法定的情形只限于四种,有其中之一的才可以对信托财产强制执行。四种可以除外的法定情形为:(1)设立信托前债权人已对信托财产享有优先受偿的权利,并依法行使该权利的;(2)受托人处理信托事务所产生债务,债权人要求清偿债务的;(3)信托财产本身应担负的税款;(4)法律规定的其他情形。这四种情形是在保障信托财产独立性的基础上,考虑了防止以信托为手段逃避债务,损害债权人合法权益的情况,明确了信托财产本身所应承担的责任,对于其他除外情形,只限于法律的规定,从而排除了以其他方式作出影响信托财产独立性的决定。

信托财产不得强制执行的原则和除外情形皆由法律规定,对于违反这些规定而强制执行信托财产的,信托法明确了委托人、受托人或者受益人有权向人民法院提出异议,这是对信托财产独立性的又一层法律保护。

五、信托当事人——委托人

委托人是信托关系中三个不可缺少的当事人之一,或者说并不是一个可有可无的当事人,在信托法中对他的法律地位、权利义务作出规定时,是以信托作为一种借助他人进行理财的制度为基础来考虑的,在这个基础上形成了委托人的特定法律地位和权利义务。主要的内容为:

1. 委托人在信托关系中的法律地位

信托关系是一种以信托财产为中心的法律关系,如果不以一些特定的财产设立信托,信托关系便无以产生。委托人是信托财产的提供人,是以其合法所有的财产设立信托的,也就是委托人以其拥有所有权的财产为了一定的目的委托他人进行理财。所以,委托人是以信托财产提供人的身份在信托关系中确立其法律地位的。正由于信托财产来自于委托人,所以委托人是信托的设立人,当然,设立信托并不是委托人独自的行动,需要与他所信任的人签订信托合同或者形成其他信托文件,这样委托人便是不可缺少的一方当事人,在这过程中委托人所具有的法律地位是明确的。虽然不同种类的信托可以有不同的具体形式,但委托人作为信托财产提供人的法律地位是不变的,并由此产生了相应的权利义务。

2. 委托人的资格

什么人可以作为委托人,应当具有两项基本条件:首先是要有享有所有权的可以信托的合法财产,没有这种财产便没有成为委托人的前提条件;其次,委托人应当具有完全民事行为能力,也就是能以自己的行为从事民事活动,享受权利、履行义务的人。这样,委托人是信托财产的所有者,同时,又是能够以自己的意志行为依法支配自己享有所有权的财产。当然这里并不排斥不具有完全民事行为能力人,因为他们可以由其法定代理人代理行使权利、履行义务。

由于委托人所应具备的条件,这就决定了具有完全民事行为能力的自然人可以有资格作为委托人,法人也是有资格作为委托人的,如果其他组织具有了前述条件,也是有资格作为委托人的。所以,在信托法中明确规定,委托人应当是具有完全民事行为能力的自然人、法人或者依法成立的其他组织。这项规定既是法律上对委托人资格的要求,又是在很宽的范围内允许符合条件的委托人设立信托。

在信托法中对委托人资格的规定,没有限定委托人必须是一人或者是两人以上,这意味着委托人可以是一人,也可以是两人以上而成为共同委托人。

3. 委托人的权利

在信托作为一种理财制度发挥其作用时，委托人虽然是以一定的信托目的而设立信托的，但是他作为信托财产的提供者，为了其合法利益和受益人的利益，应当是有相应权利的，因此，信托法中对委托人规定了以下四种主要的权利。

(1)委托人有知情权

信托法规定，委托人有权了解其信托财产的管理运用、处分及收支情况，并有权要求受托人作出说明；委托人有权查阅、抄录或者复制与其信托财产有关的信托账目以及处理信托事务的其他文件。这几项内容的规定，目的在于保证委托人有比较多的知情权，并能以法定的方式知悉和掌握发生的事实，以利于委托人对信托财产的运作情况实施监督。当然，这里所规定的知情权，并未含有委托人可以直接处理信托财产或者去直接处理信托财产运作中具体事务的内容，法律上的界限是清楚的。

(2)委托人有权要求调整信托财产管理方法

信托财产管理方法是一个内容丰富的概念，它可以包括许多种可以选择的用于信托财产管理的方法，但是，方法的选择应当适合信托财产的具体情况，有利于实现信托目的，符合受益人的利益，按照这样的原则，信托财产的管理方法就不是一成不变的，而是应当根据实际情况、信托目的、受益人的利益进行必要的调整。对此，委托人由于是设立信托，确定信托目的，直接关注受益人利益的当事人，应当对信托财产的管理方法的选择和调整有较大的发言权，也就是在法律上应当让其能施加影响，行使一定的权利。所以信托法规定，因设立信托时未能预见的特别事由，致使信托财产的管理方法不利于实施信托目的或者不符合受益人的利益时，委托人有权要求受托人调整该信托财产的管理方法。这项规定对委托人要求调整信托财产管理方法的特定条件和具体权力作出界定,既防止随意地要求调整管理方法,又保障了委托人所应有的权利。

(3)委托人的申请撤销处分权

在已设立的信托中,如果出现受托人违反信托目的处分信托财产的情形,或者由于受托人违背管理职责、处分信托事务不当致使信托财产受到损失的情形,委托人出于维护其信托财产的要求,法律上应当准许其采取一定的行动,提出维护其相应的利益的主张。因此,信托法作出如下的几项规定:一是,委托人有权申请人民法院撤销该处分行为,也就是赋予了委托人对违反信托目的处分信托财产的行为有通过司法程序给予否定的权利;二是,委托人有权要求受托人恢复信托财产的原状或者予以赔偿,这是针对前述两种行为的,无论是违反信托目的处分信托财产,还是因违背管理职责、处理信托事务不当,都有可能导致委托人提出恢复信托财产的原状或者予以赔偿的要求,这应当是委托人的一项权利;三是,该信托财产的受让人明知是违反信托目的而接受该财产的,应当予以返还或者予以赔偿,这是对以恶意取得信托财产者的追究,也就是对违法处分和恶意取得信托财产的,法律不予承认并予以追究,这样规定是必要的,保护了信托财产的合法权益;四是,对于委托人的前述申请权,自委托人知道或者应当知道撤销原因之日起一年内不行使的,归于消灭,之所以作这样的时限规定,是考虑了信托财产管理的特点,对于委托人来说,则是其放弃了可以行使的权利。

(4)委托人有依法解任受托人的权利

信托是一种以信任为基础委托他人理财的制度,委托人有权选择自己所信任的受托人,建立信托关系,但是这种关系会起变化的,如果一旦受托人违反信托目的处分信托财产或者管理运用、处分信托财产有重大过失的,这时委托人对受托人不再继续信任的,信托的基础动摇,委托人则有权依法采取行动。信托法对这种行动规定了两种方式、两种有所区别的权利:一是委托人有权依照信托文件的规定解任受托人,这是以信托文件为根据,委托人行使权利;二是由委托人申请人民法院解任受托人,这是委托人有申请权,最后的决定权在人民法院,当然这种申请权是有重要作用的,因为它是以法定的方式提出了解任受托人的主张,表明了受托人失去了委托人的信任。

六、信托当事人——受托人

受托人在信托关系中占有重要的地位,因此,信托法中不但以专门一节对其进行规范,而且条文数量较多,占到整部法律条文量的四分之一。对受托人的规范,除了在其他章节中多处涉及外,受托人一节主要是明确其资格和基本的权利义务。

1. 受托人的资格

受托人是接受委托,按照信托文件对信托财产进行管理运用、处分的人,因此,是需要有一定能力的,这种能力可以称之为受托能力,也就是是否有受托能力成为是否可以作为受托人的前提条件,或者说在法律上对受托人资格的要求主要是对其受托能力的要求。

信托法规定,受托人应当是具有完全民事行为能力的自然人、法人。这就是信托作为理财制度,是需要与不同的专业相联系的,当然也就需要有不同的专业能力,对此在法律上很难作出统一的规定,但是对受托人最基本的、最主要的能力要求,是其能以自己的行为从事信托活动,享有权利,承担责任。不具有完全民事行为能力的人是没有资格充当受托人的,对于自然人是这样要求的,对于法人则是要求其是依法设立的,取得法人资格。

中国的信托法适用于民事、营业、公益信托活动,这几种信托对受托人的要求除有特别规定外,允许既可以由自然人担任,又可以由法人担任。这里所指的特别规定,就是在对信托活动的管理中，国家可以限定某些范围的信托只能由法人担任受托人。正是考虑了这种需要，因此，在信托法中明确了法律、行政法规对受托人的条件另有规定的，从其规定。这项规定里所包含的意思至少有两层：一层意思是，如果某些信托需要法人组织担任受托人的，则法律、行政法规可以对法人组织的设立和接受信托的范围作出规定；另一层意思是，某些信托对受托人特别是法人担任受托人的，需要有特定的专业能力的，可以在法律、行政法规中对受托人的特定条件作出规定。可以作出的这种规定因信托法中肯定了上述“从其规定”的方式，而使法律与法律之间，规范信托关系的法律与国家对信托活动实施管理之间是相互衔接的，相互沟通并且协调。

2. 受托人的义务

在信托制度中，受托人是受人之托、代人理财的，受托人承担着管理运用、处分信托财产的重要责任，具有比较大的权力，因此，也应当履行比较严格的义务，这种义务应当是确定的、必须履行的，所以信托法对受托人的基本义务作出了规定，使之成为法定的义务、定型化了的义务。

受托人的基本义务有：

（1）受托人应当遵守信托文件的规定，为受益人的最大利益处理信托事务。这是受托人必须履行的基本义务，也是受托人必须遵循的行为规范，他必须以信托文件的规定作为管理运用、处分信托财产的根据，不能超越，也不能背离，从法律上是这样要求，在受托人的具体活动中也必须遵守。为受益人的最大利益处理信托事务，这是遵守信托文件的基本目的，也是受托人所应当追寻的目标，最大利益就是受托人有义务尽最大的努力管理运用好信托财产，取得最佳效果。为受益人的最大利益处理信托事务，还有一层直接的意义，就是受托人任何时候都应当将受益人的利益放在第一位，而绝对不允许将自己的利益置于与受益人的利益相冲突的地位，甚至将自己的利益优先于受益人的利益，这种利益关系的规定，对受托人来说是定型化了的义务。

（2）受托人管理信托财产，必须恪尽职守，履行诚实、信用、谨慎、有效管理的义务。这项法律规定中所包含的受托人应尽的义务，内容是比较广泛的，但是是有确定性的，它对受托人是道德上的要求，也是法律上的规范。首先要求受托人恪尽职守，也就是受托人是受托代人理财的，必须忠于职守，履行职责，管理运用、处分好信托财产，符合信托目的，不得有失职守；第二是受托人必须履行诚实、信用、谨慎、有效管理的义务，这四方面的要求是各有其含义的，也是紧密结合成一体的，它具体体现在受托人履行其职责上。诚实是要求受托人忠诚、切实地履行职责，忠实地对待其他信托当事人的利益；信用是要求受托人信守自己的承诺，重视信誉，不得违反信托文件的规定；谨慎是要求受托人慎重、严谨地处理信托事务，管理信托财产，重视信托财产的安全，避免由于自己的过失使信托财产遭受损失；有效管理是要求受托人管理信托财产是有效率的、能增值的，为受益人谋取应得的利益。法律对受托人的上述义务作出规定，就是要求受托人在处理信托事务时，将道德规范与法定义务结合为一体，成为规范自身行为的重要标准。

（3）受托人除依照信托法的规定取得报酬外，不得利用信托财产为自己谋取利益，如果受托人违反这项规定，利用信托财产为自己谋取利益的，所得利益归入信托财产。这是受托人在管理信托财产时必须履行的法定义务，就是除了依法取得报酬外，受托人管理运用信托财产只能是为了受益人的利益，而不得使自己的利益也在其中，甚至是用自己的利益去否定受益人的利益。如果受托人以信托财产为自己谋利，那就必须将这种利益归入信托财产，也就是归入受益人的利益，不承认受托人所获得的不法利益，明确地保护受益人的利益。这种保护是受托人的义务，受益人的权利。

（4）受托人不得将信托财产转为其固有财产；受托人将信托财产转为其固有财产的，必须恢复该信托财产的原状；造成信托财产损失的，应当承担赔偿责任。这些法定的义务是受托人所必须履行的，或者说是必须遵守的行为规则：第一，信托财产只能是受托人受托管理的财产，不是受托人所有的财产，但是信托财产又在受托人的管理之下，因此，法律规定受托人不得借机侵占，不得将由其管理的信托财产转为其固有财产，这也就是受托人有义务保证信托财产的安全、完整；第二，如果出现受托人将信托财产转为其固有财产的情况，受托人有义务恢复该信托财产的原状，这就是受托人有义务将信托财产恢复到受侵害前的状态，包括恢复到原有的权利状态；第三，由于受托人将信托财产转为其固有财产而造成信托财产损失的，就应当承担其侵害行为造成的后果，有义务对信托财产的损失予以赔偿。上述所指的恢复原状和赔偿损失都是承担民事责任的方式，可以单独适用，也可以合并适用，实质上就是要求受托人履行对信托财产受侵害后应尽的义务。

(5)受托人不得将其固有财产与信托财产进行交易或者将不同委托人的信托财产进行相互交易，但信托文件另有规定或者经委托人或受益人同意，并以公平的市场价格进行的除外。这是考虑到受托人既管理信托财产又有自己的财产即固有财产，从而具有双重身份，并且在信托财产中还有不同委托人的区别，因而对这几种财产之间的交易应当加以限制，防止交易的不公平，并引致对其中某一种财产的损害。这是信托财产管理中的一项必要规则，也是受托人应尽的义务。当然，限制这种交易并非是绝对禁止这种交易往来，如果在特定的条件下，受到严格的审查或者控制，仍可进行有限制的交易，所以明确了信托文件另有规定或者经委托人或受益人同意的除外。如果受托人违反上述规则，发生受限制的交易行为，导致信托财产遭受损失的，受托人则有义务赔偿损失，即承担赔偿责任。

(6)受托人必须保存处理信托事务的完整记录，这就是受托人有保存资料的义务。

(7)受托人应当每年定期将信托财产的管理运用、处分及收支情况,报告委托人和受益人,这就是受托人有依法报告的义务,所报告的内容在信托法中作出基本规定,具体的内容则可以依法在信托文件中或者有关的管理规定中作进一步的规定。

(8)受托人对委托人、受益人以及处理信托事务的情况和资料负有依法保密的义务。

上述八项是信托法有关受托人一节中规定的内容,都是受托人的基本义务,除此之外,还在信托法的其他章节有涉及受托人义务的内容,也是应当重视的。下面是关于分别管理和自行处理信托事务方面的规定,也是受托人应履行的义务,为了叙述方便,单独进行分析。

3. 信托财产分别管理

这是受托人受托管理信托财产必须遵循的重要规则,其目的是从制度上保持信托财产的独立性。由于分别管理是需要严格执行的,并且是强制实施的管理措施,因此,由法律作出规定,作为受托人的法定义务。

分别管理的作用在于,作为同一受托人的名义下有几种相互独立的信托财产,在它们之间不能混淆其权益,并要求能清楚地计算各自的利益,当然还要防止往往在混淆中出现的种种弊端。分别管理的规则适用于以下两方面:一是受托人必须将信托财产与其固有财产分别管理、分别记账;二是受托人必须将不同委托人的信托财产分别管理、分别记账。这两方面的分别管理严格划开了信托财产与受托人固有财产的权益,同一受托人管理的不同委托人信托财产的权益。分别记账是分别管理的关键手段,分别记账就是分别记载发生的经济事务,分别反映信托财产的运行状况,分别计算其经济上的损益。

4. 受托人自行处理信托事务

这是受托人的又一项应当履行的义务,它产生于信托制度的一个重要特点，就是委托人出于对受托人的信任才将财产委托给他管理的，而这种信任都会具体到受托人的声誉、能力、知识等方面，因而受托人在承诺信托后，就应当由自己处理信托事务，而不应再转由他人来处理信托事务，这是通行的规则，也是受托人的义务。对于这项规则可以有例外的情况，或者说有法律允许的例外情况，即信托文件另有规定，也就是事先有约定可以委托他人代为处理，受托人则可按信托文件规定办理；另一种情况是受托人有不得已事由的，也就是受托人由于有自身难以控制的一些事由，比如受托人有病是严重的，不能自行处理信托事务，这种情况下可以委托他人代为处理。对于受托人自行处理信托事务的规则，并不是绝对的都由其个人直接处理，如果受托人是自然人的，他可以请一些人员起辅助作用；如果是法人的，则按法人组织的内部分工处理。

对于受托人依法将信托事务委托他人代理的，其责任的承担，则按受托人应当自行处理信托事务的规则来确定，也就是委托他人代理的，其责任仍由受托人承担，所以信托法规定，受托人应当对他人处理信托事务的行为承担责任。这从受托人是信托关系当事人这个角度看，受托人也应当承担这种责任，信托法明确了这种责任，有利于保护委托人和受益人的利益，有益于受托人慎重地对待委托他人处理信托事务的事宜。

5. 共同受托人

共同受托人产生于共同信托，这就是某一项信托并不限于只有一个受托人，而由几个受托人共同接受也是可以的。同一信托由两个以上的受托人接受的为共同信托，共同信托的受托人为共同信托人。同时，信托法为共同信托人的权利义务作出了规定，明确了他们之间的法律关系，主要内容为：

(1) 为共同受托人作出界定，也就是必须具备两个条件，一是为同一信托的受托人才是共同受托人，二是同一信托的受托人为两个以上的才能构成共同受托人。

（2）共同信托应当由共同信托人共同处理信托事务，这是一般的规则，但是信托文件如果规定对某些具体事务由受托人分别处理的，可以按照信托文件的规定执行。这里需要指出的是，只有对某些具体事务才允许在信托文件中规定可以分别处理，而对共同信托的重要事务还是确定由共同信托人共同处理。

（3）共同受托人共同处理信托事务，意见不一时，如果信托文件中有处理这种情况的规定，则按信托文件的规定办理；如果信托文件中未作这种规定的，则由委托人、受益人或者利害关系人决定。

（4）共同受托人处理信托事务对第三人所负债务，应当承担连带清偿责任。对于这种债务应当视为是共同信托人的共同债务，各个共同受托人负有连带清偿责任，即负有连带责任的各个受托人作为债务人，都负有清偿全部债务的义务。

（5）第三人对共同受托人之一所作的意思表示，对其他受托人同样有效。这是明确共同信托人与第三人之间的又一层法律关系，即第三人的意思表示只对共同受托人之一作出即为有效，不必向共同受托人逐个地作出。

（6）共同受托人之一违反信托目的处分信托财产或者因违背管理职责、处理信托事务不当致使信托财产受到损失的，其他受托人应当承担连带赔偿责任。这项规定将共同受托人作为一方当事人，是一个整体，共同接受信托，共同处理信托事务，共同承担责任，其中的某一个受托人的责任就是共同受托人中其他受托人的责任。即使由受托人分别处理具体事务产生的责任，也因为这是共同的授权，所有共同受托人应同样地承担责任。

6. 受托人的权利

受托人得到委托人的信任，受托理财，除了在信托文件中所赋予的管理运用、处分信托财产的权利外，在信托法中还规定其有取得报酬和优先受偿的权利，这两项权利的产生和实现都有具体的条件，主要内容为：

(1)关于取得报酬的权利

在信托法中首先明确规定，受托人有权依照信托文件的约定取得报酬。这项规定立足于受托人可以取得报酬，但是不一定都必须有报酬，尤其是民事信托中很多是没有报酬的，只有营业信托中一般都有报酬，所以法律规定是否有报酬及报酬的具体内容都以信托文件为准，按照所约定的执行，这是有关报酬的第一项规则。

第二项规则是，信托文件未作事先约定的，经信托当事人协商同意，可以作出补充约定。这是给信托当事人在报酬问题上有一定的灵活性，即使事先未作约定，还可以作出补充约定，只要是信托当事人协商同意就行，避免了那种事先未作约定就一律不得收取报酬的划一做法，实际上这种划一的做法未必是完全符合信托的需要。

第三项规则是，未作事先约定和补充约定的，不得收取报酬，在这项规定中表现出了两个条件，尤其是增加补充约定而未作约定的这个条件后再明确不得收取报酬就较为合理。

第四项规则是，信托文件中约定的给予受托人的报酬，可以经信托当事人协商同意增减其数额。这是在约定有报酬的基础上，对报酬数额可作变动，依法调整受托人与其他信托当事人的利益关系。

第五项规则是，受托人违反信托目的处分信托财产或者因违背管理职责、处理信托事务不当致使信托财产受到损失的，在未恢复信托财产的原状或者未予赔偿前，不得请求给付报酬。这项规则的内容表明，只有受托人履行了法定义务才能享有收取报酬的权利，信托法对此规定了特定的条件，也就是受托人的报酬是由信托当事人自行约定的，只有出现了必须由法律加以制约的情况，法律才作出专门规定,明确受托人享有的权利是以其履行义务为前提的。

(2)关于优先受偿的权利

受托人优先受偿的权利是对信托而言的,这种权利的产生是有法定条件的:第一,所产生的费用、债务应当是由信托财产承担的,也就是受托人因处理信托事务所支出的费用、对第三人所负的债务,皆在分别管理中属于信托财产的范畴,从财产性质上都是信托财产的权益和责任,因此,应当由信托财产承担;第二,应当由信托财产承担的费用、债务,但是由受托人以其固有财产作了先行支付,或者说该项费用、债务并非是应由受托人固有财产承担的,而由受托人先以其固有财产垫付了,从而产生了受托人对信托财产有优先受偿的权利。

为了进一步界定受托人优先受偿的权利,防止这种权利被不正当地使用,信托法还规定,受托人违背管理职责或者处理信托事务不当对第三人所负债务或者自己所受到的损失,以其固有财产承担。

上述两方面的规定是将信托财产与固有财产各自所应承担的责任加以区分,明确受托人应有的权利。两种财产之间各有其责,不得相互侵占,这项法律原则应当坚持,但在操作中会存在一定的复杂性,关键在于依法界定清楚。

7. 受托人职责终止

受托人职责终止是某个受托人不再作为受托人,这与信托终止是不同的,受托人职责终止不等于信托终止,但是,信托终止却会导致受托人职责的终止。

受托人职责的终止,会有不同的原由,信托法规定有下列情形之一的,受托人职责终止:

(1)死亡或者被依法宣告死亡。这是受托人生命的终止,必然地导致其职责的终止。

(2)被依法宣告为无民事行为能力人或者限制民事行为能力人。这是受托能力的丧失,从而不再具有作为受托人的必要条件,其职责也就随之终止。

(3)被依法撤销或者被宣告破产。这是依照法律、行政法规的规定,受托人不再作为权利义务的主体存在,或者已经没有作为受托人的能力,因此,终止其作为受托人的职责。

(4)依法解散或者法定资格丧失。这是受托人依法不再存在或者失去作为受托人的资格,从而不能再继续履行受托人的职责。

(5)辞任或者被解任。这是依照信托法的规定,设立信托后,经委托人和受益人同意,受托人可以辞任;信托法还规定,依照法定的事由委托人有权依照信托文件的规定解任受托人,或者申请人民法院解任受托人。随着受托人的辞任或者被解任,其职责终止。

(6)法律、行政法规规定的其他情形。这是由于在信托法中还难于将导致受托人终止职责的各种法定情形一一列举齐全,同样需要考虑的是随着信托的发展,实践的丰富,还有若干新的情况出现,应当在法律上作出反应。

受托人职责终止,无论是由于上述的何种情形,与其直接有关的人员都应当妥善保管信托财产,办好交接事宜,因此,信托法明确规定,受托人职责终止时,其继承人或者遗产管理人、监护人、清算人应当妥善保管信托财产,协助新受托人接管信托事务。这项规定就是为了保护信托财产,明确相关人员的责任,确立更替受托人时应有的一些秩序。

在信托法中还对受托人职责终止的两种特定情况作出规定:

一是,上述受托人职责终止的六种情形中,有后四种情形之一的,被终止职责的受托人应当有办好移交手续的责任和其他需要由其承担的责任,因此,信托法专门规定,受托人有信托法第三十九条第一款第(三)项至第(六)项所列情形之一,职责终止的,应当作出处理信托事务的报告,并向新受托人办理信托财产和信托事务的移交手续;受托人所作的处理信托事务的报告,经委托人或者受益人认可,原受托人就报告中所列事项解除责任;但原受托人有不正当行为的除外。这项规定中对被终止职责的受托人的责任作出界定,是为了保护委托人和受益人的合法权益;同时为了防止原受托人有不正当行为并且一时难以发现而借此逃避责任,因此,又明确,原受托人有不正当行为的除外,即不解除其责任。

二是,共同受托人之一职责终止的,信托财产由其他受托人管理和处分。这是考虑共同受托人是一个整体,其中某个受托人职责终止,并不是这个整体的职责终止;当然,某个被终止职责的受托人仍然要承担应由其单独承担的责任。

在有关受托人义务的法律规定中,还有一项重要的规定,就是确定受托人以信托财产为限向受益人承担支付信托利益的义务。这项规定的含义是清楚的,涉及受托人的义务,也涉及受益人的权利,但它们都以信托财产为基础来确定相关的权利和义务。

七、信托当事人——受益人

在信托关系中,受益人成为信托当事人中不可缺少的一方,这是信托制度的一个重要特点,在信托法中给信托作出定义时即明确规定,信托是由受托人接受委托人的意愿以自己的名义,为受益人的利益或者特定目的,管理或者处分信托财产的行为。这里所称的特定目的,可以说是一种特定的受益人、特定的利益,并不是受益人利益以外的什么利益,所以它只是一种表述上的区别,而实际上是一致的。信托关系就是以信托财产为中心,由委托人、受托人、受益人三方面组成的法律关系。

1. 受益人的地位和资格

受益人的法律地位在信托法中被确定为是在信托中享有信托受益权的人,这也就是在设立信托时被指定享有信托行为所产生的利益的人,或者是在信托过程中被依法确定享有信托收益权利的人。这种享有信托收益的权利被称作信托受益权,它的享有者就是受益人。受益人的法律地位正是由于他所享有权利决定的,或者说,受益人身份和他所享有的权利是密不可分的。

谁可以享有信托利益,也就是谁有资格作为受益人,当然这是根据信托文件确定的,有具体的对象或者特定的范围,但都必须是具有权利能力的人,所以信托法规定,受益人可以是自然人、法人或者依法成立的其他组织。或者说,自然人、法人、依法成立的其他组织,都有资格依法成为信托关系受益人,享有信托利益。

在信托当事人中,对于受益人与其他当事人之间的关系,信托法作出了专门的规定,以反映和确定他们相互之间公正合理的权益关系,防止不正当的信托行为。所以,一是明确委托人可以是受益人,也可以是同一信托的唯一受益人,这主要是由于委托人是信托财产的所有人,持有信托财产的所有权,并不排斥他自己以其所有权而获得受益权,比如以信托关系为基础形成证券投资基金,投资者可以作为委托人投入资金,也可以作为受益人享有其收益;如果信托财产不是出自某一个委托人,而在其他信托中指定这个委托人作为受益人的,只要这项信托受益权具有合法性,就不必加以限制。二是明确受托人可以是受益人,但不得是同一信托的唯一受益人,这里有两点考虑,也就是受托人即使代人理财,如果其他的信托中指定其作为受益人的,这是不应受到限制的,就是可以作为受益人;另一种情况,如果这个受托人在一项信托中是由他自己作为受托人的,再要由他自己作为这项信托的受益人就要受到限制,也就是不能作为唯一受益人,不应形成既代人理财又将全部收益归己的格局,这样会导致一些不正常的信托行为。

2. 受益人的权利

受益人享有信托利益,这是受益人的基本权利,或者说是受益人权利的集中体现,在信托法中对此作出有关规定是必要的,不仅

使之规范化,而且在规范中得到有效保护。主要内容为:

(1)享有权利的起始。受益人从信托生效之日起享有信托受益权,如果在信托文件中另有规定的,则从其规定,这就是受益人从什么时候开始享有信托利益,须由法律规定或者信托文件规定,而不能由受益人自己确定,也不能由受托人来定。

(2)享有权利的限定。前面已经提及,受托人有以信托财产为限向受益人承担支付信托利益的义务,与此相对应,受益人只应以信托财产为限而享有信托利益,因为受益人的权利是以受托人承担的义务为前提的,信托受益权是以信托财产为限产生的权益,超出这个限定而存在的其他一些权益已不是信托受益权的范畴,则是属于另外的一些法律关系。信托利益,简单地说就是信托财产管理运用所产生的利益,这种成果应当归属于受益人,受益人的权利应当是充分地享有这种成果。

(3)共同受益人的权利。共同受益人就是共同享有信托受益权的人,关键在于如何共同享有这种权利,针对现实中存在的两种情况信托法作出了规定:一是在信托文件中已对共同受益人分享信托利益的有关事项作出规定的,则按信托文件的规定办理;二是在信托文件中没有对信托利益的分配比例或者分配方法作出规定的,则各受益人按照均等的比例享受信托利益。这项规定所体现的内容是,信托利益归属于共同受益人,在各受益人之间按信托文件的安排分配,未作安排的则依法分享,即由法律规定平均分享,对此各受益人无权由自己来决定信托利益份额。

(4)信托受益权的享有及所受限制。受益人享有信托受益权,但是在特定的情况下也有一定的限制。信托法对此作出了两项规定:一是明确受益人不能清偿到期债务的,其信托受益权可以用于清偿债务,但法律、行政法规以及信托文件有限制性规定的除外;二是受益人的信托受益权可以依法转让和继承,但信托文件有限制性规定的除外。在这两项规定中都对受益人的权利作出一定的限制，其中一个重要的原因是与一定的信托目的有关，使受益人所享有的权利与信托目的的实现联结在一起。

3. 受益人权利的放弃

这是要确立一些相应的规则，就是受益人依法享有信托受益权，同时也可以放弃信托受益权。当然，放弃这项权利是以享有这项权利为前提的，不享有也就无所谓放弃。所以实质上是当某个受益人在有权享有信托利益时，是否享有则根据受益人自己的意愿作出抉择。

如果受益人是决定放弃信托受益权的，信托法则针对这种行为以及由其导致的变化作出了以下规定：

（1）明确规定受益人可以放弃信托受益权。

（2）如果是全体受益人放弃信托受益权的，信托终止，这种法定的终止是由于失去受益人而不再具备信托存在的条件。

（3）部分受益人放弃信托受益权，而仍然存有受益人，信托未被终止，对于被放弃的信托受益权按下列顺序确定归属：第一，信托文件规定的人；第二，其他受益人；第三，委托人或者其继承人。

4. 受益人权利与委托人权利的行使

为了保护受益人的权益，因而在信托法中，确定委托人所享有的权利受益人也可以享有，所以信托法明确规定，受益人可以行使信托法第二十条至第二十三条规定的委托人享有的权利。这也就是受益人与委托人同样享有知情权，有权要求调整信托财产管理方法，有权申请撤销对信托财产的处分行为，有权依法解任受托人或者申请人民法院解任受托人。当受益人行使这些权利，与委托人意见不一致时，解决的办法从法律上说是可以申请人民法院作出裁定，当然这也就是意味着还可以有其他解决纠纷的途径。

八、信托的变更、终止

信托作为一种受人之托，代人理财的制度，在其设立后是可以根据情况的变化变更有关事项的，也可以根据一定的条件使信托终止。为了使信托变更、终止的行为规范地进行，因而在信托法中对有关规则作出规定，也就是使信托的变更、终止有法可循。在前面已叙述的内容中，有些是涉及信托变更、终止事项的，与这一部分有联系，而在信托法的信托的变更与终止一章中，主要的规定是：

1. 解除信托

信托法规定，委托人是唯一受益人的，委托人或者其继承人可以解除信托。实际上这是一种与自益信托联系在一起的权利，也就是委托人将自己作为受益人而设立信托，委托人与受益人为同一人，设立这种信托的基本原因是委托人借助于他人的理财能力使自己获得收益，因此，这种信托的解除应当是较为方便的，并且是取决于委托人的意愿，当然在信托文件中另有规定的，从其规定，这也并非是否定了委托人的权利，而是着眼于委托人的行为应当是规范的，已作出的承诺不得随意变更。

2. 变更受益人或者处分信托受益权

这是在设立信托后的重要变更行为，因此，由法律作出规定，主要内容是，设立信托后，有下列四种情形之一的，委托人可以变更受益人或者处分受益人的信托受益权。这四种情形为：(1)受益人对委托人有重大侵权行为；(2)受益人对其他共同受益人有重大侵权行为；(3)经受益人同意；(4)信托文件规定的其他情形。在这四种情形中，有的是出现了不正常的信托行为，有的是出于受益人的意愿，有的则是事先约定的行为，都可以作为变更信托事项的根据。在信托法中还规定了上述四种情形中有第(1)、(3)、(4)项情形之一的，委托人可以解除信托，实际上就是取消了信托受益权，因为信托已不存在，就无信托受益权可言。

3. 信托的存续

在本文中一再强调信托是以信托财产为中心形成的法律关系，信托财产是有独立性的，从而也就直接决定了信托有相对的独立性，信托的存续不单纯依赖于委托人或者受托人的存亡和进退，而取决于是否仍有必要委托他人管理运用信托财产。因此，信托法明确规定，信托不因委托人或者受托人的死亡、丧失民事行为能力、依法解散、被依法撤销或者被宣告破产而终止，也不因受托人的辞任而终止。这项规定的实质内容就是表明，委托人或者受托人的上述重大变化都不是信托终止的直接原因，也就是信托的存续不受这些变化的影响，不能单纯地以这些变化作为终止信托的理由。之所以作这样明确的规定，就是为了维护信托的独立性，有助于信托的依法存续。对于信托的存续，如果法律或者信托文件另有规定的，则从其规定，也就是可以视为除外的情况。

4. 信托终止

信托终止是信托的结束，它与前面提及的信托解除有所区别，信托终止一般是指信托的完成，而信托解除则意味着信托尚未完成但中途解散。当然，从信托终止、信托解除都是信托消灭这个意义上，它们又是有联系的，信托解除也是一种终止的行为。在信托法中对信托终止的有关事项作出规定是必要的，有下列几方面的规范。

(1)信托终止的法定情形

这也就是有下列六种法定情形之一的，信托终止。这六种情形为：信托文件规定的终止事由发生；信托的存续违反信托目的；信托目的已经实现或者不能实现；信托当事人协商同意；信托被撤销；信托被解除。这些情形的出现，意味着信托行为依法终止，信托不再存续。

(2)信托终止后信托财产的归属

信托的结束必然要确定信托财产如何归属，在信托法中规定了两种归属途径：一是信托终止的，信托财产归属于信托文件规定的人；二是信托终止而信托文件对信托财产的归属未作规定的，则按下列顺序确定归属：①受益人或者其继承人；②委托人或者其继承人。

（3）信托财产归属的有关事项

信托终止，信托财产的归属确定后，有关的法律关系发生变化或者在变化过程中，针对这种情况信托法对相关事项作出了以下规定：

一是，明确规定信托财产的归属依法确定后，在该信托财产转移给权利归属人的过程中，信托视为存续，权利的归属人视为受益人。这也就是信托终止后，信托财产尚未转移到权利归属人之手，受托人仍然负责管理信托财产，处理信托事务，视同信托依然存在，已被确定的权利归属人在法律地位上是受益人。信托转移过程所需时间，法律未作规定，可以由交接当事人确定，如果有关方面作出规定，则依照其规定。

二是，信托终止后，人民法院依据信托法的规定对原信托财产进行强制执行的，以权利归属人为被执行人。这就是信托财产被依法确定归属于谁，谁就成为被执行人。

三是，信托终止后，受托人依照信托法的规定行使请求给付报酬、从信托财产中获得补偿的权利时，可以留置信托财产或者对信托财产的权利归属人提出请求。这项规定的立足点是受托人的合法权益应当得到保护，并应有合理的保护措施和明确的责任承担者。

5. 信托事务清算报告

这是与结束信托事务的行为联系在一起的法定文件，或者说是一个法定的程序。信托法规定，信托终止的，受托人应当作出处理信托事务的清算报告；受益人或者信托财产的权利归属人对清算报告无异议的，受托人就清算报告所列事项解除责任；但受托人有不正当行为的除外。这项规定确定了信托终止的必不可少的程序、受托人的义务、利害关系人的权利、受托人的责任解除和承担，它对结束信托来说是必不可少的制度，以保证有秩序地终止信托行为。

九、公益信托特别规定

中国信托法的适用范围是包括民事、营业、公益信托活动的，因此，上述关于调整信托关系，规范信托行为的一系列基本规定是适用于这三类信托活动的，但是公益信托与民事、营业信托相比，又有其特点，因此，信托法中对单立公益信托一章，作出若干特别规定，所以在该章的开始即明白写出，公益信托适用本章规定，本章未规定的，适用信托法及其他相关法律的规定。这也就是对公益信托，在信托法中有特别规定适用特别规定，未作特别规定的则适用一般规定，包括信托法中的规定及其他相关法律中的规定。

有关公益信托的特别规定，主要为下列内容：

1. 公益信托的界定

公益信托是以促进社会公众利益为目的而设立的信托，或者说设立公益信托的目的就是举办社会福利事业，造福于社会公众。这种信托的一大特点在于它的公益性，而不是以谋取私人利益、谋取盈利为目的。公益事业的范围可以是十分广泛的，但与公益信托联系在一起却需要有具体的界定，因此，信托法规定，为了下列公共利益目的之一而设立的信托，属于公益信托：(1)救济贫困；(2)救助灾民；(3)扶助残疾人；(4)发展教育、科技、文化、艺术、体育事业；(5)发展医疗卫生事业；(6)发展环境保护事业，维护生态环境；(7)发展其他社会公益事业。对于这个界定的范围，在立法过程中有的意见认为失之过宽。经过研究认为还是符合社会公益事业性质的，同时与已制定的公益事业捐赠法所作的界定也是一致的。

在对公益信托作出法律上的界定后，由于这种信托是为公共利益而设立的，受益的是社会公众，因此，信托法明确规定，国家鼓励公益信托。同时为了保证这种信托的公益性，还明确规定，公益信托的信托财产及其收益，不得用于非公益目的。这是在界定公益信托的基础上，保证公益信托性质的一项十分重要的法律措施，或者说是衡量是否为公益信托的极为重要的标志。

2. 公益信托的设立

公益信托关系到社会公众利益，公益信托的信托财产往往是以集合体的形态存在的，公益信托的受益人往往是不特定的，公益信托的存续期限不少是长期性的。由于公益信托的这些特点，因而对其设立及受托人的确定有特定的要求，就是公益信托的设立和确定其受托人，应当经有关公益事业的管理机构批准，并且同时规定，未经公益事业管理机构的批准，不得以公益信托的名义进行活动。这些规定明确了公益信托的设立程序，也对不遵守法定程序的行为作了否定。

3. 关于公益事业管理机构

在信托法中出现这样一个机构的名称，主要是为了对公益信托进行必要的管理的需要，这种管理体现了国家对社会事务管理的职能。公益事业管理机构，从其确定性来说，是指国家依法设置的对公益事业实施管理的机构，比如，对救济贫困、救助灾民事业实施管理的民政机构，对发展教育、文化、体育事业实施管理的教育机构、文化机构、体育机构，对发展医疗卫生事业实施管理的卫生机构等。公益事业管理机构对公益信托的管理原则和管理事项由信托法作出规定，主要的如：

公益事业管理机构对于公益信托活动应当给予支持，这是管理中应当贯彻的积极原则，它是国家鼓励发展公益信托方针的具体体现。

公益事业管理机构应当检查受托人处理公益信托事务的情况

及财产状况，这是对公益信托实施监督管理的重要内容，或者说是法定的事项。因此，又具体规定，受托人应当至少每年一次作出信托事务处理情况及财产状况报告，经信托监察人认可后，报公益事业管理机构核准。

公益信托的受托人未经公益事业管理机构批准，不得辞任，这是比一般受托人的辞任多了一道批准程序。

公益信托的受托人违反信托义务或者无能力履行其职责的，由公益事业管理机构变更受托人，这就是将变更公益信托受托人的权力授予了管理机构。

公益信托成立后，发生设立信托时不能预见的情形，公益事业管理机构可以根据信托目的，变更信托文件中的有关条款。这是赋予了管理机构很大的权力，也是必要的权力。

公益事业管理机构违反信托法的规定的，委托人、受托人或者受益人有权向人民法院起诉。这是对管理机构的监督，促使其依法行事，也是对信托当事人合法权益的保障。

4. 公益信托监察人

这是为监督公益信托事务处理，维护受益人权益而专门设置的，信托法专门规定，公益信托应当设置信托监察人。信托监察人的产生采取由信托文件规定的方式，如果在信托文件中未作规定，则由公益事业管理机构指定。

信托监察人有权以自己的名义，为维护受益人的利益，提起诉讼或者实施其他法律行为，这是表明信托监察人有一定的独立采取行动的能力。

对于受托人所作的信托事务处理情况及财产状况报告，需经信托监察人认可后，才能报公益事业管理机构核准，并由受托人予以公告。

5. 公益信托终止

公益信托由于性质上和运作上的特点，因而对其终止也规定了特别的程序，以及对信托财产的特别处理，主要有下列三点：

一是，公益信托终止的，受托人应当于终止事由发生之日起15日内，将终止事由和终止日期报告公益事业管理机构。

二是，公益信托终止的，受托人作出的处理信托事务的清算报告，应当经信托监察人认可后，报公益事业管理机构核准，并由受托人予以公告。这项程序比一般信托更为严格，更重视发挥信托监察人和管理机构的作用，这与公益信托受益人是不特定的有关。

三是，公益信托终止，没有信托财产权利归属人或者信托财产权利归属人是不特定的社会公众的，经公益事业管理机构批准，受托人应当将信托财产用于与原公益目的相近似的目的，或者将信托财产转移给具有近似目的的公益组织或者其他公益信托。这项规定中所体现的法律原则是，公益信托具有公益性，在其终止后处置信托财产仍然坚持以公益为目的，立足于继续用其为整个社会公众谋取福利。

最后，需要说明几点：

中国制定信托法，立足于调整信托关系，规范信托行为，建立并逐步完善信托法律制度，这是适应了社会经济的现实需要，有利于改革和发展，同时也考虑了现阶段的信托立法条件，符合实际情况，这是这部法律的基本点。

运用这部法律所规范的信托关系，从事信托活动，有一部分是需要建立信托机构的，在当前尚未制定信托业法的情况下，因而规定了受托人采取信托机构形式从事信托活动，其组织和管理由国务院制定具体办法。这样使信托法的实施与信托业的操作衔接了起来。

由于发展阶段和实践经验的限制，信托法仅对某些规则作了基本规定，或者是留有一定的空间，以待逐步补充完善，但是这并不影响这部法律的实施，更不影响这部法律作为信托的基本规范所起的作用。

第二部分 释 义

第一章 总 则

第一条 为了调整信托关系,规范信托行为,保护信托当事人的合法权益,促进信托事业的健康发展,制定本法。

【释义】 本条是对信托法立法目的的规定。

中华人民共和国信托法是确立我国信托制度的基本法律规范。通过制定信托法,从我国的现实条件和实践经验出发,借鉴国际上通行的调整信托关系的法律规范,确立适合我国国情的信托制度,对完善我国的民事商事法律制度,发挥信托在民事活动和经济活动中的作用,推动社会主义市场经济的发展,具有重要的意义。

信托法适应了社会主义市场经济条件下民事活动和经济活动的实际需要,反映了建立社会主义市场经济体制的客观要求。改革开放以来,特别是建立社会主义市场经济体制以来,我国的经济条件和经济环境发生了巨大的变化,生产力水平迈上了一个新台阶,人民生活总体上达到了小康水平。经过二十多年的发展,我国的社会财富大量增加,家庭和个人财产的积累也发生了很大的变化,这些为信托事业的建立和发展提供了社会经济基础。一是家庭和个人财产的增加,人们将闲置资金转化为投资的愿望日益增强,需要委托提供投资服务的专业机构代为管理和运用其财产。

二是法人或其他经济组织在生产经营活动中,为了更有效地发挥其资产的使用效益,提高资产质量,也有必要委托他人进行运用和管理,以使其资产得到保值和增值。三是随着社会保障制度的建立,养老保险、医疗保险、失业保险等社会保障基金,在其积累和管理过程中需要不断地增值,也有必要引入信托的方式进行管理和运用。四是随着社会的全面进步与精神文明程度的提高,社会公益事业不断扩大,用于特定目的的公益基金日趋增多,在大量的公益基金的管理上,信托是公益基金得到有效管理和运用的比较可靠的方式。信托作为“受人之托,代人理财”的一种特定的财产管理制度,能够适应经济条件和经济环境发生重大变化后的个人、企业或者其他组织委托他人管理和运用其财产的需要,对合理管理和经营财产,促进社会投资,增进社会公益事业发展,具有积极的作用。

信托法对现实中的信托活动具有指导和规范的作用,有利于纠正以往不正确的做法,引导信托活动步入规范化的轨道。实行改革开放以后,从 20 世纪 80 年代初在我国恢复信托活动以来,先后开办了许多金融信托机构,由于缺乏实践经验和相关的法律规范,在从事的信托活动中产生了各种各样的问题,许多业务名曰信托业务,实际上不是信托活动,不构成信托关系。有的甚至冒用信托,进行了一些扰乱国家金融秩序和经济秩序的违法活动,暴露出比较严重的问题。这些问题也说明与在我国尚未建立调整信托关系的基本规范有关。通过制定信托法,用法律的形式对信托关系以及信托当事人的权利义务作出明确的规定,有利于纠正不规范的问题,维护信托活动当事人的合法权益,促进信托事业的健康发展。

第二条 本法所称信托,是指委托人基于对受托人的信任,将其财产权委托给受托人,由受托人按委托人的意愿以自己的名义,为受益人的利益或者特定目的,进行管理或者处分的行为。

【释义】 本条是对信托定义的规定。

信托是一种特定的财产管理制度。从几百年前英国衡平法创制近代信托制度以来,经过信托活动的实践,逐步形成有关信托关系的基本法律规范。这些规范反映了信托活动的内在要求和基本功能,构成了民事商事法律中的一种特殊的法律概念和法律制度。

理解信托的定义,可以从以下几个方面把握其基本的特征:

一、信托是一种由他人进行财产管理、运用或处分的财产管理制度。

二、委托人与受托人之间具有充分的信任关系,是以信任为前提的。受托人对委托人的忠诚可靠,成为信托关系产生的基础。

三、以受托人的名义掌有信托财产,但是信托财产具有独立性。

四、受托人按照信托文件或者信托法律的规定,行使对信托财产的管理、运用或处分的权限,并就此承担责任。

五、受托人因管理、运用或处分信托财产而产生与第三人之间的权利义务,仅归属于受托人,不直接归属于委托人或受益人。

六、受托人虽然取得信托财产权的名义,但在经济上和实质上,其行使管理、运用或处分权,必须受信托目的的约束,信托财产在实质上归属于委托人和受益人。

信托的上述法律特征与民法规范的一般法理有明显的区别,特别是同大陆法系的物权法和债权法的基本规范相比较,具有特殊的法律原则。这是由于信托最初是在英美法系国家发展起来的,在这些法律传统的国家,对于土地以及其他物,主要着眼于对财产的实际支配,重视财产的运用流转,社会信用关系比较发达。为此,在特定历史条件下形成的信托制度,承认信托财产的双重所有权,并确定了信托财产和信托当事人权利义务的独特的规范。相比较而言,大陆法系国家比较强调财产的所有权,重视物的最终归属，赋予所有权人对所有物具有绝对的、完全的、排他的权利。因此，在这一前提下，大陆法系在财产关系上，不另行扩充物权的内容，而通过契约的方式解决和处理财产的管理方式，例如委托代理、寄存保管、行纪、监护、遗产管理等等，都以契约的形式适应本人财产由他人进行管理、运用或处分的实际需要。进入 20 世纪后，一些大陆法系国家根据市场经济活动和民事活动的需要，引入了源于英美法系的信托制度，并较好地与其传统的法律规范相协调，成为其本国民事商事法律的重要组成部分。

我国在民法通则和合同法中对契约关系及其合同形式分别作出了具体规定，在有关财产管理的合同规范上与信托规范相比较，可以看出它们之间的区别。

一、委托代理与信托的区别

从经济功能上看，在委托他人管理、运用或处分财产这一点来看，两者有相似之处，但在法律原则上，则存在重大的差别。

1. 在信托关系中，信托财产的名义人为受托人；而在委托代理关系中，财产权仍为本人的名义。

2. 在信托关系中，委托人可以指示受托人，但不直接管理、运用和处分信托财产；而在委托代理关系中，代理人和本人都可以行使对财产的管理、运用和处分的权利。

3. 在信托关系中，信托财产具有独立性，受托人死亡、破产等，都不影响信托关系的存续；而在委托代理关系中，代理人死亡，该代理关系随之终止。

4. 与第三人的关系上，在信托关系中，信托财产因管理、运用或处分对第三人产生的债务，由受托人的名义对第三人承担责任；而在委托代理关系中，因代理行为产生的对第三人的债务，则由本人承担责任。

5. 在信托关系中，受托人的行为约束信托财产，但不直接约束受益人；而在委托代理关系中，代理人的行为约束本人。

二、寄存保管与信托的区别

在财产由委托人转交给受托人(保管人)这一点来看,两者之间有近似之处,但在法律原则上,则存在重大的差别:

1. 在信托关系中,不仅信托财产的占有发生变化,信托财产的名义转为受托人;而在寄存保管关系中,保管人只临时占有寄存的财产,并不发生名义上的变化。

2. 在信托关系中,受托人要按照信托文件的约定,为了信托目的,对信托财产进行管理、运用和处分;而在寄存保管关系中,保管人仅负有安全保管和返还的义务,而不承担运用、处分财产的义务。

三、行纪与信托的区别

行纪是指行纪人接受委托人的委托,以自己的名义为委托人从事贸易活动,而由委托人支付报酬的行为。行纪与信托在为他人的利益进行财产的管理、处分上,有共同之处,但在法律关系上有着重要的区别:

1. 设定关系的形式不同。行纪关系只能通过契约形式设定;而信托关系,不仅可以通过契约形式设定,而且还可以通过遗嘱以及其他书面形式设定。

2. 受托人的权利范围不同。在行纪关系中,行纪人经委托人授权,其权利只限于代委托人买卖财物,并不得违背委托人在价格、数量、质量等方面的要求;而在信托关系中,受托人的权利要比行纪人的权利广泛得多,其对财产的管理和对信托事务的处理,包括了事实行为、法律行为和诉讼行为,在管理、运用或处分信托财产上,具有更大的权限。

由上述列举的信托法律规范的特殊性,可以看出信托是委托人基于对受托人的信任,为受益人的利益或者特定目的而委托他人按照其意愿,以受托人的名义对信托财产进行管理、运用或者处分的财产管理制度。

第三条　委托人、受托人、受益人（以下统称信托当事人）在中华人民共和国境内进行民事、营业、公益信托活动，适用本法。

【释义】　本条是对信托法适用范围的规定。

法律的适用范围一般包括该法所调整的主体范围、客体范围和法律的管辖范围。

一、关于信托法调整的主体范围

信托法专门调整信托关系，而构成信托关系的当事人主要是与信托活动有直接的最密切关系的委托人、受托人、受益人，这三方当事人必须同时具备。缺少这三方当事人的任何一方，则缺少构成信托关系的基本要件，不可能形成信托关系。所谓委托人，是指设立信托的人。委托人包括具有完全民事行为能力的自然人、依法成立的法人和依法成立的其他组织。所谓受托人，是指与委托人订立信托合同而承诺接受委托，或者被信托遗嘱所指定而承诺接受指定，负责对信托财产进行管理、运用或处分的人。受托人可以是具有完全民事行为能力的自然人和依法成立的法人。所谓受益人，是指依据信托文件享受信托利益的人。受益人包括自然人，该自然人可以是具有完全民事行为能力的人，也可以是无民事行为能力人或者限制民事行为能力人，这些人正是民事信托中主要的信托利益的受益对象；受益人还可以是依法成立的法人或者其他组织，这些法人或者组织，可以是营利性组织，也可以是非营利性组织。信托法对委托人、受托人、受益人在信托关系中的权利义务所作出的规范，信托当事人必须加以遵守。除了上述信托当事人之外，与信托活动有联系的其他相关人，在信托法所指向的事项上，也应当遵守信托法的相关规定。

二、关于信托法调整的客体范围

信托法作为调整信托关系的基本规范，需要涵盖那些为不同目的设立的信托关系，将各种信托中一般的、共同的规则，以法律的形式确定下来,适用于民事信托、营业信托、公益信托等各种信托。

经过信托活动的长期实践,从法律上对信托可以进行不同的分类,最基本的分类是根据信托目的性质的不同,将信托划分为私益信托和公益信托,即出于私益目的设立的信托,属于私益信托;出于公益目的设立的信托,属于公益信托。

在私益信托中,又可以按照受托人的性质和设立信托的具体目的,区分为营业信托和非营业信托。营业信托是个人或法人以财产增值为目的,委托营业性信托机构进行财产经营而设立的信托。非营业信托即民事信托,是个人为抚养、扶养、赡养、处理遗产等目的,委托受托人以非营利业务进行财产的管理而设立的信托。相对于私益信托,公益信托是出于发展公共事业的目的而设立的信托,该信托财产只能用于公益事业。由此可以看出,信托法将其适用的客体范围确定为民事信托、营业信托和公益信托,就涵盖了各类的信托活动,有利于规范各种信托活动。

在信托法学理上,还可以从不同的角度,对信托作其他具体的划分:

1. 按照信托设立的意思表示的不同,可以分为明示信托、默示信托、法定信托。所谓明示信托,是指委托人以明确的意思表示而设立的信托。该明确的意思表示采取信托合同的形式、遗嘱的形式以及其他信托文件的形式。所谓默示信托,是指非经委托人的明确的意思表示,而根据对事实和当事人行为的解释产生的信托,这种信托是英美法系衡平法上的一种推定信托。所谓法定信托,是指国家法律明令规定当事人必须设立的信托,是因法律的强制规定而产生的信托。

2. 按照受益人与委托人的关系不同,可以分为自益信托和他益信托。所谓自益信托,是指受益人和委托人是同一人,委托人设立信托的目的是为了自己的利益。所谓他益信托,是指受益人为第三人，委托人设立信托是为了第三人的利益，委托人与受益人不是同一人。

3. 按照接受信托的方式不同，可以分为个别信托和集团信托。所谓个别信托，是指受托人对每一个信托分别独立地承诺，即一对一地形成若干个别的信托关系。所谓集团信托，是指受托人在同一条件下同时承诺众多的委托人的同样性质的委托，即一对多地形成集团信托关系。

4. 按照信托可否撤销，分为可撤销信托和不可撤销信托。在信托文件中，委托人可以按照信托目的的性质事先作出约定，标明了可撤销条款的，属于可撤销信托；未标明可撤销条款的，或者标明不可撤销条款的，为不可撤销信托。

5. 按照信托财产的种类不同，可以将信托作不同的业务区分，如动产信托、不动产信托、金钱信托、年金信托、有价证券信托、证券投资信托等。

三、关于信托法的管辖范围

在中华人民共和国境内，信托当事人进行民事信托、营业信托、公益信托活动，都必须遵守本法，即是确定信托法的地域管辖范围。无论中国公民、中国的法人和其他组织，还是外国人、外国的法人或其他组织，凡在中华人民共和国境内进行信托活动，都受本法的调整和管辖。

第四条　受托人采取信托机构形式从事信托活动，其组织和管理由国务院制定具体办法。

【释义】　本条是对信托机构管理规范的授权规定。

信托机构包括信托公司等营业性信托机构以及公益信托的受托机构等具有法人资格的信托组织。有关信托机构的组织形式、设立条件、业务范围、内部机构设置以及有关行政主管部门对信托机构的监督管理、违法违规行为的处罚等，这些属于信托业管理的内容,未纳入本法的调整范围,而是授权国务院通过制定具体办法进行管理。

在信托法中是否作出调整信托业的法律规范,有两种不同的意见。在最初的草案中曾列一章,规定信托公司的设立、变更、终止,信托公司的经营规则,信托公司的监督管理等内容。这种将信托公司等信托业管理的规范作为信托法调整范围的主张,其主要理由是:自我国恢复信托业务以来,信托公司的功能一直不明确,业务范围不规范。在金融体制改革深化的情况下,信托公司的现有业务日渐萎缩,经营困难,有必要重新界定信托公司的功能和业务范围。同时,信托业经营中出现了许多违规行为,需要进行规范。另一种意见则认为,信托法应首先对信托基本关系作出规定,在目前条件下,要同时在信托法中对信托业管理的内容作出规定,立法条件还不成熟,其主要理由是:第一,我国正在对信托业进行全面的清理整顿,该项工作还未完成,清理整顿中暴露出的不少问题还需要认真总结经验教训,目前上升到法律中作规定,条件不够成熟。第二,国务院金融行政管理部门刚刚发布了信托投资公司管理办法,新确定的经营规则还需要试行进一步总结经验,目前在法律中还难以固定下来。第三,从各国信托立法的实际做法来看,信托法属于民事商事法律的范畴,主要是规定信托基本关系。而对信托业的监督管理,属于经济行政管理法律的范畴,采取另行制定信托业法的方式。这反映了信托关系法和信托业法,各自的调整对象不同,调整的手段不同,所要规范的法律关系也不同,从我国目前的实际出发,不宜将有关信托业管理的内容纳入本法的调整范围。经过全国人大常委会组成人员的认真审议,有关部门反复研究,多数意见认为,鉴于确定信托关系的基本规范对建立信托制度的实际需要和重要作用,同时,信托公司的经营活动和其他信托活动中出现的不少问题也与缺乏信托关系的基本规范有关,因此,先行制定调整信托基本关系的法律是必要的,今后可根据信托实践的发展和经验的逐步积累，另行制定有关信托业方面的法律。在这期间，由全国人大常委会授权国务院通过制定有关条例或办法对信托业进行监督管理。

第五条　信托当事人进行信托活动，必须遵守法律、行政法规，遵循自愿、公平和诚实信用原则，不得损害国家利益和社会公共利益。

【释义】　本条是对信托活动应当遵守的基本原则的规定。

信托活动是社会主义市场经济条件下，委托人、受托人、受益人共同形成的一种特定的民事商事法律关系。信托活动应当同其他民事商事活动一样，必须遵循共同的一些基本原则。

一、信托当事人进行信托活动，必须遵守法律、行政法规，这是开展信托活动的一项基本原则。一般来讲，依照一定的目的设立信托以及信托当事人之间相互履行其义务，是基于当事人之间的意思自治，属于信托当事人的民事权利义务关系。原则上，民事关系主要涉及当事人之间的利益，只要当事人的意思不与法律的强制性规范相抵触，即承认该行为的法律效力。但是，国家法律中的强制性规定，信托当事人是不得违反的，这些法律包括专门调整信托关系的信托法，调整民事关系的基本法，以及其他维护社会经济秩序的各项法律和行政法规。

二、信托当事人进行信托活动，必须遵循自愿、公平和诚实信用的原则，这是开展信托活动的另一项重要原则。信托活动是一种民事商事行为，信托当事人之间处于平等地位，设立信托，形成信托关系，必须建立在委托人、受托人的自愿基础之上。同时，通过信托合同等信托文件约定信托当事人之间的权利义务，必须体现公平的原则。在设立信托和按照信托文件进行信托活动时，当事人之间应当有诚意，维护相互之间的信任关系，不得背信弃义，损害对方和第三人的利益。

三、信托当事人进行信托活动，必须遵守社会公共道德，不得损害国家利益和社会公共利益，这也是开展信托活动必须遵守的一项重要原则。信托活动属于民事商事行为，信托当事人可以根据信托的功能，在自愿的基础上设立信托，以实现信托的目的和受益人的利益。但是，该信托目的和受益人的利益，不能违反社会公共秩序，不得损害国家利益和社会公共利益。信托目的违反法律、行政法规，信托活动损害国家利益和社会公共利益的，该信托行为无效，不受法律的保护。

第二章 信托的设立

第六条 设立信托，必须有合法的信托目的。

【释义】 本条是对设立信托的要件的规定。

设立信托是委托人的自愿的行为，但是该行为必须符合法定的要件。按照信托法的规定，合法的、确定的信托目的，是设立一项信托的必须具备的要件之一。

所谓信托目的，是指委托人希望通过信托所达到的目的。按照本法第二条关于信托定义的规定，委托人设立信托都要出于“为受益人的利益或者特定目的”，同时，作为受托人，要按照委托人的意愿，遵循委托人确定的信托目的，来管理、运用和处分信托财产。因此，信托目的，从委托人方面来看，是其通过设立信托所指明的基本目的；而从受托人方面来看，是其对信托财产应当行使管理、运用或者处分权的目的。信托目的是以信托财产为中心，影响信托关系的产生、存续、消灭的基本要素。

一、信托目的的确定性

设立信托总是出于一定的信托目的，为受益人的利益或者特定目的，就是信托目的的确定性。该信托目的，对委托人、受托人、受益人相互之间权利义务关系有着直接影响，同时，对与信托财产发生直接、间接关系的利害关系人，也有重要的影响。因此，信托目的应当明确，使受托人可以非常清楚地明了应当遵循该宗旨履行其受托义务，同时，第三人也可以明白无误地了解该信托的意思表示。在信托活动的实践中，作为私益信托，一般情况下，委托人都会注意在信托文件中确定具体、明确的信托目的。但在公益信托中,可能出现比较广泛、抽象的信托目的,由于法律规定公益事业管理机构对公益信托进行必要的监督管理,可以把握信托行为不违背委托人的意愿,不用于非公益的目的。

二、信托目的的自由性和多样性

信托只要不违反法律、行政法规,不违背国家利益和社会公共利益,可以为委托人所希望达到的各种目的而设立。信托活动的实践证明,信托行为的多样性、无限性,反映了信托目的的自由性和多样性。

三、信托目的受法律强制性规范的限制

虽然信托行为与一般民事商事法律行为一样,属于当事人之间的自主行为,但是,必须受到法律、行政法规的强制性规范的限制,而且,信托法和有关法律规定了禁止性的规定,信托的设立行为不得违反。例如,本法第十一条规定,“信托目的违反法律、行政法规或者损害社会公共利益”,“委托人以非法财产或者本法规定不得设立信托的财产设立信托”,以及“专以诉讼或者讨债为目的设立信托”等,都是法律禁止的,所设信托均属无效。又如,本法第十二条规定,“委托人设立信托损害其债权人利益的,债权人有权申请人民法院撤销该信托”。为逃避债务,将应当抵偿债务的财产设定信托,损害债权人利益的,属于欺诈信托,债权人有权依照法定程序撤销该信托。

第七条 设立信托,必须有确定的信托财产,并且该信托财产必须是委托人合法所有的财产。

本法所称财产包括合法的财产权利。

【释义】 本条是对设立信托的要件的规定。

按照信托法的规定,确定的、合法的信托财产是设立一项信托的必须具备的要件之一。

一、信托财产的确定性

信托是一种特殊的财产管理制度，其核心是信托财产。委托人设立信托，必须将一定的财产权委托给受托人，使受托人通过对信托财产的管理、运用或处分，而发挥信托财产的经济功能，服务于受益人或特定的信托目的。信托关系的产生、信托当事人之间的权利义务都与信托财产及其信托财产的收益密切相关。因此，信托法规定，设立信托，必须有确定的信托财产。

二、信托财产的现存性和积极财产性

设立信托，委托人所确定的财产应当是其实际所有的财产，而将来可能取得的财产不能作为信托财产。同时，作为信托标的的财产应当是积极财产，而包含债务的财产，不能作为信托财产。这是因为只有属于委托人合法所有的财产，在委托受托人进行管理、运用或处分过程中，财产权利明确，不存在导致信托无效或被申请撤销信托的情形，否则，信托关系不稳定，难以达到委托人设立信托的目的。特别是要防止恶意的委托人与受托人串通，利用信托从事侵占国家、集体或者他人财产的活动。

三、信托财产的范围

依照本条第二款的规定，信托法中所称财产包括合法的财产权利。也就是说，可以成为信托标的的财产，不仅是实物财产，也包括无形财产，例如商标专用权、专利权等。总的来说，作为财产权，应当是具有经济价值的权利，而人身权以及其他不独立具有经济价值的权利，不能作为信托的标的。在有些国家，对财产权利设定信托还有一些法律上的限制，例如，为了防止垄断，对于征集众多分散股东的投票权的授权而设立的信托，是禁止的。同时，对公司董事、总经理等负责人将公司的经营权设立信托，也是不允许的。因为，按照公司法的有关规定，公司的董事、总经理等，必须恪尽职守履行其对公司的善良管理的义务，如果其将公司的经营权委托他人管理，则构成规避公司负责人的义务，因此是违法的。根据这些原则，我国信托法也相应地规定委托人不得将其某些权利设定信托,例如,委托人的诉讼权就不得设定信托,专以诉讼为目的设立的信托属于无效。

第八条 设立信托,应当采取书面形式。

书面形式包括信托合同、遗嘱或者法律、行政法规规定的其他书面文件等。

采取信托合同形式设立信托的,信托合同签订时,信托成立。采取其他书面形式设立信托的,受托人承诺信托时,信托成立。

【释义】 本条是对设立信托的形式要件的规定。

按照信托法的规定,设立信托必须有委托人的明确的意思表示,这是设立信托必须具备的要件之一。

委托人出于一定的信托目的,为使信托关系产生,需要就特定的财产作出设定信托的意思表示,并且该意思表示必须包含法律规定的有关事项。对于设立信托的形式要件,国外通常有三类形式:一是采取书面形式;二是采取口头形式;三是采取声明形式(或称宣言形式)。对于民事信托,一般由委托人选择,可以采用其中的某一种形式,但是,对于营业信托,一些国家法律规定必须采取书面文件形式,这主要是考虑营业信托内容比较复杂,信托期限也比较长,因此,对有关的重要事项以书面的形式加以约定,以防止发生歧义和纠纷。由于我国恢复开展信托活动的时间还不长,尚缺乏实践经验,广大群众和企业组织对信托制度和信托规范还不够熟悉,为了明确信托当事人的权利义务,避免信托活动中的纠纷,从这一实际情况出发,信托法规定委托人设立信托的意思表示,无论是契约行为,还是单独行为,都必须采取书面的形式,而不能采取口头的形式。

一、信托合同

生前信托一般采取信托合同的形式,即由委托人与受托人签订信托合同,形成信托关系。信托合同作为一种民事合同或商事合同,其要遵循合同的一般原则:一是信托合同的书面形式,包括合同书、信件、数据电文(电报、电传、传真、电子数据交换和电子邮件)等可以有形地表现所载内容的形式。二是采用书面合同形式的,当事人予以签字或者盖章时信托合同成立,除信托合同另有约定外,信托合同自成立时起产生法律效力。三是对于法律、行政法规规定应当办理批准、登记等手续的信托合同,在依法办理了批准、登记手续时,才发生法律效力。例如,信托法第六十一条规定,公益信托的设立和确定其受托人,应当经有关公益事业的管理机构批准。根据这一规定,委托人和受托人在签订公益信托合同时,当事人签字、盖章,仅使信托合同成立,但在公益事业管理机构批准前,还不产生效力。该类信托合同在获得公益事业管理机构的批准时生效。因此,未经公益事业管理机构的批准,不得以公益信托的名义进行活动。

信托合同与一般的合同相比,还有其特殊的情形,这主要是:一般的合同,要求当事人之间应当支付对价,即合同都是有偿的。而信托合同是委托人单方面交付信托财产,并不要求受托人支付对价。在未作约定的情况下,受托人履行对信托财产的管理义务,属于单务的和无偿的。这些都是信托合同与一般合同的区别。

二、遗嘱信托

信托关系形成的另一种形式是以委托人的单独行为而设立信托,即采取立遗嘱的形式。遗嘱信托是相对于生前信托而言的,它不需要在立遗嘱时必须得到被指定的受托人同意。有效的遗嘱是遗嘱信托是否成立的前提。被指定人是否承诺信托,并不影响遗嘱的效力。遗嘱虽然指定了受托人,但被指定人并不受到遗嘱指定的强制,被指定人是否愿意承诺信托,可以自由选择。当被指定人明确表示承诺该委托时,以遗嘱形式设定的信托才成立。由于遗嘱是在立遗嘱人死亡时才发生效力,因此,依该遗嘱设立的信托视为同时生效。

三、其他书面形式

设立信托,除采用信托合同和遗嘱的形式外,随着信托业务范围的扩大,信托业务种类的增加,还会出现一些新的设立信托的书面形式。例如,以广大投资者为对象的营业信托,以公布章程的形式或发售受益凭证的形式,将基金的发起、委托和受托关系的确定以及受益事项综合地予以规定,从而形成集团信托。这些书面形式也构成信托关系产生的依据。

四、信托的特殊设立形式

在国外的信托活动中,还有一些信托的特殊设立形式,这些形式反映了国外信托法律的传统,但我国信托法不承认这些特殊形式设立的信托。

1. 宣言信托

所谓宣言信托,是指财产权人通过单独行为,以自己为受托人而设立的生前信托。英美法系国家的信托法一般允许以声明的方式设立宣言信托。但是,大陆法系国家一般不允许设立宣言信托,主要是认为委托人同时作为受托人,将自己的财产设定为信托财产,很容易被利用来规避债务,有损于债权人的利益。这种行为被作为民法上的欺诈行为,列为禁止的行为。我国信托法同样禁止设立宣言信托。

2. 双重信托

所谓双重信托,是指一项信托的受托人,将该信托财产再设立第二项信托。在这种情况下,第一项信托的受托人成为第二项信托的委托人,同时又兼作第二项信托的受托人。从外观上看,第二项信托具有宣言信托的特征,但是,二者之间是有区别的。因为,在宣言信托中,委托人是将自己的固有财产设立信托,而成为自己财产的受托人;而在双重信托中,是将第一项信托的信托财产设立信托,在这种情况下,法律主体发生了变化。对于这种形式设立的信托,有些国家的信托法认为,在某些营业信托业务中可以采取这种做法,第一项信托的受托人往往同时是第二项信托的共同受益人,因此,承认这种信托具有法律效力。对于双重信托,我国信托法未作规定,应当理解为在目前不允许设立双重信托。

第九条　设立信托,其书面文件应当载明下列事项:

(一)信托目的;

(二)委托人、受托人的姓名或者名称、住所;

(三)受益人或者受益人范围;

(四)信托财产的范围、种类及状况;

(五)受益人取得信托利益的形式、方法。

除前款所列事项外,可以载明信托期限、信托财产的管理方法、受托人的报酬、新受托人的选任方式、信托终止事由等事项。

【释义】　本条是对信托文件的法定记载事项和任意记载事项的规定。

依照本法第八条的规定,设立信托,应当采取书面形式。对于信托书面文件的内容,本条作出了两方面的规定。

一、信托文件的法定记载事项

本条第一款列出了五项信托文件必须记载的事项,这些事项反映了设立信托应当明确的内容,要求委托人在设立信托的书面文件中作出明确的表示。

1. 信托目的。这是指委托人设立该项信托所要达到的目的,包括私益目的和公益目的。在私益目的中,又区分为:为委托人自己的利益和为第三人的利益。例如,某人为了抚养子女的生活和担负学习费用,可以设立遗嘱信托,委托其信任的亲友作为受托人,管理一笔信托财产,以支付子女的生活费用和学习费用。这是一种以子女为受益人的抚养未成年子女为目的的信托。又如,某人为了使自己的闲置资金不断增值,通过认购证券投资基金的受益凭证,而委托专业的信托机构管理、运用该信托财产,获取信托利益,达到其个人财产的增值目的。再如,某人为了发展落后地区的中小学教育事业,将自己的财产设立公益信托,委托专门的信托机构或有高度社会信誉的受托人进行管理,帮助和支持某一落后地区范围内的中小学教育事业。这是一种以发展教育事业为目的的公益信托。总之,委托人在设立信托的书面文件中,应当对信托目的作出比较明确、具体的表述。

2. 委托人、受托人的姓名或者名称、住所。信托关系有三个当事人主体,即委托人、受托人、受益人。委托人是信托设立行为的主要当事人,特别是在遗嘱信托中,其单独行为即可设立信托。受托人是信托财产的管理义务人,信托合同的履行、遗嘱信托的执行,都是由受托人承担。因此,无论从签订信托合同来说,还是履行信托财产的管理义务来说,委托人和受托人,是信托关系中的重要主体。为此,设立信托的书面文件中,应当明确、具体地记载委托人、受托人的姓名或名称,以及他们的法定地址。

3. 受益人或者受益人范围。设立信托必须具备的要件之一是委托人必须指明信托财产的受益人或者受益范围,如果信托文件不能确定受益人或受益人范围,该项信托的设立行为是无效的,不构成信托关系。受益人可以是委托人自己,这种信托属于自益信托;受益人也可以是委托人指定的第三人,其中受托人也可以作为共同受益人,这种信托属于他益信托。在私益信托中,受益人都是比较具体、准确的,而在公益信托中,因为是以信托目的所划定的不特定多数为受益人对象的,因此,可以不列出具体的受益人,而确定受益人范围即可,这样能够符合设立信托的必备要件。

4. 信托财产的范围、种类及状况。现存的、确定的、合法的信托财产,是设立信托必须具备的要件之一。按照信托法的规定,信托财产具有独立性,要与委托人的其他财产、与受托人的固有财产相区别,因此,必须在信托文件中准确地记载信托财产的范围、种类及其在设立信托时的状况。信托财产可以是一件财产,也可以是若干件财产,还可以既有实物财产又有无形财产。不论信托财产的种类如何,一项信托的信托财产具有统一性,受托人必须按照信托文件确定的信托目的和信托财产管理方法,进行管理、运用或处分。

5. 受益人取得信托利益的形式、方法。受益人是基于信托行为享受信托利益的人。因为信托的目的在于使受益人享受信托利益,因此,受益人在设定的信托关系中处于非常重要的地位。受益人其受益权的范围有多大,如何取得信托利益,都需要在信托文件中加以明确。

二、信托文件可以载明的其他事项

1. 信托期限。设立信托是否要约定信托期限,从各国的信托法律的规定来看,有不同的做法。多数国家对信托期限没有法定要求,可以由委托人作出选择。而有的国家对信托期限有一定的限制,例如,美国多数的州规定,除公益信托可以不约定信托期限外,一般信托应当约定期限,受益人的受益权为 20 年。我国信托法将信托期限作为可以约定的事项,由委托人根据信托目的和受益人的实际情况自主地作出规定。如果需要规定信托期限的,在信托文件中可以加以约定。

2. 信托财产的管理方法。由于设立信托的目的不同,信托财产的范围、种类不同,信托财产的管理、运用的方式也会不同。委托人可以按照自己确定的方式指示受托人,也可以对受托人提出一般的要求,这主要取决于如何满足受益人的利益。例如,在证券信托投资中,信托财产的管理、运用方式就是在控制风险的前提下,通过对证券的买卖而达到信托财产的增值,那么,该项信托的目的和受益人取得信托利益的形式决定了信托财产的管理、运用的方式。又如,土地信托中,委托人将自己无能力经营的土地委托某受托机构进行管理、运用,如果委托人希望以出租形式管理该幅土地,就可以约定由受托人按照土地出租的方式来管理土地。如果委托人希望通过开发使土地进一步升值，就可以约定由受托人组织对该幅土地进行开发，用出租建筑物或销售房屋的方式来管理、运用或处分信托财产。究竟如何使信托财产充分发挥其经济功能，以达到信托目的，委托人可以在信托文件中确定相应的信托财产的管理方法。

3. 受托人的报酬。在一项信托关系中，受托人的管理活动是否是有偿的，由委托人在设立信托时加以明确。以信托合同形式设立信托的，对受托人的报酬，可以由委托人和受托人进行协商。在营业信托中，受托人一般是应当取得报酬的；而在民事信托中，信托财产的管理费用都由信托财产支付，而受托人一般不另外获取报酬。在公益信托中，多数情况下是由专门设立的受托组织作为受托人，一般除信托财产管理和信托事务处理的费用外，也是不获取报酬的；如果委托经营性的信托机构进行管理，是否支付受托人的报酬，由委托人和受托人进行约定。

4. 新受托人的选任方式。信托关系的特殊规范之一就是当受托人死亡、破产或者辞任、解任时，该项信托并不因此而终止，信托关系继续存在，为了继续实现信托目的，需要选定新的受托人。由于信托的种类不同、信托业务的内容不同，对受托人的条件要求也会不同。在发生受托人职责终止的情况下，如何选定新的受托人，可以事先在信托文件中加以约定。如果没有事先作出约定的，则按照信托法中的有关规定，依次由信托当事人来指定。

5. 信托终止事由。委托人在设立信托时，可以就预想到的信托终止事由加以约定。例如，规定一定的信托期限；规定在达到信托目的的情况下，可以收回信托财产；规定出现不利于信托财产的严重情形时，可以解除信托合同，等等。

三、信托文件的其他任意记载事项

在信托文件中，委托人根据需要还可以约定其他事项。例如，受益人放弃受益权的情况下，被放弃的受益权的归属问题；受托人在发生严重违背信托义务的情形时，委托人可以解任受托人；信托终止时，信托财产的归属顺序问题，等等。在信托文件中，事先作出明确、具体的约定，有利于及时处理信托活动中发生的问题，防止出现不必要的纠纷。

第十条　设立信托，对于信托财产，有关法律、行政法规规定应当办理登记手续的，应当依法办理信托登记。

未依照前款规定办理信托登记的，应当补办登记手续；不补办的，该信托不产生效力。

【释义】　本条是对信托登记的规定。

信托登记有两方面的法律意义。一是依照法律、行政法规的规定，对重要的信托财产办理法定的登记手续，是合法权利成立的要件。二是依法办理信托登记是关于信托关系成立的法定的公示方式。因此，依法办理信托登记，对信托关系的成立和信托当事人权利义务关系的确定，有重要的意义。

按照我国有关的民事法律和其他法律的规定，涉及某些特定的财产或财产权利的产生、变更、终止，都必须办理相应的登记或注册手续。例如：我国的民用航空法规定，民用航空器所有权的取得、转让和消灭，应当向国务院民用航空主管部门登记。该法还规定，通过购买行为取得并占有民用航空器的权利，根据租赁期限为6个月以上的租赁合同占有民用航空器的权利，以及民用航空器抵押权等，都应当向民用航空主管部门办理权利登记。我国海商法规定，船舶所有权的取得、转让和消灭，应当向船舶登记机关登记。该法还规定，设定船舶抵押权，由抵押权人和抵押人共同向船舶登记机关办理抵押权登记。我国的土地管理法规定，农民集体所有的土地，由县级人民政府登记造册，核发证书，确认所有权；农民集体所有的土地依法用于非农业建设的，由县级人民政府登记造册，核发证书，确认建设用地使用权；单位和个人依法使用的国有土地，由县级人民政府登记造册，核发证书，确认使用权。该法还规定，依法改变土地权属和用途，应当办理土地变更登记手续。我国的城市房地产管理法规定，国家实行土地使用权和房屋所有权登记发证制度；以出让或者划拨方式取得土地使用权的，依法取得房地产开发用地上建成的房屋的，以及房地产转让或者变更的，应当向有关的土地管理部门或房地产管理部门办理登记手续。该法还规定，房地产抵押时，应当向县级以上地方人民政府规定的部门办理抵押登记。我国关于工业产权的有关法律，也规定商标权、专利权的取得、变更、转让、许可他人使用等，应当分别依法向国家商标局、中国专利局等主管机关办理注册登记手续。除上述列举的有关规定外，我国的渔业法、草原法、矿产资源法等，也分别就当事人有关权利的取得、转让、变更以及消灭，确定了法定的登记程序。

设立信托，确定信托财产，并委托受托人进行管理、运用或处分，在受托人以某种方式取得和实际占有信托财产时，将发生信托财产的变更。为了规范信托行为，明确信托财产的法律状态，现行的法律、行政法规中对某些特定的财产或财产权利的取得、转让、变更、消灭等法律行为或法律事实，作出了专门的登记管理的规定的，信托当事人应当在设立信托过程中，依法向有关部门办理登记手续。此外，根据信托实践的发展，对其他需要进行信托登记的财产或财产权利的变更等，法律、行政法规作出有关法定登记手续的新的规定时，信托当事人也必须按照新的规定，对所涉及的信托财产的变更等办理相应的登记手续。

信托当事人依法办理了信托登记手续后，产生如下法律后果：一是设立信托的行为具有法律效力，信托财产的权利依法由委托人委托给受托人。二是依法设立的信托对第三人具有对抗力，该项法定登记具有信托公示的效力，除信托法有特别规定外，其他人不得主张对该信托财产的权利。但是，如果信托当事人在设立信托时，对应当办理信托登记的财产未办理信托登记的，应当在规定的期限内补办信托登记；逾期仍不办理的，该信托行为不具有法律效力，不受法律的保护。

第十一条　有下列情形之一的，信托无效：

（一）信托目的违反法律、行政法规或者损害社会公共利益；

（二）信托财产不能确定；

（三）委托人以非法财产或者本法规定不得设立信托的财产设立信托；

（四）专以诉讼或者讨债为目的设立信托；

（五）受益人或者受益人范围不能确定；

（六）法律、行政法规规定的其他情形。

【释义】　本条是对无效信托的规定。

信托的设立行为受法律的强制性规范的约束，如果信托的设立行为违反信托法的规定和其他法律、行政法规的规定，该信托不具有法律效力，视为自始无效。为此，本条列举了有关信托无效的法定情形。

1. 信托目的违反法律、行政法规或者社会公共利益的，该信托无效。信托目的违法，主要是指委托人设立信托有违反法律或者规避法律的主观意愿，并通过信托的形式而实现其愿望。例如，按照婚姻法规定，对于夫妻的共有财产，在离婚时应当合理地加以分配。如果一方当事人为了独占该财产，把本属于共同财产的财物以设立信托的方式进行转移，这种信托目的就是违反婚姻法的行为，该设立信托的行为即是无效的。再如，按照公司法的规定，公司的负责人不得侵占公司的财产，不得利用在公司的地位和职权为自己谋取私利。公司负责人为了掩盖其侵占公司财产和为自己谋取私利的行为，而利用设立信托的方式，名义上是将公司的财产委托他人管理，但将自己确定为受益人，达到挪用公司财产为自己谋取私利的目的。这种信托行为也是违法的,是无效的。此外,为了使法律、行政法规禁止获得某种利益的人获取信托利益而设立信托,该信托目的也是违法的,属于无效的信托。

信托目的违反社会公共利益的,该信托无效。社会公共利益反映了全社会的公共道德和全社会人民群众的共同利益。个人从事的民事活动、商事活动和其他活动,都必须维护社会的公共道德和人民群众的共同利益,而助长社会丑恶现象或损害社会公共利益的行为,是禁止的。因此,当事人不论其主观意志如何,其设立的信托构成违反社会公共利益的,属于无效信托。

2. 信托财产不能确定的,该信托无效。信托关系的核心是信托财产,如果不能确定信托财产,或者信托财产的权属不清,即缺少信托成立的必要条件,该信托是无效的。

3. 委托人以非法财产或者本法规定不得设立信托的财产设立信托的,该信托无效。非法财产是指以非法手段获得的财产,该财产本不属于委托人所有,因此,该财产不得被委托人设定信托,例如,走私、盗窃、抢劫获得的非法财产以及其他非法侵占的公私财产等,都属于上述情况。如果允许委托人将其非法获得的财产设立信托,实际上就为不法分子"洗黑钱"开了方便之门,这是我国法律绝不允许的。此外,委托人也不得以国家禁止流通的财产设立信托。因为,国家对少数涉及国家安全、社会安全的特殊产品或物品实行严格控制,不允许在社会上进行流通,如武器、弹药及其他特殊物品,即使是合法的所有者或持有者也不得将这些物品设立信托。违反此类禁止性规定设立信托的,该信托无效。

4. 专以诉讼或者讨债为目的设立的信托,属于无效信托。作出这一规定,主要是防止发生以营利为目的而替代律师承揽诉讼的社会滥诉现象,同时,当事人的诉讼权利不能作为信托的标的,不属于财产管理的活动,而且当一些有特殊背景的个人或组织担当了"讨债公司"的角色,还会引发侵害债务人和债权人权益的其他问题。为此,不少国家的信托法都作出了基本相同的禁止性规定,这样有利于维护国家的司法秩序,维护诉讼当事人的合法权益。

5. 受益人或者受益人范围不能确定的,该信托无效。设立信托的目的是使特定的受益人从信托财产的管理、运用或处分中取得信托利益,如果不能确定受益人,或不能确定受益人的范围,则设立信托就失去了实际意义,没有必要形成信托关系。因此,能不能确定受益人或受益人范围,是设立信托的必备要件,缺少这一要件,信托不产生效力,即使签订了信托合同或立出遗嘱,该信托也是无效的。

6. 法律、行政法规规定的其他情形。这是一项备用条款,将未列出的其他属于无效信托的情形进行概括,包括今后根据信托实践的发展有关法律或行政法规规定的其他属于无效信托的情形。

第十二条　委托人设立信托损害其债权人利益的,债权人有权申请人民法院撤销该信托。

人民法院依照前款规定撤销信托的,不影响善意受益人已经取得的信托利益。

本条第一款规定的申请权,自债权人知道或者应当知道撤销原因之日起一年内不行使的,归于消灭。

【释义】　本条是对信托的撤销的规定。

本条分为三款,规定了与欺诈性信托的撤销权有关的三方面的内容。

一、欺诈性信托

所谓欺诈性信托,是指债务人明知损害债权人的利益而设立的信托,由此设立的信托构成债权人行使撤销权的对象。信托法明确地规定禁止债务人利用信托从事损害债权人利益的活动。根据这一规定,委托人设立信托,其客观后果导致债权人难以实现其债权,损害债权人的利益的,该债权人有权申请人民法院撤销该信托。债权人行使撤销权只依委托人的行为后果,受托人是否存在恶意不是行使撤销权的要件,因为受托人不处于享受信托利益的地位,撤销权行使的后果一般对受托人不造成影响。

二、善意受益人不受撤销权的影响

按照民事法律的基本原则,一项民事法律行为无效或者被撤销后,因该行为取得的财产,应当予以返还;不能返还的,应当折价补偿。在信托关系中,由于存在不知情的受益人,特别是在他益信托中,受益人不参与信托的设立行为,而且许多民事信托中,受益人是无民事行为能力人或限制民事行为能力人,因此,在赋予债权人撤销权的同时,还要考虑受益人的利益。从各国信托法的规范来看,为了平衡债权人和善意受益人的利益,都规定债权人行使撤销权时,不影响善意的受益人已经取得的信托利益。但是,如果受益人是委托人自己,或受益人明知委托人设立信托的目的是逃避债务,即存在恶意,则行使撤销权的后果约束受益人。

三、撤销权的消灭时效

为了稳定法律关系,避免法律关系经常处于变动之中,对当事人的权利时效作出规定是必要的,因此,在有关法律中对民事权力的消灭时效分别作出了规定。例如,我国的合同法规定,具有撤销权的当事人自知道或者应当知道撤销事由之日起 1 年内没有行使撤销权,该撤销权消灭。又如,我国的票据法规定,持票人对前手的追索权,自被拒绝承兑或者被拒绝付款之日起 6 个月内不行使,该追索权消灭。对于设立损害债权人利益的信托行为,本条规定债权人应当自知道或者应当知道撤销原因之日起 1 年内不行使,该撤销权归于消灭。因此,对于委托人的债权人来说,应当注意撤销权的消灭时效,在法律规定的时效内行使自己的权利,以维护自身的合法权益。

第十三条 设立遗嘱信托,应当遵守继承法关于遗嘱的规定。

遗嘱指定的人拒绝或者无能力担任受托人的,由受益人另行选任受托人;受益人为无民事行为能力人或者限制民事行为能力人的,依法由其监护人代行选任。遗嘱对选任受托人另有规定的,从其规定。

【释义】 本条是对设立遗嘱信托的规定。

设立信托可以采取遗嘱的形式。当委托人以遗嘱形式设立信托时,该行为包含两项法律行为:一是立遗嘱行为;二是设立信托行为。由此,为要使信托行为有效,其前提是遗嘱行为应当有效。对此,本条第一款规定,设立遗嘱信托,应当符合继承法有关遗嘱的规定。

为了使遗嘱有效,必须按照继承法的规定完成立遗嘱行为。一是立遗嘱人应当是具有完全的民事行为能力的人。继承法第二十二条规定:无行为能力人或者限制行为能力人所立遗嘱无效。二是立遗嘱人只能就其有权处分的合法财产立遗嘱。例如,继承法第十九条规定:遗嘱应当对缺乏劳动能力又没有生活来源的继承人保留必要的遗产份额。第二十六条规定:夫妻在婚姻关系存续期间所得的共同所有的财产,除有约定的以外,如果分割遗产,应当先将共同所有的财产的一半分出为配偶所有,其余的为被继承人的遗产;遗产在家庭共有财产之中的,遗产分割时,应当先分出他人的财产。按照上述规定,立遗嘱人不能把不属于其或其无权以遗嘱处分的财产列入遗嘱财产之中。三是立遗嘱人可以自书遗嘱,也可以由他人代书遗嘱。在自书遗嘱的情况下,立遗嘱人应当亲笔书写,并签名和注明立遗嘱的日期;在由他人代书遗嘱的情况下,必须有两个以上的见证人在场,遗嘱上必须注明立遗嘱的具体日期,代书人、见证人、遗嘱人都应当在遗嘱上签字。如果需要制作公证遗嘱,应当由遗嘱人经公证机关办理。四是不得伪造遗嘱,不得篡改遗嘱。伪造的遗嘱和遗嘱中被篡改的内容无效。

在遗嘱合法有效的前提下,遗嘱中指定的受托人承诺该委托的,由遗嘱形式设立的信托始得成立。为了满足信托行为有效的法定要件,在相关的遗嘱中,除了应当记载继承法对遗嘱内容要求的一般事项外,还必须记载信托法规定的法定事项,如果信托财产不予明确地指定,或者受益人不确定或不清楚等,都会导致信托无效,如果出现此种情况,通过遗嘱将自己遗产的全部或部分设立信托的目的就难以达到。

立遗嘱人依法立遗嘱后,虽然遗嘱成立,但遗产继承权要在立遗嘱人死亡时才生效。在立遗嘱人死亡前,被指定的人拒绝担任受托人或无能力担任受托人时,立遗嘱人可以修改遗嘱,指定其他人为受托人。而在立遗嘱人死亡后,被指定人拒绝担任受托人,或者发生无能力担任受托人的情形时,则应当按照本条的规定,由受益人来另行选任。如果受益人是无民事行为能力人或者限制民事行为能力人的,应当由其监护人代其选任。如果立遗嘱人在遗嘱中对选任受托人有其他规定的,应当按照遗嘱规定的方式来选任受托人。

第三章 信托财产

第十四条 受托人因承诺信托而取得的财产是信托财产。

受托人因信托财产的管理运用、处分或者其他情形而取得的财产,也归入信托财产。

法律、行政法规禁止流通的财产,不得作为信托财产。

法律、行政法规限制流通的财产,依法经有关主管部门批准后,可以作为信托财产。

【释义】 本条是对信托财产构成的规定。

信托是一种理财制度,信托当事人是为一定的财产利益而建立信托关系的,有财产才会有信托行为,信托行为的成立以一定财产的存在为前提,信托当事人的权利义务都是围绕财产而确定。可以说,信托法律关系实质上是信托当事人之间的一种财产关系,信托财产在信托关系中处于核心地位。规范信托关系必须规范信托财产。

信托财产的构成也就是信托财产的范围,是指在设立信托后,哪些财产应当作为信托财产。明确界定信托财产的构成是确定信托当事人权利义务的必要前提,是保护信托财产利益的要求。按照本条第一款、第二款的规定,信托财产的范围包括:第一,受托人因承诺信托而取得的财产是信托财产。设立信托,委托人须要将其对某项特定财产的权利委托给受托人行使,信托成立后,该项作为信托关系客体的财产就成为信托标的,从而成为信托财产。这部分信托财产是在信托成立时形成的,是初始的信托财产。信托成立,表明受托人承诺信托,并取得对信托财产的管理或处分权,委托人应将已经成为信托标的的财产按照信托文件的规定转移给受托人，由受托人以自己的名义实施管理或处分。由此可见，受托人因承诺信托而取得的财产，构成了初始的信托财产。第二，受托人因信托财产的管理运用、处分或者其他情形而取得的财产，也归入信托财产。在信托设立时，信托财产的范围和形态是特定的，而在信托成立后，由于受托人对信托财产的管理运用或处分，或者由于信托财产的损毁、灭失或其他事由的发生，会孳生新的财产，或者原有的信托财产形态会发生变化，如受托人因信托财产的运用而取得有价证券、贷款债权、担保物权或利息，因花费信托财产而购买到财物、出卖信托财产而取得对价，因信托财产灭失而取得赔偿请求权等，这些因信托财产发生变动而形成的新的形态的财产，都是由原有信托财产产生的自然孳息、经营收益或代位物，根据信托的本旨，即保全信托财产的价值并谋求相当的增值，信托财产的孳息或代位物仍应归属于信托财产。

信托财产应当是可以合法转让的财产，或者说信托财产应当由可以合法流通的财产构成。如果信托财产不能合法转让或流通，就无法用来进行交易和实现信托财产的保值增值，并影响到受益人的合法利益。因此，本条第三款、第四款规定了两项特定的规则：第一，法律、行政法规禁止流通的财产不得作为信托财产。法律、行政法规禁止某些物的流通主要是出于维护国家利益和社会公共利益的需要。根据现行法律、行政法规的规定，禁止流通物主要包括：(1)专属国家所有的财产，如矿藏、水流、森林、山岭等自然资源，全民所有的博物馆和其他单位的文物藏品等；(2)军用武器、弹药；(3)淫秽的书刊、影片、录像带、录音带、图片等。以禁止流通的财产设立的信托，信托财产不符合法定要求，信托是无效的。第二，法律、行政法规限制流通的财产，依法经有关主管部门批准后，可以作为信托财产。在社会经济生活中，某些特定物的流通是不必要也不应当绝对禁止的，但是如果毫无限制地允许其流通，可能对国家利益、经济秩序或公民合法权益造成不利影响，从维护国家利益、社会公共利益及公民合法权益出发，对这些特定物的流通应作适当限制。因此，法律、行政法规对某些物的流通规定了限制条件，对于这些流通受到限制的物也就是限制流通物，只有在符合法定条件的情形下才允许其转让。根据现行法律、行政法规规定，限制流通物主要包括：(1)城乡土地使用权；(2)全民所有的水面、滩涂的使用权；(3)烟草专卖品；(4)麻醉品；(5)探矿权、采矿权；(6)用材林、经济林、薪炭林及其林地、采伐迹地、火烧迹地的林地使用权；(7)国家重点保护野生动物及其产品，等等。以限制流通的财产设立信托的，在信托设立前，应使该项财产成为可以合法转让的财产，只有在依法经有关主管部门批准取得该项财产的流通转让许可后，这种财产才可以作为信托财产，以其设立的信托才能产生效力。具体应经过哪个主管部门批准，则依照法律、行政法规的规定执行。如根据土地管理法的规定，城乡土地使用权的转让应经土地管理部门批准等。

第十五条　信托财产与委托人未设立信托的其他财产相区别。设立信托后，委托人死亡或者依法解散、被依法撤销、被宣告破产时，委托人是惟一受益人的，信托终止，信托财产作为其遗产或者清算财产；委托人不是惟一受益人的，信托存续，信托财产不作为其遗产或者清算财产；但作为共同受益人的委托人死亡或者依法解散、被依法撤销、被宣告破产时，其信托受益权作为其遗产或者清算财产。

【释义】　本条是对信托财产与委托人财产关系的规定。

为保证信托目的的实现和保护受益人的合法权益，对信托财产与委托人财产之间的法律关系作出界定是必要的。按照本条的规定，确定信托财产与委托人财产之间的关系，应当遵循一项基本规则，这就是信托财产与委托人未设立信托的其他财产相区别。

信托财产在设立信托前,是委托人合法所有的财产,在信托成立后,信托财产就成为服从于信托目的的独立存在的财产,与委托人未设立信托的其他财产相比较,信托财产具有独立于委托人个人意思的地位。因此,信托财产与委托人未设立信托的其他财产是相区别的,二者不应混淆。信托财产与委托人未设立信托的其他财产之间的区别主要在于,委托人对这两部分财产所享有的权利和承担的义务是不同的,二者的区别主要有:

1. 委托人对这两种财产所享有的权利的内容不同。对自己合法所有的未设立信托的财产,委托人享有的是直接的、排他的支配权,或者是因这些财产的流转所产生的请求权、受偿权,同时对以这些财产为客体的债权,委托人对其未设立信托的财产所享有的诸权利,可以针对任何特定的或不特定的人。对信托财产,委托人的支配权是间接的、相对的,其享有的主要权利是以保护信托利益为目的的请求权,包括妨害排除请求权、妨害防止请求权、恢复原状请求权及损失赔偿请求权等。委托人的这些权利都是针对受托人的。在信托财产的管理运用或处分过程中,还会产生以信托财产为标的的债权请求权、受偿权以及代位权、撤销权,但这些权利不直接属于委托人,而是转化为受托人基于信托财产的管理运用或处分而形成对特定当事人的债权请求权、受偿权以及代位权、撤销权。

2. 两部分财产的权利主体不同。信托财产的权利主体包括委托人、受托人和受益人,因为信托财产的支配权是分离的。而委托人未设立信托的其他财产上的权利主体,仅为委托人本人。

3. 行使权利的方式不同。委托人的意志可以直接及于自己未设立信托的财产,直接行使对这部分财产的支配权,而无需借助他人的行为。但是对于信托财产,委托人必须通过受托人来实现其支配权,也就是说委托人的意志不能直接及于信托财产,委托人对信托财产的支配权须通过信托文件的规定,借助受托人的行为来实现。

4. 由这两部分财产所产生的收益的归属不同。由未设立信托的财产所产生的收益,归属于委托人。由信托财产所产生的收益,除在委托人为受益人的情况下归属于委托人外,应归属于受益人。

5. 两部分财产所担保的债务不同。未设立信托的财产是委托人债务的担保,而信托财产不能作为委托人债务的担保,只能作为信托财产运用过程中所产生的财产责任的担保。在实际操作中,应注意把握信托财产与委托人未设立信托的财产的界限,以便正确地行使权利、履行义务。

设立信托后,也就是信托关系依法建立后,如果发生自然人委托人死亡或者法人委托人依法解散、被依法撤销、被宣告破产的情形,对信托财产应当按照如下两项原则进行处置:第一,委托人是唯一受益人的,信托终止,信托财产作为其遗产或者清算财产。委托人是唯一受益人的信托,信托利益全部由委托人享有,自然人委托人死亡或者法人委托人依法解散、被依法撤销、被宣告破产,都意味着委托人的法律上主体资格的丧失,承受信托利益的受益人主体已不存在,信托目的已经无法完成,信托关系应当终止。在发生这种情况时,委托人是自然人的,信托财产应作为委托人的遗产处理。委托人是法人的,其依法解散、被依法撤销、被宣告破产的,必须进行清算,信托财产应作为委托人的清算财产处理,就是将法人的财产进行全面的核查登记,编造清单,收取债权,清偿债务,并将剩余财产依法进行分配或转交有关机关。第二,委托人不是唯一受益人的,信托存续,信托财产不作为其遗产或者清算财产,但作为共同受益人的委托人死亡或者依法解散、被依法撤销、被宣告破产时,其信托受益权作为其遗产或者清算财产。在委托人不是唯一受益人的信托关系中,委托人死亡或者终止,或者受益人之一死亡或者终止,其他受益人依然存在,信托目的尚未完成并且可以继续完成,其他受益人仍可继续享受信托利益,因此,信托关系不应终止而应当存续。在信托关系有效存在的情况下,信托财产仍应为信托目的而独立存在,与委托人未设立信托的其他财产相区别,不能将信托财产作为委托人的遗产或者清算财产。受益权是基于信托行为所产生的享受信托利益的权利。信托一经成立,受益人即根据信托文件的规定取得受益权。受益权的内容包括:信托财产收益的支配权、给付信托财产收益的请求权以及若干保全信托财产利益的权利等。受益权是受益人的财产权利,不属于信托财产。如果委托人是受益人,那么其享有的受益权应属于其未设立信托的其他财产。因此,当委托人为共同受益人之一,而委托人死亡或者依法解散、被依法撤销、被宣告破产时,委托人的信托受益权可以作为其遗产或者清算财产。委托人是自然人的,受益权归入其遗产。委托人是法人的,受益权作为清算财产。

第十六条 信托财产与属于受托人所有的财产(以下简称固有财产)相区别,不得归入受托人的固有财产或者成为固有财产的一部分。

受托人死亡或者依法解散、被依法撤销、被宣告破产而终止,信托财产不属于其遗产或者清算财产。

【释义】 本条是对信托财产与受托人固有财产关系的规定。

信托成立后,受托人因承诺信托而取得信托财产,并以自己的名义对信托财产进行管理或者处分。可以说信托成立后,信托财产处于受托人的实际支配控制之下。但信托财产是为信托目的而存在的,是实现信托目的的物质基础和保障。为保护信托财产,保障信托目的的完成,应当赋予信托财产独立于受托人财产的法律地位。因此,本条对信托财产与受托人固有财产的界限作出了规定。按照本条规定,确定信托财产与受托人固有财产的界限主要有两项规则:

第一，信托财产与受托人的固有财产相区别，不得归入受托人的固有财产或者成为固有财产的一部分。信托财产与受托人固有财产的区别主要在于受托人对这两部分财产所享有的权利和承担的义务是不同的，主要区别有：(1)财产的权利主体不同。信托财产的所有权权能是分离的，根据信托文件的规定，受托人享有信托财产的管理处分权，受益人享有信托财产的收益权；除遗嘱信托外，委托人对信托财产享有基于所有权所产生的、旨在保护信托财产权益的独立的请求权。这就是说，对信托财产，委托人、受托人、受益人分别享有独立的权利，信托财产的权利主体包括委托人、受托人和受益人。但对于受托人的固有财产的所有权，完全由受托人独立享有，受托人是其固有财产的唯一的权利主体。(2)受托人对信托财产和固有财产所享有的权利在内容上不同。对信托财产，受托人在信托关系存续期间享有占有、使用、处分的权利以及基于这些权利或者在信托财产运用过程中所产生的请求权。对固有财产，受托人享有完全的所有权，即包括占有、使用、收益、处分四项权能的所有权，同时还享有以固有财产为内容的各项独立的请求权。(3)行使权利的条件不同。受托人是由于承诺信托而取得信托财产，从而取得对信托财产的各项权利的，所以，受托人行使这些权利，必须以履行自己的承诺为条件，也就是必须根据信托文件，按照委托人的意愿，为实现信托目的而管理信托财产。同时，为确保受托人依信托目的正确行使对信托财产的权利，受托人在行使权利时，也负有诚实、信用、谨慎、有效管理、分别管理等义务。这些义务都是受托人的法定义务。受托人承诺信托，意味着对保证这些法定义务的履行作出了承诺，所以又可以说，受托人行使对信托财产的权利是以保证履行若干法定义务为前提的。对于固有财产，受托人在法律允许的范围内可以根据自己的意愿任意支配、处置，受托人依法行使对其固有财产的权利是不受限制的。(4)财产收益的归属不同。信托财产的收益归属于受益人，为受益人所有;受托人固有财产所产生的收益则归属于受托人,为受托人所有。(5)所担保履行的债务不同。信托财产仅为属于信托财产的债务担保,受托人固有财产则为受托人的债务担保。应当注意的是,受托人可以其固有财产为信托财产的债务提供担保,但绝对不允许以信托财产为受托人的债务提供担保。从以上主要区别可以看出,信托财产虽然在受托人的实际控制和支配之下,但它与受托人固有财产有本质的区别,信托财产及其收益都不属于受托人所有,为保证信托财产的安全,保证信托目的的实现,必须严格划分信托财产与受托人固有财产的界限,禁止将信托财产归入受托人的固有财产或者将信托财产作为固有财产的一部分。

第二,受托人死亡或者依法解散、被依法撤销、被宣告破产而终止,信托财产不属于其遗产或者清算财产。根据本条第一款,也就是第一项规则,信托财产实际上不属于受托人所有的财产,那么在受托人死亡后,当然不能将信托财产作为其遗产;同样,受托人是法人的,在受托人因依法解散、被依法撤销、被宣告破产而终止时,信托财产也不得作为受托人清算财产。

第十七条 除因下列情形之一外,对信托财产不得强制执行:

(一)设立信托前债权人已对该信托财产享有优先受偿的权利,并依法行使该权利的;

(二)受托人处理信托事务所产生债务,债权人要求清偿该债务的;

(三)信托财产本身应担负的税款;

(四)法律规定的其他情形。

对于违反前款规定而强制执行信托财产,委托人、受托人或者受益人有权向人民法院提出异议。

【释义】 本条是对禁止强制执行信托财产的规定。

信托财产是为信托目的而独立存在的财产,与委托人的其他财产以及受托人的固有财产相区别,因此,信托财产既非委托人债务的担保,也非受托人债务的担保,不论是委托人的债权人,还是受托人固有财产的债权人,都不具有请求债务人以信托财产偿还债务的权利,从而也不应允许他们对信托财产申请强制执行。

禁止强制执行信托财产是一项基本规则,体现了信托财产独立性的要求,委托人的债权人和受托人的债权人在行使自己的债权请求权时,应遵守这项规则,作出强制执行决定的机关也应严格执行这项规则。然而,有的信托财产上的权利是在信托设立前就已经产生的,还有些权利是因信托财产的运用或者是因处理信托事务所发生的,如税款债权等,为保护这些正当权利能够实现,对信托财产也不应当一概禁止强制执行,对特殊情形应有例外的规定。按照本条第一款的规定,有以下情形之一的,对信托财产可以强制执行:

第一,设立信托前,债权人已对该信托财产享有优先受偿的权利,并依法行使该权利时,可以申请对信托财产予以强制执行。"设立信托前"是指信托关系成立之前;"优先受偿的权利"是指具有优先的效力、应当在先受到清偿的权利。按照现行规定,工资、抚恤金优先于担保债权,担保债权优先于无担保债权。如果信托成立前信托财产上就已设定了抵押权,抵押权人就对该信托财产享有优先受偿的权利。该抵押权人依照法定的条件和程序行使权利而无法得到清偿时,就可申请人民法院对该信托财产强制执行。

第二,受托人处理信托事务所产生债务,债权人要求清偿该债务时,可以申请对信托财产予以强制执行。信托成立后,受托人为实现信托目的管理运用信托财产,处理信托事务,所产生的收益为信托财产的收益,所产生的债务也是信托财产的债务,比如,受托人雇人修缮属于信托财产的房屋所发生的修缮费用,就是信托财产的债务;又如,受托人为实现信托目的而取得的贷款、发行的债券,都属于信托财产的债务。既然受托人为处理信托事务所产生的债务属于信托财产的债务，当然应以信托财产清偿。由此，有权以信托财产作为清偿标的的债权人享有对信托财产的债权请求权、受偿权，这些债权人要求清偿债务时，可以申请人民法院对信托财产强制执行。

第三，信托财产本身应担负的税款。这是指基于信托财产的管理运用或处分或其他信托事务的处理所产生的税款债务。这些税款应以信托财产缴纳，如运用信托基金进口一批用于信托目的的货物所应缴纳的关税，就是信托财产应担负的税款。为追缴这类税款，可以对信托财产强制执行。

第四，法律规定的其他情形。这是指除上述三种情形外，如果有关法律还规定了其他可以对信托财产强制执行的特定情形，应当按有关法律的规定执行。

根据本条第一款的规定，禁止强制执行信托财产是一项基本规则，但有四种例外情形，只有在法定的四种情形发生时，债权人才可以申请对信托财产强制执行。如果债权人违反本条第一款规定对信托财产强制执行，那么，为保护信托财产，委托人、受托人、受益人有权向执行机关提出抗辩。因此，本条第二款规定，对于违反前款规定强制执行信托财产，委托人、受托人或者受益人有权向人民法院提出异议。这就是说，委托人、受托人或者受益人可以提起第三人异议之诉，主张该财产属于信托财产，请求撤销强制执行程序或者停止强制执行的裁定，以保全信托财产，使之免遭难以恢复的损害。应当注意的是，应当办理信托登记的信托财产，在依法办理信托登记后才能够有效地适用禁止强制执行信托财产的规则。如果未办理信托登记，则无法以信托关系存在为由而对抗债权人。

第十八条 受托人管理运用、处分信托财产所产生的债权，不得与其固有财产产生的债务相抵消。

受托人管理运用、处分不同委托人的信托财产所产生的债权债务，不得相互抵消。

【释义】 本条是对信托财产上的债权债务抵消规则的规定。

抵消，是终止债权债务关系的一种方式，是指债的当事人双方因相互负有同种类的给付义务而将两方债务相互充抵。实质上，抵消是债的履行的一种特殊方式。采用抵消的方式消灭债的关系需要具备一定的条件。首先，当事人双方应当相互享有债权，也就是相互负有债务。其次，两项债权或者债务的性质应当是同一的。所谓债权或者债务的性质同一，是指受偿的权利或者给付的义务是同一种类，也就是用以履行债务或者行使债权的标的，在性质和种类上都是相同的。第三，相互的债权或债务都到了履行期。第四，抵消债权或者债务不得违背债的目的，不得违反法律规定或者双方的约定。由此可见，债权或者债务不能随意抵消，只有在具备上述条件的情况下才可以采取抵消的方式。

信托财产是为信托目的而独立存在的财产，由受托人实际控制支配，但产生的收益却应由受益人享有。而抵消从其性质上说是一种单方民事行为，可因当事人一方的意思表示发生效力。鉴于此，为保障信托财产的独立性和信托财产的安全，对信托财产上债权的抵消应作严格的限制。按照本条规定，信托财产上债权债务的抵消，应当遵循以下两项规则：

第一，受托人管理运用、处分信托财产所产生的债权，不得与其固有财产产生的债务相抵消。这是指，受托人对同一相对人有属于信托财产上的债权，同时负有属于固有财产上的债务，都到了清偿期，二者不得抵消。这是因为受托人承担为受益人的利益管理信托财产的义务，如果允许这两种财产上的债权债务抵消，则容易发生受托人以信托财产清偿自己债务的情况，这是有悖于信托目的的。禁止这两种债权债务相抵消，有利于保护信托目的的实现，保护受益人的收益。

第二,受托人管理运用、处分不同的信托财产所产生的债权债务,不得相互抵消。这是指对同一相对人或多个相对人享有的,对处于同一受托人控制支配之下的信托财产上的债权,同时到了清偿期,相互之间不得抵消。这是因为,虽然从表面看受托人管理的这些财产都属于信托财产,但每一项信托财产所要达成的目的是不同的,信托财产利益归属的主体也不同,如果允许二者相互抵消,被减损的信托财产对实现信托目的的保障作用就会被削弱,从而使有些信托目的难以实现。

当然,同属于同一信托财产的债权与债务,可以相互抵消。属于信托财产的债务与不属于信托财产的债权,根据约定也可以相互抵消。

第四章 信托当事人

第一节 委 托 人

第十九条 委托人应当是具有完全民事行为能力的自然人、法人或者依法成立的其他组织。

【释义】 本条是对委托人资格的规定。

委托人是提供财产设立信托的人，由于信托的设立，必须是基于委托人自己的意愿，因此，委托人资格应受民法中有关民事行为能力规定的限制。民事行为能力，是指通过自己的行为取得民事权利或设定民事义务的能力。民事行为能力以民事权利能力为前提，而民事权利能力的实现必须依赖于民事行为能力，只有具备民事行为能力的人，才能通过自己的行为依法取得具体的民事权利或设定具体的民事义务。不论是自然人、法人或者其他组织，都应当依法取得民事行为能力。按照现行民法通则的规定，自然人的民事行为能力分为三种：一是完全民事行为能力。这是指公民能够通过自己独立的行为取得民事权利，设定民事义务。我国 18 周岁以上公民是成年人，具有完全民事行为能力，可以独立进行民事活动，是完全民事行为能力人。16 周岁以上不满 18 周岁的公民，以自己的劳动收入为主要生活来源的，视为完全民事行为能力人。二是限制民事行为能力。这是指公民独立取得民事权利、设定民事义务的行为受到一定限制。我国 10 周岁以上不满 18 周岁的未成年人为限制民事行为能力人；不能完全辨认自己行为的精神病人,也是限制民事行为能力人。限制民事行为能力人可以进行与他们年龄、智力相适应的民事活动;其他活动由他们的法定代理人代理,或者征得其法定代理人同意。三是无民事行为能力。这是指难以进行取得民事权利、设定民事义务的活动。不满10周岁的未成年人、不能辨别自己行为的精神病人是无民事行为能力人,由他们的法定代理人代理民事活动。

从以上三种民事行为能力看,具备完全民事行为能力的人,能够完全独立地进行各种民事活动,包括以自己的财产设立信托。所以,具有完全民事行为能力的自然人可以作为信托关系中的委托人。属于限制民事行为能力的人,由于其年龄尚小,智力尚未发育成熟,或者精神健康状况欠佳等原因,对自己行为的理解及行为后果的预见都很有限,而设立信托所产生的法律后果又是很复杂的,为保护限制民事行为能力人的合法权益,维护正常的经济秩序,不宜由限制民事行为能力人作为委托人。无民事行为能力人更不能作为委托人。因此,在自然人中,只有具有完全民事行为能力的自然人,才具有作为信托关系中委托人的资格。具体讲,18周岁以上的成年人、16周岁以上不满18周岁但以自己的劳动收入为主要生活来源的人,可以作为委托人。限制民事行为能力人,包括10周岁以上不满18周岁的未成年人、不能完全辨认自己行为的精神病人,须由他们的法定代理人代理或征得法定代理人同意后作为委托人。无民事行为能力人须由其法定代理人作为信托关系中的委托人。

按照现行民法通则的规定,法人的民事权利能力和民事行为能力,从法人成立时产生,到法人终止时消灭。这就是说,法人的民事权利能力与民事行为能力是同时产生的,法人具有权利能力之时,也就具有了行为能力。然而法人民事权利能力范围的大小是由法律规定或者由依法确定的章程规定的,各个法人设立的目的不同、任务不同、业务范围不同,决定了它们所享有的民事权利能力范围大小不同,但任何一个法人都必须在经依法核准登记的业务范围内从事民事活动,也就是只有在经依法核准的业务范围内才享有民事权利能力,并且有民事行为能力。超越业务活动范围所进行的民事行为是无效行为,不受法律的保护。因此,法人在其经依法核准登记的业务活动范围内具有作为信托关系中的委托人的资格,原则上不得有登记范围以外的行为。

在我国实际生活中,除自然人、法人具有民事主体资格外,还有许多非法人组织也享有民事权利能力。对于这些非法人组织的设立和业务活动规则等,在民法通则以及其他有关法律、法规中已有相应的规定,依法成立的非法人组织,在法律允许的活动范围内,享有独立进行民事活动的权利,从而也具有作为信托关系中委托人的资格。

第二十条 委托人有权了解其信托财产的管理运用、处分及收支情况,并有权要求受托人作出说明。

委托人有权查阅、抄录或者复制与其信托财产有关的信托账目以及处理信托事务的其他文件。

【释义】 本条是对委托人知情权的规定。

委托人是设定信托并提供信托财产的当事人。信托成立后,委托人虽然已将有关的财产权利委托给受托人,但仍然是重要的利害关系人,为维护信托目的,保障信托财产的安全,委托人应享有监督信托财产的运用和信托事务处理的权利。要实施有效的监督,委托人必须对信托财产运用和信托事务处理的有关信息有搜集的权利。因此,委托人的知情权是保障其实施监督的必要手段,也可以说是监督的一种具体方式,从法律上明确赋予委托人知情权是十分必要的。按照本条规定,委托人的知情权包括两个方面:

一是查问权。这是委托人为了解信托财产的管理运用、处分及收支情况而请求受托人作出说明的权利。委托的查问权应是基于委托人的信托设定人地位而产生的。确认委托人查问权,可以使委托人根据需要获得充分、有效的有关信托财产运用和信托事务处理的信息,有利于监督受托人忠实履行信托文件所规定的职责,维护信托目的。委托人查问权的行使是有一定范围的。按照本条第一款的规定,委托人查问的内容应是与信托财产管理运用、处分有关的情况,以及有关信托财产收支情况。对查问的方式,法律未作规定,一般情况下采用口头查问或书面查问均可。受托人对委托人提出的查问,有义务作出说明,以使委托人及时、准确地了解情况,同时对委托人提出的问题,受托人应当如实说明,这是从诚实信用、善良管理的义务出发提出的要求。

二是账目及有关文件查阅、抄录、复制权。这是指委托人对与信托财产有关的账目记录以及处理信托事务的其他文件进行查阅、抄录或复制的权利。这三项权利也是基于委托人的信托设定人地位所产生的,是委托人行使知情权的一种主要方式或手段。这些权利的对象范围是与委托人的信托财产有关的信托账目,包括反映属于信托财产的资产、负债、收入、所有者权益、费用(成本)、利润等状况的会计凭证、会计账簿、会计报表及其他有关资料。所谓处理信托事务的其他文件,包括为运用、处分信托财产而签订的合同文本、信托登记文件以及其他记载信托事务处理情况的文件。委托人可以同时行使这三项权利,也可以单独行使其中一项或两项权利。委托人依法行使查阅、抄录或复制权时,受托人应予支持,积极协助配合。

上述查问权和查阅、抄录、复制权,是委托人的法定权利,委托人依法行使上述权利受法律保护,任何人不得干涉,侵害委托人上述知情权的,委托人可以向人民法院提起请求之诉。

第二十一条 因设立信托时未能预见的特别事由,致使信托财产的管理方法不利于实现信托目的或者不符合受益人的利益时，委托人有权要求受托人调整该信托财产的管理方法。

【释义】 本条是对委托人变更信托财产管理方法权利的规定。

信托财产管理方法，就是受托人管理运用、处分信托财产，以使其保值增值的方法。根据信托的性质，受托人应当依照信托目的并为受益人的利益管理或者处分信托财产，因此，确定信托财产管理方法，应当以实现信托目的并符合受益人的利益为原则。设立信托时，在不违反法律、行政法规的前提下，按照民事活动当事人意思自治的原则，信托财产管理方法由委托人和受托人决定。信托财产管理方法有的在信托文件中载明，也有的未在信托文件中作具体的记载。信托成立后，信托文件确定了信托财产管理方法的，受托人应当按照信托文件的规定管理信托财产，无权擅自变更信托财产管理方法。事先在信托文件中未具体规定信托财产的管理方法的，受托人应以有利于信托目的的实现和受益人利益的管理方法，来管理信托财产。在信托关系中，信托财产的管理权属于受托人，委托人不得随意干涉受托人的管理活动，更无权随意变更信托财产的管理方法。这是信托关系法律效力的表现，也是信托财产独立性原则的要求。然而，客观情况会不断变化，信托成立后，由于客观情况的变化，致使原来采用的信托财产管理方法不能继续采用或者不需要再采用时，则应当变更原来的管理方法。信托财产管理方法的调整，有些是设立信托时就预先考虑到的，可以由受托人在信托文件的授权范围内作出调整。比如，有的信托文件中规定了多种可以选择的信托财产管理方法，受托人可以在信托文件确定的范围内调整、变更原来采用的管理方法。信托文件中未载明具体的信托财产管理方法的，受托人可以按照有利于实现信托目的并符合受益人利益的原则，根据信托文件的授权，调整、变更信托财产的管理方法。有时难免发生设立信托时未预见的特别事由，致使受托人实际采用的管理信托财产的方法不利于实现信托目的或者不符合受益人的利益，而受托人有权调整却未予调整，在这种情形下，为保证信托目的的实现，保障受益人利益，法律赋予委托人有权要求受托人依照信托目的和受益人利益调整信托财产的管理方法。委托人可以直接向受托人行使这项权利，也可以通过法院作出裁定行使这项权利。

第二十二条 受托人违反信托目的处分信托财产或者因违背管理职责、处理信托事务不当致使信托财产受到损失的，委托人有权申请人民法院撤销该处分行为，并有权要求受托人恢复信托财产的原状或者予以赔偿；该信托财产的受让人明知是违反信托目的而接受该财产的，应当予以返还或者予以赔偿。

前款规定的申请权，自委托人知道或者应当知道撤销原因之日起一年内不行使的，归于消灭。

【释义】 本条是对委托人的撤销权、恢复原状请求权和赔偿损失请求权的规定。

信托成立后，受托人享有信托财产的管理运用、处分权。为防止受托人故意或者过失致使信托财产不当减少，遭受损失，以保护信托财产的安全，维护信托目的，保护受益人的利益，法律赋予委托人撤销权、恢复原状请求权和赔偿请求权。

委托人撤销权，是指当受托人处分信托财产的行为足以影响信托目的的实现或受益人利益时，委托人享有的予以撤销该行为的权利。委托人撤销权，是使受托人实施的有害于信托财产权益的行为归于无效，是一种形成权。委托人撤销权应当具备以下构成要件：一是须有受托人的行为。委托人撤销权是要撤销受托人行为的法律效力，因此，应当以存在受托人的行为为前提。受托人的行为可以是单独行为，也可以是双方行为。但关键的是受托人的行为必须是民事行为，并且是在信托成立后成立和继续有效存在的行为。对于不以意思表示为要素的事实行为，以及尚未成立生效的民事行为,不发生撤销问题。二是受托人的行为应当是违反信托目的处分信托财产或使信托财产减少并受到损失的行为。撤销权的行使,以维护信托目的、保护信托财产安全为宗旨,所以,撤销权针对的对象应当是受托人处分信托财产的行为,撤销权的客体为财产法律关系。对于受托人实施的身份行为,如改变名称,与某人结婚或离婚,指定某人为继承人等,虽然也可能会间接影响信托财产权益,但委托人不得撤销。受托人实施的不作为债务的民事法律行为,发生劳务债务的民事法律行为,都不属于处分财产的行为,委托人不得撤销。三是受托人的行为应当是违反信托目的,有害于受益人受益权的行为。这是撤销权成立的根本条件。如果受托人的行为无害于受益人的受益权,不违反信托目的,则不论受托人行为的性质如何,委托人均不得撤销。所谓违反信托目的处分信托财产,是指未将信托财产用于实现信托目的,或者对信托财产所作的处分损害了信托目的,或者未以有利于信托目的的实现的方法处分信托财产。所谓有害于受益人权益,是指受托人因违背管理职责或者处理信托事务不当致使信托财产受到损失(包括积极的财产减少和消极的债务的增加),以致使受益人对信托财产的权益受到损害。

委托人撤销权应当通过诉讼方式行使,也就是说委托人应当以自己的名义请求人民法院撤销受托人实施的违反信托目的处分信托财产的行为和有害于信托受益权的处分信托财产的行为。

人民法院根据委托人的请求作出撤销受托人处分信托财产行为的判决后,受托人的处分行为即发生自始无效的法律后果。这种无效处分行为的法律后果主要有两个方面的内容:一是恢复信托财产的原状,即恢复到无效处分行为发生之前的状态,以消除无效处分行为所造成的不应有的后果。按照恢复原状的要求,如果处分行为尚未完全实施,则因处分行为无效而不必也不应再予实施。如果已经完成了处分行为,则应取回处分的信托财产,恢复信托财产的原来状态。二是赔偿信托财产损失。受托人处分信托财产的行为被撤销后,受托人有过错的,应当赔偿信托财产的损失。恢复原状和赔偿损失是两项责任,责任主体是受托人,同时,恢复原状和赔偿损失又是两项请求权,法律上明确委托人的这两项请求权,有利于监督受托人,促使其维护信托目的,保证信托财产安全,保护受益人利益。恢复原状请求权和赔偿损失请求权的效力及于明知是违反信托目的而接受该信托财产的受让人。这也就是说,受让人明知是违反信托目的而接受该信托财产的行为是无效的,该受让人应承担返还信托财产或者赔偿信托财产损失的责任。如果接受该信托财产的受让人是善意的,即受让人在不知情的情况下受让了该信托财产,则受托人处分行为的无效不影响善意受让人取得该信托财产行为的法律效力,对善意受让人取得信托财产的行为不得予以撤销,善意受让人不承担返还财产或赔偿损失的责任。

委托人的撤销权是一种形成权,因此,法律规定了除斥期间,这就是自委托人知道或者应当知道撤销原因之日起1年内不行使的,撤销权归于消灭。

第二十三条 受托人违反信托目的处分信托财产或者管理运用、处分信托财产有重大过失的,委托人有权依照信托文件的规定解任受托人,或者申请人民法院解任受托人。

【释义】 本条是对委托人依法解任受托人的规定。

委托人解任受托人的权利是基于委托人的资格和地位所产生的。在信托关系中,委托人是提供财产设立信托的人,信托目的就是委托人意欲达成的目的,受托人是委托人基于信任所选定的。信托成立后,受托人应当按照信托文件体现的委托人的意愿,管理运用、处分信托财产,实现信托目的。委托人在信托成立后虽然不具有直接管理处分信托财产的权利,但是作为信托财产的提供者,信托目的的设定人,信托财产是否安全,从而信托目的能否实现,对委托人利益有重要影响,委托人拥有保护信托财产、维护信托目的并促使信托目的实现的权利。正是基于这种法律地位,委托人享有解任受托人的权利。

委托人行使解任受托人的权利,应当符合法定的条件。这是由信托的性质所决定的。信托成立后,受托人享有信托财产的管理处分权,同时负有以信托财产向受益人支付信托利益的义务。如果委托人可以任意行使解任权,解任受托人,信托关系就失去了稳定性,这种理财制度的风险就会增加,信托的功能就会受到影响,这当然不利于信托目的的实现,也不符合受益人的利益。因此,对委托人行使解任受托人权利的条件,应作出严格限制。按照本条规定,委托人在两种情形下可以行使解任权:一是受托人违反信托目的处分信托财产;二是受托人管理运用、处分信托财产有重大过失。上述两种情形中有一种情形发生时,委托人即可行使解任受托人的权利。除上述两种情形外,在其他情形下,委托人是否可以解任受托人,法律未作规定。

委托人行使解任受托人权利的方式有两种:第一种是直接行使解任权。在信托文件对解任受托人的具体条件、程序等有规定时,委托人可以按照信托文件的规定行使解任权。第二种是通过诉讼方式行使解任权,即委托人可以申请人民法院解任受托人。不论信托文件对解任受托人的内容是否作出规定,委托人都可以申请人民法院解任受托人。

第二节　受　托　人

第二十四条　受托人应当是具有完全民事行为能力的自然人、法人。

法律、行政法规对受托人的条件另有规定的,从其规定。

【释义】 本条是对受托人资格的规定。

受托人是委托人设立信托的相对人,从委托人那里接受财产权的委托,负有按照信托目的管理运用、处分信托财产的义务。因此,受托人应当具有成为财产权主体的一般资格,即应当具有民事行为能力。

受托人可以是自然人,也可以是法人。受托人为自然人的,受托人为履行职责,应当有管理运用、处分信托财产的能力,即受托能力;同时,信托关系是以当事人之间的信赖关系为基础建立的,受托人既基于委托人的信任管理信托财产,并且以尽诚信、谨慎、有效管理的义务和为受益人最大利益亲自处理信托事务为原则,对其资格要求应当从严。因此,具有完全民事行为能力的自然人才能为受托人。受托人为法人时,该法人应当是依法设立并取得法人资格,可以在核准登记的范围内从事民事活动的民事主体。法人的权利能力和行为能力应受法人设立的目的、任务和业务范围等条件的限制,应当以在登记范围内从事业务活动为原则。因此,法人为受托人的,受托人应当具备依法设立并且可以在核准登记的范围内从事管理运用、处分信托财产活动的资格。

本条第一款规定的是受托人的一般资格。如果法律、行政法规对受托人资格条件另有规定,则这些规定相对于信托法的规定来说,是特别法的规定,即应当依照特别法规定的条件执行。如设立信托投资公司,应当依照信托投资公司管理法规规定的条件办理,设立证券投资基金,应当依照证券投资基金管理法规办理。

第二十五条 受托人应当遵守信托文件的规定,为受益人的最大利益处理信托事务。

受托人管理信托财产,必须恪尽职守,履行诚实、信用、谨慎、有效管理的义务。

【释义】 本条是对受托人处理信托事务的原则以及诚实、信用、谨慎、有效管理义务的规定。

受托人处理信托事务应当按照信托文件以受益人的最大利益为原则。受托人是基于委托人的高度信任而取得信托财产管理处分权的;受托人承诺为受益人的利益管理处分信托财产,是信托成立的必要前提。信托成立后,受托人所作的为受益人利益管理、处分信托财产的承诺,成为其约定的职责,受托人应当履行职责,也就是履行自己的承诺,忠实于信托目的,从受益人最大利益出发处理信托事务。这样才符合信托关系所依存的信任基础。可以说,受托人为受益人最大利益处理信托事务的原则,是信托特性的体现,也是信托性质的基本要求。

受托人管理信托财产,必须恪尽职守,受托人负有诚实、信用、谨慎、有效管理信托财产的义务。受托人基于委托人信任取得信托财产管理处分权,与此种权利相对等,受托人管理信托财产仅以与处理自己事务同样的技能和注意是不够的,还应当履行诚实、信用、谨慎、有效管理的义务。所谓诚实,就是忠诚老实,不弄虚作假,不搞欺诈;所谓信用,就是信守承诺,遵守约定;所谓谨慎,就是周到严谨,小心慎重;所谓有效,就是可见成效。受托人行使信托财产的管理权,必须做到诚实、信用、谨慎和有效管理,必须恪尽职守地按照信托文件,积极实现信托目的。

本条规定的受益人最大利益原则和诚实、信用、谨慎、有效管理信托财产的义务,是法定的原则和义务,受托人不得违反。如果违反上述原则和义务,受托人就要承担故意或重大过失的责任,对这种责任,当事人不能约定免除。

第二十六条　受托人除依照本法规定取得报酬外,不得利用信托财产为自己谋取利益。

受托人违反前款规定,利用信托财产为自己谋取利益的,所得利益归入信托财产。

【释义】 本条是对禁止受托人利用信托财产为自己谋取利益的规定。

受托人不论以何种名义和方式,都不得利用信托财产为自己谋取利益。这是一项重要的规则。对受托人作出这一限制,是受托人在信托关系中所处的地位所决定的。受托人拥有信托财产的管理处分权,而信托财产的收益应归属于受益人。如果受托人可以利用信托财产为自己谋利益,那么受托人在处理信托事务时就会优先考虑自己的利益,而不顾甚至损害受益人的利益。这样不免使信托失去了其应有的功能和意义。因此,受托人利用信托财产为自己谋取利益的行为,是应当禁止的。确立这项法定规则是十分必要的,是保护受益人利益的要求。禁止受托人利用信托财产为自己谋取利益的规则主要包括以下内容:一是受托人不得以受托人的地位直接或间接地享有信托财产的收益;二是受托人不得以信托财产为自己的利益而进行交易;三是受托人不得因信托财产交易而从交易对方获取自己的利益。

受托人违反法律规定,利用信托财产为自己谋取利益的,其所得利益归入信托财产。这就是违反这一禁止性规则的法律后果。受托人利用信托财产为自己谋取的利益,属于是由信托财产所产生的利益,将这些利益归入信托财产是合乎情理的。

受托人为管理运用、处分信托财产,处理信托事务,都要付出一定的人力、物力和财力,可以依法按照信托文件的约定取得报酬。受托人依法按照约定取得的报酬,是委托人同意给付受托人的一种补偿性利益,它与受托人利用信托财产为自己谋取的利益是不同的,二者不应混淆。受托人依照法律规定取得报酬,不属于利用信托财产为自己谋取利益,不应受到禁止,而应受到保护。

第二十七条 受托人不得将信托财产转为其固有财产。受托人将信托财产转为其固有财产的,必须恢复该信托财产的原状;造成信托财产损失的,应当承担赔偿责任。

【释义】 本条是对禁止将信托财产转为受托人固有财产的规定。

信托财产与受托人的固有财产虽然都是由受托人直接控制支配的财产,但是这二者的性质是不同的,信托财产具有独立性,是为信托目的而独立存在的财产,受托人仅在信托目的范围内为受益人的利益有权管理处分信托财产,信托财产的收益由受益人享有,因此,受托人不得将信托财产转为其固有财产。受托人的固有财产是属于受托人所有的财产,受托人对其拥有排他的、充分完整的支配权,除法律另有规定外,这种支配权是不应受到限制的,受托人可以按照自己的意志处置其固有财产。固有财产所产生的收益仍由受托人享有。如果允许受托人将信托财产转为其固有财产,则将使受托人享有信托财产及其利益,违背了受托人忠实履行信托义务的职责,这与受益人的利益发生冲突,与信托本旨也是相违背的。

受托人必须严格遵守这项禁止性规则,按照这项规则,受托人不管是将全部或部分信托财产转为固有财产,还是将信托财产直接转为自己的固有财产,或者表面上利用他人名义将信托财产间接地转为自己的固有财产,都是受到禁止的。

受托人违反本条禁止性规则,将信托财产转为其固有财产的,应当承担两项法律后果:一是恢复该信托财产的原状;二是造成信托财产损失的必须承担赔偿责任。受托人将信托财产转为其固有财产的,其行为因违反法律规定而无效,恢复信托财产原状和赔偿信托财产损失,就是无效的处分信托财产行为所产生的法律后果,也可以说是法律责任。受托人作为行为人当然应当承担这种责任。

受托人不得将信托财产转为自己的固有财产,是就受托人自己的行为而言的。如果受托人因继承、受赠或者其他包括承受名义等而取得信托财产,不属于受托人自己将信托财产转为其固有财产,应不在禁止之列。

第二十八条 受托人不得将其固有财产与信托财产进行交易或者将不同委托人的信托财产进行相互交易,但信托文件另有规定或者经委托人或者受益人同意,并以公平的市场价格进行交易的除外。

受托人违反前款规定,造成信托财产损失的,应当承担赔偿责任。

【释义】 本条是对受托人不得将其固有财产与信托财产进行交易的规定。

受托人受人之托,代人理财,应当遵守信托文件的规定,为受益人的最大利益处理信托事务。其管理信托财产,必须恪尽职守,履行诚实、信用、谨慎、有效管理的义务。本条对受托人规定了两种限制交易情况,并规定了受托人违反本条规定造成信托财产损失应承担的赔偿责任。

首先,受托人不得将其固有财产与信托财产进行交易。受托人以其固有财产与他人委托给他管理的信托财产进行交易,在这样的交易中,受托人既是交易中的双方当事人,又同时自己进行要约和承诺并承担交易双方的后果。从交易外在形式上看,是一种自我交易,似乎是一种无害的行为。但从信托本质上看,这种自我交易容易损害信托财产,并损害受益人的利益。由于受托人对其固有财产行使的是排他的、绝对的所有权,对固有财产的交易的决定权及其后果当然由其承担,受托人并应追求自己的最大合法利益,不直接与他人的利益发生冲突。但是如果受托人将其固有财产与信托财产进行交易,比如买卖,在信托的情况下,是指用信托名义下的金钱购买固有财产或者相反即用固有财产中的金钱部分去购买信托名义下的财物,由于交易的当事人只有受托人一个,没有磋商和讨价还价，没有真正的要约和承诺，而固有财产交易所得为受托人所有，信托财产的交易所得依信托文件规定受委托人的制约或为受益人设定利益，这样一种交易显然容易作弊，也与受托人为受益人的最大利益管理和处分信托财产这一原则要求不符。受托人要考虑受益人的最大利益，就必然会减少或者损害自己所有的固有财产产生的利益，受托人不可能也不会故意减少或损害自己的财产权益，而一旦受托人考虑自己所有的固有财产在交易中的利益，就不可能为受益人的最大利益处理信托财产。所以，本条禁止受托人的固有财产与信托财产进行交易。所谓交易，不仅仅指买卖，也包括抵押、质押、留置、互换等方式，所有这些交易都被本条所禁止。

其次，受托人不得将不同委托人的信托财产进行相互交易。受托人虽然不是将其固有财产与信托财产进行交易，但将不同委托人委托给他的信托财产进行相互交易，也受本条禁止，其道理也是清楚的，因为受托人要为受益人的最大利益管理和处分财产，在两个以上的最大利益之间，受托人不可能也不应当有所偏向，所以本条禁止此类交易。

再次，对上述原则，本条还规定了例外。不论是固有财产与信托财产的交易，还是将不同委托人的信托财产进行相互交易，根据本条规定原则上禁止，但信托文件另有规定的除外，经委托人同意或经受益人同意的也除外。所谓信托文件另有规定的除外，是指基于信任关系，委托人在与受托人商定信托文件条款时即考虑到了信托财产的实际状况，确认了在信托财产的管理上，信任受托人的能力、信誉，允许受托人根据实际情况相应地处理信托财产，不禁止在有利原则下受托人的固有财产可以与信托财产进行交易，也不禁止将信托财产与受托人接受的其他委托人的信托财产进行交易，这些可以在信托文件中事先作出明文的约定。这样的情况在营业性信托中比较常见，受托人有管理和处分财产的经验和知识，信托文件中对信托财产有保本微利的约定，受托人可以相机行事。经委托人或受益人同意，受托人也可以不受本条禁止交易的限制，在信托文件事前没有明文记载的情况下，事后经委托人和受益人的同意，受托人也可以进行上述交易活动。还有一个最重要的限制是这种交易应以公平的市场价格进行交易，这是一个法定的标准，不论是信托文件的规定还是经委托人或受益人同意从事这两种交易，都应以公平的市场价格进行，否则就不可能保证受托人是为受益人的最大利益管理和处分信托财产。所谓公平的市场价格是指没有欺诈行为，参考了市场上的同类财产交易的价格条件，接近于市场平均交易价格水平或者是在公开设立的市场上按同类财产交易的条件完成的该交易，都可以认为是以公平的市场价格进行交易，当然，在信托文件中有明确的约定或者委托人或受益人有明确的指示的情况下，按约定或指示完成的交易才能认为是执行了合理的价格。

最后，本条在第二款规定了补救措施，当受托人违反本条第一款的规定，造成信托财产损失的，应承担赔偿责任，也就是一般的民事赔偿责任。这里的违反规定，既指原则性的规定，也指例外规定中的有关程序要件和实质要件的内容。在原则规定的情况下，受托人不得从事两种被本条禁止的交易，在有例外规定的情况下，受托人从事这两种交易要满足本条规定的实质要件和程序要件。

第二十九条 受托人必须将信托财产与其固有财产分别管理、分别记账，并将不同委托人的信托财产分别管理、分别记账。

【释义】 本条是对信托财产的分别管理、分别记账的规定。

受托人接受委托，对委托人所设定的信托财产进行管理和处分。由于信托财产与受托人的固有财产这两种财产的性质不同，本条规定受托人有义务将信托财产与其固有财产分别管理、分别记账，并将不同委托人的信托财产分别管理、分别记账。所谓分别管理,是指单独地分别从事交易,受托人有分别管理的目录、单独立账、不与其他财产发生混同。在信托财产是种类物的情况下,分别存放、计数、记录,在信托财产是特定物的情况下,分别记录;在信托财产是金钱的情况下,分别记账,单立账户。在从事信托财产的交易时,不能混同,在信托财产是种类物的情况下,应提示为信托财产项下的财产,在信托财产为金钱时,应提示由信托财产账户收支。对不同委托人的信托财产也应采取此种办法,分别管理、分别记账。

将信托财产与固有财产及不同委托人的信托财产分别管理、分别记账的目的:一是为了便于明确受托人的责任,使其真正履行为受益人最大利益管理和处分信托财产的义务;二是为了维护受益人的合法利益;三是便于区分因信托财产发生之债或因固有财产发生之债的责任;四是委托人、受益人及其代理人便于查阅、检查有关信托财产的管理和处分情况;五是便于司法机关在处理相关问题时有据可查。

在有关司法机关和委托人、受益人查阅信托财产账目、检查信托财产管理和处分情况时,受托人可以而且应该据实说明情况。除非不可抗力或不得已的情况发生,由于受托人未履行对信托财产分别管理、分别记账的义务,造成信托财产损失的,不免除受托人的责任。

第三十条 受托人应当自己处理信托事务,但信托文件另有规定或者有不得已事由的,可以委托他人代为处理。

受托人依法将信托事务委托他人代理的,应当对他人处理信托事务的行为承担责任。

【释义】 本条是对受托人应当亲自处理信托事务的规定。

委托人是基于信任关系委托受托人处理信托事务,信托本质上是一种当事人间的财产和事务委托关系。这种委托就有了一定的特定化的前提。信任是建立在委托人对受托人资质、能力、人品、见识、工作业绩等较为个性化的特质的了解基础上的，这样，在委托人与受托人制定信托文件时，就隐含有一定的条件，即除非另有规定，处理该特定的信托事务和管理、处分该特定的信托财产必须由接受委托的受托人亲自处理信托事务。信托法在本条考虑到了信托的这种特别的性质，规定了受托人应当自己处理信托事务的原则。所谓自己处理，是指从制作信托文件、接受信托财产、办理有关手续、分别登录账簿、从事与信托财产有关的交易、从事有关的生产经营管理活动都要由受托人本人办理，不能转信托他人处理，受托人可以有自己的助手，但应以受托人自己的名义。受托人应当自己处理信托事务的例外情况有两种：一是信托文件另有规定，即在由委托人与受托人制定的信托文件中，双方预见到了受托人有不能自己处理信托事务的情况，明文约定可以委托他人代为处理，也是委托人基于对受托人的信任关系，相信受托人委托他人代为处理信托事务与其本人处理信托事务有相同的效果或者是信任受托人的选择。二是有不得已的事由。受托人不论是个人或一个组织机构，都有可能有意外的事前想象不到的事由，而在有关的信托文件中没有事先约定，相关的信托事务又不能拖延，受托人可以自己决定委托他人代为处理信托事务。“不得已事由”是我国信托法中的专门法律用语，类似的法律用语有不可抗力、意外事件、情况紧急、不可归责于自己的事由等。例如，“不可抗力”是指不可预见、不可避免、不可克服的自然灾害或战争等；“意外事件”是指事前未曾预见的天灾人祸，而“情况紧急”“不可归责于自己的事由”，也有其各自特定的法律含义。本条所指的“不得已事由”，客观上比不可抗力、意外事件所造成的后果要小，事件的严重程度也不是很大，但对个人或机构组织作为受托人来说，足以构成无法亲自处理信托事务。不可抗力和意外事件包括在不得已之中，但不得已比其范围更宽，包括受托人个人患病、家庭关系发生变故、出国学习培训、长期出差等情况,使其无法亲自处理信托事务;在受托人是机构组织的情况下,该机构组织发生合并、分立情况,被暂时限制从事某类活动,机构组织发生领导机构及人员的变化还未办完交接等,而信托事务的处理又不能拖延,受托人就可以委托他人代为办理。

受托人出现上述的几类情况,将信托事务委托他人代理的,不论采取什么法律形式如委托拍卖、委托代理、行纪等,履行何种法律手续如口头委托或书面委托等,委托的是什么人或组织机构,受托人与该人或组织机构是什么关系,都由受托人自己决定,并应当对他人处理信托事务的行为承担责任,也就是在受托人与委托人、受益人的关系之中,代理人依据受托人的委托对外发生法律关系,相当于以受托人的名义承担处理信托事务的后果,履行作为受托人的所有义务。本条就此也明确了我国信托法不允许转信托。

第三十一条 同一信托的受托人有两个以上的,为共同受托人。

共同受托人应当共同处理信托事务,但信托文件规定对某些具体事务由受托人分别处理的,从其规定。

共同受托人共同处理信托事务,意见不一致时,按信托文件规定处理;信托文件未规定的,由委托人、受益人或者利害关系人决定。

【释义】 本条是对共同受托人如何处理信托事务的规定。

在委托人、受托人与受益人三方的关系中,同一信托的受托人有两个以上的,两个以上的受托人为共同受托人,这种情况的出现,是源于信托文件。可能是有关信托财产的管理过于复杂,也可能是委托人想在同一信托的共同受托人之间建立一种制衡关系,也可能是两个以上的共同受托人之间本来就有不可分割的法律关系业已存在,如夫妻二人、母子公司等。只要在同一信托中受托人有两个以上的，即为共同受托人。共同受托人作为同一信托关系的一方当事人，其相互之间的关系在本条没有涉及，但从本条规定看，其相互之间不存在递补、代位的关系，而是共同行使受托人权利，平等、共同享有受托人的权利，不因共同受托人的情况而划分信托份额，分割信托财产，共同受托人对信托财产共同管理。同一信托的信托文件应明确共同受托人的这种法律地位，但不禁止信托文件作其他的安排。

共同受托人接受委托，代人理财，原则上应共同处理信托事务。所谓共同处理信托事务，是指两个以上受托人没有先后顺序、没有主从关系、没有份额关系，类似于普通合伙人中的共同共有、共同执行业务的关系。当然，也不反对共同受托人之间经过平等协商的工作分工。在信托文件有规定的时候，对某些具体事务可以由受托人分别处理。

共同受托人共同处理信托事务，因为是两个以上不同的平等的民事主体意思表示的综合，当其就具体的信托事务的处理意见不一致时，本条规定按信托文件规定处理。这样可能就有以下一些情况：一是信托文件中原来就有规定，事先约定了共同受托人之间意见不一致时采取何种解决办法；二是信托文件可能规定对一些具体信托事务有特别的指示应如何处理，共同受托人按信托文件的规定处理；三是共同受托人结合信托文件规定的目的、为受益人的最大利益或信托财产的最大增益平等地协商出一个妥协办法，达成一致，共同处理信托事务。在上述办法仍然行不通，从信托文件上确实找不到根据时，该具体信托事务的处理，由委托人、受益人或者其利害关系人决定，委托人是设定信托的人，受益人是特定信托关系的受益一方，利害关系人包括监护人、近亲属以及有其他民事上或商事上的重大利害关系的人，对这几种人，本条没有具体指明顺序，共同受托人应根据具体信托事务的性质、对各方当事人的利害影响，结合信托目的来进行处理。

第三十二条　共同受托人处理信托事务对第三人所负债务，应当承担连带清偿责任。第三人对共同受托人之一所作的意思表示，对其他受托人同样有效。

共同受托人之一违反信托目的处分信托财产或者因违背管理职责、处理信托事务不当致使信托财产受到损失的，其他受托人应当承担连带赔偿责任。

【释义】　本条是对共同受托人共同处理信托事务应承担的责任的规定。

共同受托人接受委托，代人理财，必与第三人发生债权债务关系，比如，以自己的名义处理信托财产的买卖、租赁等，都必然会发生财务往来，共同受托人因处理信托事务对第三人所负债务，共同受托人应当承担连带清偿责任。即每一共同受托人都有偿还全部债务的义务，清偿该债务的共同受托人对其他共同受托人有追偿的权利。当然，按财产顺序来说，应先就信托财产清偿处理信托事务对第三人所负债务。值得特别指出的是：一是共同受托人处理信托事务对第三人所负债务，究竟应以什么为限，是仅就信托财产承担责任，还是应牵连到受托人（包括共同受托人）的固有财产，因为受托人是以自己的名义在管理和处分信托财产。从一般民事法律的原理来看，共同受托人以自己的名义就信托财产与他人签订合同，其构成合同关系的当事人一方，就应对该合同关系所产生的债务承担责任。但由于信托财产的封闭性、特殊性，信托法对其有许多特殊的管理办法，如设立信托的书面形式的要求，法律、行政法规规定的信托财产登记措施，信托终止时信托财产的归属安排，信托财产与固有财产相区别的法律原则，受托人依法对信托财产分别管理、分别记账的规定，受托人违反法定原则从事与信托财产有关的交易造成损失的承担赔偿责任等。这样，显然信托财产与一般财产的法律性质是确有不同的。我们认为，在受托人包括共同受托人处理信托事务时,如果没有过错因素,对第三人所负债务不应牵连其固有财产,应仅以信托财产为限承担责任,当然,这里有一个因素需要考虑,由于我国信托法中委托人、受益人对受托人相对国外的有关规定,其制衡较多,在委托人、受益人在受托人管理处分信托财产的特定交易中起的作用较大,不管其采取的是什么形式如信托文件规定、特别指示或其他任何形式的干预,只要委托人、受益人对受托人从事与信托财产有关的交易有干预,委托人、受益人应承担相应的责任。在信托财产的交易相对人知道其参与的交易是信托财产的情况下,应相应地部分或全部免除受托人、委托人与受益人除信托财产之外的财产承担所负债务的义务。在这里,需要参照执行我国民法通则中有关过错责任的规定。受托人有过错,除以信托财产承担对第三人的债务外,还应以自己的固有财产承担部分或全部责任,并应依信托法和信托文件的规定赔偿信托财产的损失。委托人和受益人有过错,除了信托财产之外,也应以自己的其他财产承担对第三人的债务,第三人知道与其交易的标的是信托财产的,应相应部分或全部免除受托人、委托人和受益人除信托财产以外的其他财产的责任。二是共同受托人之间的连带清偿责任,是民法上的连带之债,不是按份之债,在仅以信托财产承担对第三人债务的情况下,共同受托人之一所作出的偿债意思表示和具体偿债行为,对第三人发生效力。在任何一个以上的共同受托人以信托财产以外的固有财产偿还第三人所负债务的,在同一信托的共同受托人之间,产生我国民法上的连带清偿责任。

共同受托人平等地行使处理信托事务的权利,第三人(这里应特别指出本条的第三人是指信托关系以外的人,其实应该是除特定信托关系中的受托人、委托人和受益人之外的第四人)对共同受托人之一所作的意思表示,对同一信托的其他共同受托人同样有效,对该特定信托有效,对该特定信托名义下的信托财产有效。

本条第二款规定，共同受托人之一管理和处分信托财产的行为后果及于其他共同受托人。共同受托人基于委托人的信任接受对信托财产的管理和处分，共同受托人之间对信托财产是共同管理关系，平等地共享受托人权利，共同承担为受益人的最大利益管理和处分信托财产的义务，当共同受托人之一违反信托目的处分信托财产或者因违背管理职责、处分信托事务不当致使信托财产受到损失的，共同承担连带赔偿责任。所谓违反信托目的，是指信托文件中有规定，如何具体处理信托财产，但共同受托人或共同受托人之一违反信托目的处分信托财产；违背管理职责是指违反信托法或信托文件的有关规定，没有履行应尽的管理义务；处理信托事务不当是指未按有关法律和信托文件的规定处理信托事务。上述行为的最后结果是使信托财产受到损失，受托人因此而未履行其为受益人最大利益管理和处分信托财产的义务，该共同受托人应当承担连带赔偿责任。

第三十三条　受托人必须保存处理信托事务的完整记录。

受托人应当每年定期将信托财产的管理运用、处分及收支情况，报告委托人和受益人。

受托人对委托人、受益人以及处理信托事务的情况和资料负有依法保密的义务。

【释义】　本条是对受托人保管有关记录、向委托人和受益人提出报告以及依法保密义务的规定。

受托人接受委托，代人理财，基于信任关系处理信托财产和信托事务，受信托法和信托文件的约束，享有法定和信托文件规定的权利，也承担法律规定和信托文件规定的义务。本条第一款规定了其必须保存处理信托事务的完整记录的义务。处理信托事务的完整记录，指有关信托的财产和物品的收支情况，有关信托的金钱方面的收付情况,处理信托事务的方式,交易对方的情况等。完整是指与处理信托事务有关的全部合同、单据、凭证、账户资料等。保存是指记录并装订成册,在计算机处理时应有专门存储方式,还应执行我国有关会计法、税收征收管理法、审计法规定的办法。

本条第二款规定受托人应当每年定期将信托财产的管理运用、处分及收支情况报告委托人和受益人。一是有时间要求,每年定期一次或多次报告。二是报告的内容,包括三种:信托财产的管理运用,是指采取何种管理方式,如受托人自己管理运用或委托他人代理管理运用等;处分情况一般包括事实上的处分和法律上的处分,比如对现金是进行了储蓄、投资实业、证券交易或购买了不动产,对非现金类的财产是进行了拍卖变卖、租赁、承包或进行了业务运营;收支情况是指与管理运用信托财产有关的现金、非现金财物的收入、支出的明细和分类记录。报告可以是合并所有资料的总账,也可以应委托人和受益人要求的分类分细目的账簿、凭证和资料。报告的对象是委托人和受益人,也就是信托关系中的当事人或者其代理人。信托法规定这样的报告义务,便于委托人和受益人对受托人处理信托事务进行监督检查,维护自己的法定权益,及时提出自己的意见,也便于分清责任。

本条第三款规定受托人依法负有保密义务。保密的内容包括委托人、受益人以及处理信托事务的情况和资料。信托关系因为是当事人间的财产委托关系,牵涉到私人的商业秘密和个人隐私,也与相关人员有利害关系,为保证不因信托事务情况和资料的泄露造成不应有的损害,维护信托关系各方当事人的合法权益,受托人应依法负保密义务,诸如委托人、受益人的姓名、职业、身份证件、账户账号,设立信托的情况、受益情况等,处理信托事务的情况和资料等。保密应依法,在相关的国家机关和工作人员依照法定程序要求了解受托人处理信托事务及信托财产的情况时,应依法办理。

第三十四条　受托人以信托财产为限向受益人承担支付信托利益的义务。

【释义】　本条是对受托人向受益人支付信托利益的规定。

委托人基于对受托人的信任,将其财产权委托给受托人,最根本的目的是使受益人获得信托利益。受托人按委托人的意愿以自己的名义,为受益人的利益或特定目的,对信托财产进行管理或处分,履行信托文件规定的权利和义务,在这样的信托法律关系中,受托人应承担向受益人支付信托利益的义务。这也正是信托与其他财产管理方式不同的地方,也是信托的本质所在。所谓信托利益,就是指由信托财产本身及其收益所产生的利益,包括本金及其孳息,如金钱本金及其产生的利息、果树及其所结的果实、母畜及所产的奶产品及所产的仔畜、房屋及其出租的租金等。受托人的职责就是管理和运用这些财产,向受益人支付信托利益。受托人向受益人支付信托利益,本条规定,仅以信托财产为限,包括本金及其孳息,也就是说,受托人向受益人支付完本金及其孳息,也就履行了自己的法定义务,不必牵连自己的固有财产,也不必用其他财产包括委托人的其他财产来支付受益人的信托利益。至于受托人在管理和运用信托财产中所造成的交易中的损失,只要受托人严格依照信托法和信托文件规定办理,没有过错,也是只能在信托利益中相应扣减,而无须弥补。

第三十五条　受托人有权依照信托文件的约定取得报酬。信托文件未作事先约定的,经信托当事人协商同意,可以作出补充约定;未作事先约定和补充约定的,不得收取报酬。

约定的报酬经信托当事人协商同意,可以增减其数额。

【释义】　本条是对受托人报酬的规定。

受托人的代人理财是否应取得报酬,应依具体情况而定,本条条文中并未对受托人取得报酬作强制性规定，而是采取交给当事人自己协商处理的办法，由当事人自己在信托文件中约定。如果信托文件约定受托人可以取得报酬，受托人有权依约定取得报酬。具体内容由当事人约定。报酬的内容一般应包括取得报酬的时间、方式、报酬是否与管理信托事务的业绩挂钩等，但受托人不能以取得报酬为接受委托的条件，因为我国信托法有关信托定义中并不包含报酬作为成立信托的相关当事人的对价，信托是建立在有关信托当事人基于信任关系基础上的，在民事信托方面，基本不获取报酬，是以充分信任为基础的，在营业信托方面，既有报酬，也有管理费用的补偿，并不必然以报酬为信托成立的条件。强调这一点，对于明确信托的特性及信托法的相关规定尤为重要。所谓信任，严格意义上并不是一个法律上的用语，是指人与人之间相互关系的一种口语化的表述，是亲密、信赖、信得过等意思，所以在处理私人财产时委托人将信托财产委托给他管理和处分，受托人并不必然以取得对价为接受条件，委托人行使有关监督权也与一般股东权、债权等不同，仅仅确定受托人是否依信托目的管理和处分信托财产，在对受托人如何管理和处分信托财产未作出具体管理方法的约定时，受托人有充分的裁量权。所以，在民事信托中，以不取得报酬为原则，以取得报酬为例外。在所谓的营业信托中，报酬也不是主要的考虑因素，对信托财产的管理和处分可以扣除管理和处分费用，然后可以根据信托财产的商业回报率来商定报酬，比如采取提成制、折扣制等。那么，信托受托人以不取得报酬为原则，以取得报酬为例外是基于什么原因呢？因为信托的基本原理是委托人基于信任将自己的财产委托受托人管理和处分，不论是何种信托，这都是信托关系中最根本的特性，如何来给这样私人之间的信任关系确定对价本身就是一件困难的事情，由于信托文件的私人性质，其约定的内容也可以多种多样，对信托财产的管理和处分的要求也可以在难易程度、双方责任等方面有各种各样的设计，也是很难确定其相当于一般商品或服务类交易中的对价的。本条采取的办法是受托人按照信托文件的约定取得报酬；信托文件未作事先约定，经信托当事人协商同意，可以作出补充约定，这里信托当事人一般应理解成委托人、受托人和受益人，仅仅受托人与受益人之间不能作补充约定。未作事先约定和补充约定的，受托人不得收取报酬，其理由如前所述。此外，受托人收取报酬的数额也不是一成不变的，约定的报酬经信托当事人协商同意，可以增减数额。在对信托文件事先约定的报酬数额进行变更时，牵涉修改原有的信托文件，需要委托人与受托人协商作出新的约定。如果是事后由信托当事人三方作出补充约定的，在增减受托人报酬的数额时，应当由三方当事人进行新的约定。

第三十六条　受托人违反信托目的处分信托财产或者因违背管理职责、处理信托事务不当致使信托财产受到损失的，在未恢复信托财产的原状或者未予赔偿前，不得请求给付报酬。

【释义】　本条是对受托人请求给付报酬的限制性规定。

受托人可以不取得报酬，但也不排除可以取得报酬，对于约定取得报酬的，本条对受托人请求给付报酬规定了一个限制。由于受托人管理信托财产，必须恪尽职守、履行诚实、信用、谨慎、有效管理的义务，当受托人违反信托目的处分信托财产或者因违背管理职责、处理信托事务不当致使信托财产受到损失的，为履行其义务，应首先恢复信托财产的原状或者赔偿损失。恢复财产的原状是指对动产、不动产进行修复、重建或通过依法行使权利使因经过法律上处分的信托财产恢复到原来的状态，如已经卖出的予以赎回，已经出租的予以收回等。对确实无法恢复原状的，依法或信托文件的规定赔偿损失。赔偿损失是指对信托财产造成的物质上的损耗和金钱上的减少予以弥补，包括直接损失和间接损失都应予以赔偿，但应以合理为限。此后，受托人才可以行使报酬请求权。

这里有一个问题值得注意的是，由于受托人实际占有信托财产并依信托文件的规定管理和处分信托财产，受托人行使报酬请求权无须经过其他信托当事人的同意，按前条规定，信托文件事先有约定的，按约定依法取得，未作约定，通过补充约定取得，但应受本条规定限制，受托人在未恢复信托财产的原状或未予赔偿前，不得取得报酬。

第三十七条 受托人因处理信托事务所支出的费用、对第三人所负债务，以信托财产承担。受托人以其固有财产先行支付的，对信托财产享有优先受偿的权利。

受托人违背管理职责或者处理信托事务不当对第三人所负债务或者自己所受到的损失，以其固有财产承担。

【释义】 本条是对信托财产产生的债务如何确定偿债顺序的规定。

受托人接受他人委托，管理和处分信托财产，处理信托事务，要花费许多人力物力，比如建立账簿需要雇用或使用自己的会计人员，出租出售动产不动产需要支付有关的广告宣传费用，对不动产的处分的评估、维修费用，对动产的保管费用等。这些费用都因处理信托事务而支出，对第三人所负债务也是指在管理和处分信托财产、处理信托事务时对第三人发生的债务，有金钱之债，也有非金钱之债，受托人对于这些费用、债务，应该以信托财产承担，因为信托财产与其他财产分别管理、分别记账，受托人发生这些费用和债务，就在单独管理和单独立账的信托财产中以金钱或非金钱予以支付。可以金钱偿还的债务，以金钱偿还，金钱不足以偿还的，拍卖变卖信托名义下的财物或采取折价充抵的办法偿还。在受托人以其固有财产先行支付的，相当于受托人以自己的固有财产先行垫付，在信托财产中享有优先受偿的权利。这里就发生一个问题，相对于对第三人所负债务来说，受托人因处理信托事务所垫付的费用,如果受托人享有优先受偿权,无疑对第三人是不利的。所以,这里的费用应该作较为严格的限定,一是确是与处理信托财产有关;二是仅限于受托人为处理信托事务所支出的劳务、人工等方面的费用;三是要有独立、清楚的处理信托事务等方面的记载,便于查阅核对。而信托文件或信托当事人允许信托财产与受托人的固有财产发生交易,受托人因此与信托财产形成的债务关系,受托人对信托财产没有优先受偿的权利。

受托人违背管理职责或者处理信托事务不当对第三人所负债务,适用民法上的过错原则,不能使用信托财产偿还债务,应以自己所有的固有财产承担。自己所受到的损失,也不能要求以信托财产赔偿损失,而应以其固有财产承担损失。

第三十八条 设立信托后,经委托人和受益人同意,受托人可以辞任。本法对公益信托的受托人辞任另有规定的,从其规定。

受托人辞任的,在新受托人选出前仍应履行管理信托事务的职责。

【释义】 本条是对受托人辞任的规定。

委托人基于信任将自己的财产委托给受托人管理和处分,委托人、受益人与受托人之间通过信托文件建立信托关系,受托人应当遵守信托文件的规定,为受益人的最大利益处理信托事务,受托人管理信托财产,必须恪尽职守,履行诚实、信用、谨慎、有效管理的义务。受托人由此发生对委托人、受益人的基于信托文件的义务,对信托财产承担起管理和处分义务。由于受托人的责任重大,受托人也需要是有经验、有能力、有知识、有时间和身体情况允许的成年公民或机构完备、运行状况良好的法人或社会组织。在有的情况下,受托人可能因为种种原因,自己的情况发生变化或不能很好地履行受托人职责,或者与委托人、受益人发生一些关系上的变故,在这样的情况下,只需经委托人和受益人同意,受托人就可以辞任,也就是不再担任受托人。考虑到本法的有关建立信托需要书面文件的规定,这里的同意应采取书面文件形式。

公益信托由于为不特定的受益人的利益管理和处分信托财产,有一定的社会公益性,本法对其辞任规定了特殊的批准程序,应遵守本法的相关条款。

由于受托人的职责重要,受托人的行为关系到受益人、委托人的财产物质利益,考虑到前后两个受托人职责的衔接的必要,本条第二款规定,受托人辞任的,并不能立即推卸自己作为受托人的职责,在新的受托人选出前,仍应履行管理信托事务的职责,也就是受托人的职责,只是不开展新的信托财产运用业务,不处分重要的信托财产。诸如收回待收的货款,妥善保管信托名义下的财物,准备信托财产及其账簿的交接工作等受托人的工作仍然要依法、依信托文件做好。

第三十九条 受托人有下列情形之一的,其职责终止:

(一)死亡或者被依法宣告死亡;

(二)被依法宣告为无民事行为能力人或者限制民事行为能力人;

(三)被依法撤销或者被宣告破产;

(四)依法解散或者法定资格丧失;

(五)辞任或者被解任;

(六)法律、行政法规规定的其他情形。

受托人职责终止时,其继承人或者遗产管理人、监护人、清算人应当妥善保管信托财产,协助新受托人接管信托事务。

【释义】 本条是对受托人的职责终止的规定。

本条规定了六种法定情形,受托人在发生该情形之一时,其受托人职责终止。受托人既包括自然人,也包括法人或其他社会组织。

第一,作为受托人的自然人死亡或依法被宣告死亡。死亡是指自然人的死亡,按有关司法解释处理。我国民法通则规定,公民的民事权利能力从出生时起到死亡时止。依法宣告自然人死亡是指根据我国民法通则的有关规定,公民有下列情形之一的,利害关系人可以向人民法院申请宣告死亡:(1)下落不明满4年的;(2)因意外事故下落不明满2年的。战争期间下落不明的,下落不明的时间从战争结束之日起计算。在依法被宣告死亡的情况下,自然人也不能履行受托人的职责,其受托人的职责终止。

第二,被依法宣告为无民事行为能力人或者限制民事行为能力人。按我国法律规定,10周岁以上的未成年人是限制民事行为能力人,可以进行与他的年龄、智力相适应的民事活动;其他民事活动由他的法定代理人代理,或者征得他的法定代理人的同意。不满10周岁的未成年人是无民事行为能力人,由他的法定代理人代理民事活动。不能辨认自己行为的精神病人是无民事行为能力人,由他的法定代理人代理民事活动。不能完全辨认自己行为的精神病人是限制民事行为能力人,可以进行与他的精神健康状况相适应的民事活动;其他民事活动由他的法定代理人代理,或者征得他的法定代理人的同意。无民事行为能力人、限制民事行为能力人的监护人是他的法定代理人。在受托人被依法宣告为无民事行为能力人或者限制民事行为能力人的情况下,其受托人职责终止。

第三,被依法撤销或者被宣告破产。被依法撤销是指由法定机关依法撤销有关法人和社会组织,该法人或社会组织就不再具有相应的民事权利能力,其作为受托人的职责终止。受托人资不抵债,依法被宣告破产,其作为受托人的职责也终止。

第四,依法解散或者法定资格丧失。法人或其他社会组织依法宣布解散,其作为受托人的职责终止;法人或其他社会组织丧失法定从事特定信托活动的资格,其作为受托人的职责终止。

第五,受托人依本法和信托文件辞任或者被解任,其作为受托人的职责终止。

第六,法律、行政法规规定有其他情形,受托人的职责依法终止。

本条第二款规定，在受托人职责终止时，并不立即解除其相关法定义务，因为受托人对委托人和受益人所委托的信托财产负有管理和处分的义务，这种管理和处分信托财产的行为需要有一定的连续性，而在有些情况下比如受托人死亡等，受托人又确实不可能履行该相关义务，本条款规定，作为一种过渡的安排，受托人的继承人（包括法定继承人和遗嘱继承人）、监护人、法人或其他社会组织的清算人应当妥善保管信托财产，一方面是承担受托人延续下来的义务，作为这些法定的义务承担者来说，在我国民法通则、继承法和企业破产法中也有相关要求，在继承程序、破产清算程序完成和有关当事人具有民事权利能力之前，应妥善保管信托财产，因为这时候的信托财产由其实际控制，不提出这样的法定要求容易给有关信托当事人造成不应有的损失。同时，还应协助新受托人接管信托事务，以便顺利地完成受托人职责的交接，在受托人职责交接环节及前后一段时期，确保依法维护有关当事人的合法利益。

第四十条 受托人职责终止的,依照信托文件规定选任新受托人;信托文件未规定的,由委托人选任;委托人不指定或者无能力指定的,由受益人选任;受益人为无民事行为能力人或者限制民事行为能力人的,依法由其监护人代行选任。

原受托人处理信托事务的权利和义务,由新受托人承继。

【释义】 本条是对受托人职责终止时选任新受托人的程序的规定。

信托财产一经委托,委托人对其失去实际的日常控制,受益人享有受益权而不能行使管理和处分信托财产的权利,为维护有关信托当事人的利益,保持受托人职责的连续性和不间断性。本条规定,受托人职责终止的,要依有关程序选任新受托人。首先是信托文件有规定的,依信托文件的规定选任新受托人。信托文件是规定信托当事人各方权利义务的法律文书,选任新受托人与信托各方当事人的权益有密切关系,在信托文件有规定的情况下,依照其规定办理。信托文件未规定的,由委托人选任。原因也很简单,因为业已职责终止的受托人也是由委托人指定的。但是,委托人有时会发生不指定或者无能力指定的情况。不指定是指委托人基于种种主客观原因不指定新的受托人,无能力指定是指委托人由于种种原因不能指定新的受托人。在这些情况发生时,只能由受益人选任;受益人为无民事行为能力人或者限制民事行为能力人的,依法由其监护人代行选任。这几种程序是一个递进的关系,只有前一个程序没有选出新的受托人,后一个程序才能启动,开始选任新的受托人的工作。

本条第二款规定,在新的受托人选出之后,原受托人处理信托事务的权利和义务,包括其全部权利和义务,都由新的受托人承继。

第四十一条　受托人有本法第三十九条第一款第(三)项至第(六)项所列情形之一,职责终止的,应当作出处理信托事务的报告,并向新受托人办理信托财产和信托事务的移交手续。

前款报告经委托人或者受益人认可,原受托人就报告中所列事项解除责任。但原受托人有不正当行为的除外。

【释义】　本条是对受托人的职责终止时如何向新受托人办理移交手续和承担责任的规定。

受托人职责终止,并不当然免除受托人相关责任和义务。除因自然死亡、被依法宣告死亡、被依法宣告为无民事行为能力人或者限制民事行为能力人等情况，受托人确实无法准备处理信托事务的报告并办理相关移交手续的之外，对本法第三十九条所列其他受托人职责终止的，应当作出处理信托事务的报告。这里的所谓报告，包括有关的财务报表及相关说明书、大宗财产的处理方式和情况的说明，主要是依据对信托财产分别管理、分别记账积累的记录和有关资料的说明使委托人和受益人了解相关情况。在受托人是法人或其他组织的情况下，可以规范、详细一些，并应符合有关法律、行政法规的规定；在受托人是个人的情况下，作出使委托人、受益人了解情况的报告即可，但两种情况都要做到真实、完整和准确，不能弄虚作假或采取欺骗手法。作出报告是一个方面，同时应向新受托人办理信托财产和信托事务的移交手续。财产的移交，不论是动产或是不动产的移交，均应完备有关的法律手续，依照法定的程序，做好财物的清点和盘存，做到账证相符、账账相符和账实相符。事务的移交要做到交代清楚，手续完备，便于新的受托人接管信托事务的处理。

本条第二款规定了一个报告的认可程序并相应地明确了相关责任。报告是对信托关系中的委托人和受益人作出的，处理信托事务的报告经委托人或受益人认可，是指委托人或受益人认为该处理信托事务的报告真实可信，无欺诈内容，受托人依信托法或信托文件管理和处分信托财产、处理信托事务，履行了自己的职责，报告可接受，原受托人不再承担所列事项中的有关责任。唯一的例外是原受托人有不正当行为的除外，这里的不正当行为，既可能与受托人管理和处分信托财产、处理信托事务有不正当行为有关，也可能与制作报告时隐瞒真实情况、作虚假陈述等有关，只要其具有不正当行为，依本条规定就不能免除其相应的责任，该承担什么责任还应依法承担责任。

第四十二条 共同受托人之一职责终止的，信托财产由其他受托人管理和处分。

【释义】 本条是对共同受托人之一职责终止时如何处理信托财产的规定。

同一信托有两个共同受托人，共同受托人之一职责终止，只剩下一个受托人，与一般的信托关系一样，原信托关系不发生变化。而当同一信托有多个共同受托人的情况下，共同受托人人数减少一个，但仍有两个以上的共同受托人，原信托关系不发生变化，继续属于共同受托人。本条规定，不因共同受托人之一其职责终止减少共同受托人数而需要选任新的受托人或增选受托人，应保留原信托关系，信托财产由其他剩下的受托人（不论是一个受托人或一个以上的受托人）继续管理和处分即可。

第三节 受 益 人

第四十三条 受益人是在信托中享有信托受益权的人。受益人可以是自然人、法人或者依法成立的其他组织。

委托人可以是受益人，也可以是同一信托的惟一受益人。

受托人可以是受益人，但不得是同一信托的惟一受益人。

【释义】 本条是对受益人的定义和范围的规定。

一、受益人的定义。受益人是信托关系的当事人，是在信托中享有信托受益权的人。受益人具有以下法律特征：(1)受益人是信托关系的当事人。信托是一种特殊的财产管理制度，委托他人管理、处分信托财产的人为委托人，受托管理、处分信托财产的人为受托人，享有信托受益权的人为受益人。虽然信托于信托合同签订时或者受托人承诺信托时成立，并不需要受益人作出意思表示或者为一定的法律行为，但是，受益人在信托关系中对受托人享有给付信托利益的请求权，委托人与受托人的行为都要受到为受益人的利益这一信托目的的约束，因此，受益人是信托关系中不可缺少的一方当事人,没有受益人的信托是无效的。受益人为信托关系的当事人,但是信托是否有效并不以信托设立时受益人就存在或特定为必要,只要信托文件规定的受益人或者受益人的范围可以确定,该信托即为有效。(2)受益人是在信托关系中纯享利益之人。信托是为受益人的利益而设立的一种财产管理制度,受益人按照信托文件的规定享有信托利益,对信托财产不负有管理、处分的责任,受托人因处理信托事务所支出的费用、对第三人所负债务,也不由受益人承担,而是以信托财产承担。非经信托文件特别规定,信托一般为无偿的,即使信托文件规定受托人管理、处分信托财产为有偿的,其报酬一般也是从信托财产中支付。因此,在通常情况下,受益人在信托关系中为纯享利益之人。(3)受益人是在信托关系中享有信托受益权的人。信托受益权是受益人在信托中享受信托利益的权利。信托受益权为受益人所专有。

二、受益人的资格和范围。受益人并不需要通过承诺或者为一定的法律行为,以取得信托受益权,自信托生效之日起即享有信托受益权,且受益人是信托关系中纯享利益之人,原则上只要具有民事权利能力的人都可以成为受益人,因此,本条规定,受益人可以是自然人、法人或者依法成立的其他组织。(1)自然人。自然人从出生时起至死亡时止,具有民事权利能力,即具有依法享有民事权利、承担民事义务的资格。因此,自然人可以成为受益人,而不论其是否具有民事行为能力。限制民事行为能力人和无民事行为能力人为受益人,不能自行行使其信托受益权的,由其监护人代为行使。个体工商户和农村承包经营户以及个人合伙为特殊的自然人,也可以成为受益人。(2)法人。法人从成立时起至终止时止,具有民事权利能力和民事行为能力,依法独立享有民事权利和承担民事义务,法人可以作为受益人。(3)依法成立的其他组织。依法成立的其他组织,如个人独资企业、合伙企业等,虽不具有法人资格,但是具有从事一定生产经营活动的资格,能够独立参加诉讼活动,因此,本条规定依法成立的不具有法人资格的其他组织也可以作为受益人。关于受益人的范围,这里有几个问题需要说明:(1)关于胎儿能否成为受益人。根据其他一些国家的民法的规定,未出生的胎儿,除非其出生时为死体,否则对其个人利益的保护,特别是在接受遗赠和继承遗产时,应视为已出生。我国继承法也规定,遗产分割时,应当保留胎儿的继承份额,胎儿出生时是死体的,保留的份额按照法定继承办理。这表明,胎儿在接受无附带义务的利益的法律关系中,具有法定权利能力。因此,胎儿可以成为信托关系中的受益人。(2)关于外国的自然人和法人能否成为受益人。本法对此未作明确的限制,因此,外国人原则上可以作为受益人。但是,如果有关法律、法规对外国人取得某物或者某项权利有限制性规定,而该物或者该项权利为受益权的客体应当移转给该外国人的,则外国人不得成为该信托的受益人。比如,文物保护法第二十五条规定,私人收藏的文物,严禁私自卖给外国人。因此,如果设定信托,以私人收藏的文物作为信托财产,信托文件规定由受托人将该文物移转给受益人,则外国人不能作为该信托的受益人。(3)关于非人类的生命体能否成为受益人。国外一些国家的判例承认为宠物等非人类的生命形态的利益为目的而设立的信托也是有效的。但是,本法将受益人限定在自然人、法人、依法成立的其他组织的范围之内,因此,非人类的生命形态不能成为受益人。

三、委托人或者受托人作为受益人。在信托关系中,受益人通常为委托人指定之第三人,委托人也可以设立自益信托,指定自己为唯一受益人,将其财产权委托给受托人,由受托人为自己的利益管理和处分信托财产,也可以指定自己与其他受益人为共同受益人,由受托人为自己和其他受益人的利益管理和处分信托财产。委托人还可以指定受托人为共同受益人之一,由其管理和处分信托财产。但是,委托人不得指定受托人为某一信托的唯一受益人,因为当受托人是某一信托的唯一受益人时，信托财产的管理、处分权和信托受益权归于同一人，信托就失去了其设立和存在的意义。因此，受托人可以是共同受益人之一，但不得是同一信托的唯一受益人。

第四十四条 受益人自信托生效之日起享有信托受益权。信托文件另有规定的，从其规定。

【释义】 本条是对受益人享有信托受益权起始时间的规定。

一、信托受益权的内容。信托受益权是受益人在信托中享受信托利益的权利。信托受益权有狭义和广义之分，狭义的信托受益权是指受益人享有的在信托存续期间取得信托财产收益的权利、在信托终止后信托文件没有另外规定信托财产归属人的情况下获得信托财产本金的权利。广义的信托受益权包括受益人享有的在信托存续期间取得信托财产收益的权利、在信托终止后获得信托财产本金的权利以及由此产生的监督受托人管理、处分信托财产的权利。具体来讲，信托受益权包括以下几个方面的内容：(1)在信托存续期间，享受信托财产收益的权利。受益人的这项权利又被称为收益受益权。享有信托财产收益的权利是受益人最主要的权利，在信托存续期间，受托人管理运用、处分信托财产而产生的收益全部归于受益人，委托人和受托人均无权享有。(2)在信托终止时获得信托财产本金的权利。受益人的这项权利又被称为本金受益权。这里所说的信托财产本金，不仅包括信托设立时的信托财产，还包括受托人管理、处分信托财产而取得的未分配给受益人而归入信托财产的财产。根据本法第五十四条的规定，信托终止的，信托财产归属于信托文件规定的人，信托文件未规定的，信托财产首先归属于受益人。因此，信托终止时，除信托文件另有规定外，受益人享有获得信托财产本金的权利，这也是受益人的一项重要权利。(3)监督受托人管理、处分信托财产的权利。

受益人除享有上述二项主要权利外，还享有为保护其利益及信托财产而监督受托人管理、处分信托财产的权利，主要包括：有权了解其信托财产的管理运用、处分及收支情况，并有权要求受托人作出说明；有权查阅、抄录或者复制与其信托财产有关的信托账目以及处理信托事务的其他文件；因设立信托时未能预见的特别事由，致使信托财产的管理方法不利于实现信托目的或者不符合受益人的利益时，有权要求受托人调整该信托财产的管理方法；受托人违反信托目的处分信托财产或者因违背管理职责、处理信托事务不当致使信托财产受到损失的，有权申请人民法院撤销该处分行为，并有权要求受托人恢复信托财产的原状或者予以赔偿；受托人违反信托目的处分信托财产或者管理运用、处分信托财产有重大过失的，有权依照信托文件的规定解任受托人，或者申请人民法院解任受托人。

二、信托受益权的性质。受益人所享有的信托受益权作为私法上的一种权利，到底为何种性质，至今众说不一。英美法学者认为受益人为衡平法上的信托财产的所有人，信托受益权是基于受益人拥有对信托财产实质上的所有权而形成的，信托财产虽为受托人所管理与控制，但是信托财产的收益权仍归于受益人。同时，衡平法上的权利只是一种对人权，因此，受益人享有的信托受益权并不能直接行使，而需要请求法院对信托文件予以强制执行，以满足其获得信托财产收益的权利。而大陆法学者对受益权性质的认识，主要有四种观点：一种观点认为，在信托关系中，受托人对信托财产享有所有权，而受益人仅对受托人享有取得信托收益的债的请求权，称为债权说。另一种观点认为，受益权具有债权和物权双重性质，即受益人对受托人享有取得信托收益的债的请求权，同时受益人还享有撤销受托人违反信托目的和违背管理职责的处分信托财产的行为并向第三人追索信托财产的权利，而这一权利具有物权特征。因此，受益权兼具物权和债权双重特征。第三种观点认为,信托财产虽为受托人所占有和管理,但是其所有权仍归属于受益人,受益权是受益人以财产所有人身份所享有的权利。而受托人只不过为受益人之代理人而已。第四种观点认为,信托关系无法纳入大陆法系民法的传统财产权关系之中,受益权不仅具有物权性质,而且具有债权性质,还具有区别于物权和债权的其他权利,如受益人对信托事务的监督权、知情权等,受益权不能归入传统权利体系中的任何一类。因此,应当承认信托是一种特殊的民事法律关系,并且应当以特别法赋予信托受益权这种特殊的权利以独立的法律效力。

三、受益人享有信托受益权的起始时间。信托受益权作为一种特殊的民事权利,应当基于一定的法律原因而取得。根据本条的规定,受益人自信托生效之日起享有信托受益权。因此,受益人因信托的生效而取得信托受益权。所谓信托生效,是指信托产生法律约束力。信托受益权基于信托的生效而取得,但是,受益人并不是信托设立行为的当事人,信托的成立和生效并不以受益人的意思表示或者一定的行为为必要,因此,受益权的取得以他人设立信托的行为生效这一客观事实的存在为必要。根据本法有关规定,采取信托合同形式设立信托的,信托合同签订时,信托成立,采取遗嘱或者其他书面形式设立信托的,受托人承诺信托时,信托成立。同时,根据民法通则的规定,民事法律行为自成立时起具有法律约束力,即民事法律行为自成立时生效。因此,在一般情况下,特别是以合同形式设立信托,该信托成立之日即为信托生效之日,也就是受益人享有信托受益权之日。附生效条件的信托,自条件成就时生效,受益人自条件成就时起享有信托受益权。附生效期限的信托,自期限届至时生效,受益人自期限届至时起享有信托受益权。对于应当就信托财产办理信托登记的,该信托自办理信托登记时生效,受益人自该信托生效之日起享有信托受益权。对于遗嘱信托,虽然自受托人承诺信托时成立,但是由于遗嘱自遗嘱人死亡时方为有效,因此,依法成立的遗嘱信托自遗嘱人死亡时才能生效,受益人自遗嘱人死亡时享有信托受益权。

四、信托文件对受益人享有信托受益权的起始时间另有规定的,从其规定。信托文件依委托人和受托人的意思表示而作成,原则上信托文件可以对受益人享有信托受益权的起始时间作出特别规定,在这种情况下,受益人并不是自信托生效之日起享有信托受益权,而是于信托文件规定的起始时间享有信托受益权。此外,因信托文件的性质和内容决定了信托生效时受益人不存在或者需要根据信托文件规定的范围予以确定的,只有等到受益人产生时,信托受益权才能确定归属,这种情形应当视为信托文件对受益人享有信托受益权的起始时间另有规定的情形。

第四十五条 共同受益人按照信托文件的规定享受信托利益。信托文件对信托利益的分配比例或者分配方法未作规定的,各受益人按照均等的比例享受信托利益。

【释义】 本条是对共同受益人如何享受信托利益的规定。

一、信托受益权的共有。共同受益人享有信托受益权,是指数个受益人对信托财产共同享有利益,并且共同对受托人享有给付信托利益的请求权,是共同受益人对信托受益权的“量”的分割,其性质为信托受益权之共有。权利的共有,分为共同共有和按份共有。共同共有以存在共同关系为前提,通常仅存于婚姻家庭领域之内或具有一定亲属关系的自然人之间。而信托受益权的共有不是因受益人之间存在婚姻家庭亲属关系而产生,而是因信托文件确定的受益人为数人而产生,因此,受益权的共有为按份共有,即受益人对信托利益按应有份额共同享有权利之共有。从以上分析可以看出,受益权的共有具有以下特征:(1)受益权的共有的主体为两个或两个以上,且共有人之间的关系是偶然的,不以共有人之间存在婚姻家庭亲属关系为前提。(2)各共有人的权利在内容、性质及效力上是相同的，只存在量的区别，而不是共有人对受益权权能的分割，共有人的权利主体地位是平等的。即使数个受益人分别享有信托财产收益受益权和信托财产本金受益权，受益人所享有的权利的内容、性质及效力也是相同的，各受益人均享有信托利益的支付请求权、对受托人违背职责处分信托财产行为的撤销权、对受托人管理处分信托财产的监督权等。(3)各共有人按应有份额对信托利益享有权利。所谓应有份额，是指共同受益人对信托利益享有的权利的比例或者量的大小。

二、共同受益人享受信托利益的份额。这里所说的信托利益为受益权的权利客体，而不是受益权的内容。信托利益依信托文件的规定而定，当信托文件规定，受益人只享有受托人管理、处分信托财产而产生的收益时，信托利益即为该收益，当信托文件规定受益人除享有因管理、处分信托财产而产生的收益外，还享有在信托终止时取得信托本金的权利时，信托利益即为管理、处分信托财产的收益及信托财产本身。共同受益人对信托利益所享有的份额为信托文件规定的份额，此份额可以是均等的份额，也可以是不均等的份额。信托文件对信托利益的分配比例或者分配方法未作规定的，应当按照平等的原则分配信托利益，即各受益人按照均等的比例享受信托利益。

第四十六条 受益人可以放弃信托受益权。

全体受益人放弃信托受益权的，信托终止。

部分受益人放弃信托受益权的，被放弃的信托受益权按下列顺序确定归属：

（一）信托文件规定的人；

（二）其他受益人；

（三）委托人或者其继承人。

【释义】 本条是对受益人放弃信托受益权的规定。

一、信托受益权的放弃。所谓信托受益权的放弃，是指依受益人的意思表示，而使其信托受益权归于消灭的行为。因信托受益权是一种财产权，受益人原则上可以自由放弃。又因信托受益权的取得并不以受益人的承诺为要件，如果受益人表示沉默，应视为受益人接受信托受益权。因此，受益人放弃信托受益权必须明确作出放弃的意思表示。

二、信托受益权放弃的法律后果。受益人放弃信托受益权产生以下法律后果：(1)全体受益人放弃信托受益权的，信托终止。如果全体受益人放弃信托受益权，则信托目的无法实现，该信托就失去了其存在的意义，因此，该信托自然归于终止，信托财产归属于信托文件规定的人，信托文件未作规定的，信托财产归属于委托人或者其继承人。属于公益信托并且没有信托财产权利归属人或者信托财产权利归属人是不特定的社会公众的，经公益事业管理机构批准，受托人应当将信托财产用于与原公益目的相近似的目的，或者将信托财产转移给具有近似目的的公益组织或者其他公益信托。本条的这一规定与其他一些国家和地区的信托法的规定有略微的差别。根据日本、韩国信托法的有关规定，全体受益人放弃受益权的，如果信托文件规定可以选定新的受益人，则该信托继续存在，如果信托文件未规定可以选定新的受益人，则该信托的信托目的不能达到而归于终止。在英美法上，全体受益人放弃信托受益权的，而信托文件又没有规定可以重新选择受益人时，受托人为委托人的利益而继续持有并管理该信托财产，此时的信托称为“结果信托”。(2)部分受益人放弃信托受益权的，还存在其他受益人，信托目的并未实现，该信托应当存续以实现信托目的。部分受益人放弃信托受益权的，应当为该放弃部分确定权利人，以结束其无主状态。根据本条第三款的规定，部分受益人放弃的信托受益权按照下列顺序确定其归属：(1)信托文件规定的人。信托是依委托人之意志而设定，委托人在信托文件中对被放弃信托受益权的归属人有明确规定的,被放弃的信托受益权当然首先归属于信托文件所规定的人。(2)其他受益人。当信托文件对被放弃的信托受益权的归属人未作规定时,因委托人设立信托的目的就是为了受益人的利益,所以被放弃的信托受益权归属于受益人最符合信托目的。(3)委托人或者其继承人。当信托文件对被放弃的信托受益权未规定归属人,其他受益人又放弃享受被放弃的信托受益权的,被放弃的信托受益权归于委托人最为公平、合理。如果委托人已死亡,委托人取得被放弃的信托受益权的应当由其继承人继承。

第四十七条 受益人不能清偿到期债务的,其信托受益权可以用于清偿债务,但法律、行政法规以及信托文件有限制性规定的除外。

【释义】 本条是对信托受益权可以用于清偿到期债务的规定。

一、信托受益权可以用于清偿到期债务。受益权为私法上的权利,而且不属于人身权的范畴,原则上受益人可自由处分,因此,当受益人不能清偿到期债务时,可以用信托受益权予以清偿。受益人以信托受益权清偿债务具有以下法律特征:(1)受益人以信托受益权清偿债务,指的是受益人以因享有信托受益权而获得的信托财产收益来清偿债务。信托受益权的权利主体并没有发生变更,即受益人并不因此丧失其受益人地位。(2)受益人以其信托受益权清偿债务,受益人的债权人并不能直接要求受托人给付信托财产的收益,受托人对于受益人的债权人的支付信托利益的请求,可以予以拒绝。(3)在受益人以其信托受益权清偿债务的情况下,受益人的债权人没有撤销受托人违背信托目的或者管理职责处分信托财产行为的权利及其他监督受托人管理、处分信托财产的权利。如果受益人不能清偿到期债务而必须以信托财产予以清偿时，按照有关国家信托法的规定，则受托人已无信托财产可以管理或者处分，信托目的已不可能实现，该信托应当归于终止。因此，当受益人非以信托财产不能清偿其债务时，应当终止信托，受益人再以其所获得的信托财产清偿其债务。

二、信托受益权用以清偿到期债务的限制。信托受益权用以清偿到期债务的限制主要包括以下几个方面：(1)法律、行政法规有限制性规定的。指的是用于清偿到期债务的作为信托财产的收益的财产或者权利，法律、行政法规规定不得移转给他人的情况。比如，根据国务院有关规定，职工基本医疗保险基金账户只能由享受职工基本医疗保险的职工本人使用，在其需要支付医疗费用时从其专门账户中直接划拨。因此，如果职工基本医疗保险基金信托给他人进行管理，职工为其受益人，则该受益人不得以其受益权清偿除规定医疗费用以外的债务。(2)信托文件对信托受益权用以清偿债务的限制。主要包括以下两个方面：一是，委托人和受托人在设立信托的信托合同、遗嘱或者其他书面文件中可就受益权用于清偿债务作出禁止性的规定，在这种情况下，受益人不得以受益权清偿债务。二是，受信托目的的限制。因信托是委托人为受益人的利益或者特定目的将其财产交由受托人管理和处分的制度，因此，信托受益权的行使应不违背信托目的，如果受益人以信托受益权清偿债务，致使信托的存续违反信托目的或者导致信托目的不能实现，将导致该信托归于终止。因此，如果受益人以信托受益权清偿债务违反信托目的或者将导致信托目的不能实现的，则受益人不能以其信托受益权来清偿债务。比如，委托人设定信托，由受托人以信托财产的收益支付受益人的教育费用，如果受益人以信托财产的收益支付其教育费用以外的其他费用，将违反信托目的，因此，在此种情况下，受益人不能以其信托受益权来清偿债务。

第四十八条 受益人的信托受益权可以依法转让和继承，但信托文件有限制性规定的除外。

【释义】 本条是对信托受益权可以转让和继承的规定。

一、信托受益权的转让。所谓信托受益权的转让，是指不改变信托受益权的性质和内容，受益人将其信托受益权移转给他人的民事法律行为。受益权的转让具有以下法律特征：(1)受益人转让受益权，需要与受让人协商同意，订立转让合同，信托受益权的转让才能成立。(2)受益人转让信托受益权原则上不需要委托人和受托人同意，但是，受益人或者受益权的受让人应当通知受托人，否则该转让对受托人不发生效力。受托人接到通知并未表示异议的，则受托人应向受让人即新的受益人给付信托利益，并可以以此对抗原受益人。(3)信托受益权的转让须以转让信托受益权这一特定权利为标的，转让信托受益权的行为生效时，信托受益权移转至受让人，受让人即取得受益人的地位。如果受益人仅是委托他人向受托人代为收取信托财产的收益，则该行为不是转让信托受益权的行为，而是受益人与他人之间的委托代理行为。(4)信托受益权的转让不变更该受益权的同一性，即信托受益权转让后，该信托受益权的性质和内容均不发生变更，信托受益权全部移转给受让人，受让人成为新的受益人，享有请求受托人给付信托利益的权利，撤销受托人违背信托目的或者管理职责处分信托财产的权利，还享有在信托终止信托文件对信托财产的归属人未作规定时，取得信托财产的本金的权利等。

二、信托受益权的继承。继承，是指被继承人死亡后，其遗产转移给继承人的法律制度。继承分为遗嘱继承和法定继承。所谓法定继承，是指继承人的范围、继承人的顺序和继承人继承的财产份额都由法律直接予以规定的继承方式。在没有遗嘱或者在法律规定的情形下，适用法定继承。法定继承开始后，被继承人的遗产按照法律规定的顺序继承，同一顺序继承人继承遗产的份额，一般应当均等。对于法律规定应当多分或者少分遗产的,应当按照法律的规定分配遗产。所谓遗嘱继承,是指继承人按照被继承人的遗嘱继承被继承人遗产的继承方式。被继承人生前立有合法遗嘱的,其遗产应当由遗嘱指定的人承继。信托受益权作为受益人的一种财产权,在受益人死亡时应当列入其遗产,由其继承人继承。在受益人未立有合法遗嘱或者在法律规定的情形下,适用法定继承,受益人生前立有合法遗嘱的,其信托受益权应当由遗嘱指定的人继承。

三、信托受益权转让和继承受信托文件的限制。信托受益权原则上可依法自由转让和继承,但是要受信托文件中限制性规定的限制。一般来讲,信托文件对受益权转让和继承的限制,主要包括以下两个方面:一是,受信托文件受益权转让和继承禁止条款的限制。委托人和受托人在设立信托的书面文件中可就信托受益权的转让和继承作出禁止性的规定,信托文件还可以限制信托受益权受让人和继承人的范围。在信托文件对信托受益权的转让和继承设定禁止条款的情况下,信托受益权不得转让、继承,或者不得转让给禁止受让的人,或者不得由禁止继承的人继承。二是,受信托目的的限制。因信托是委托人为受益人的利益或者特定目的将其财产委托受托人管理和处分的制度,因此,信托受益权的行使应不违背信托目的,如果信托受益权的转让或者继承致使信托的存续违反信托目的或者导致信托目的不能实现,根据本法第五十三条的规定,则该信托归于终止,信托财产将按照本法第五十四条的规定确定归属人,信托受益权的受让人或者继承人并不能从中取得信托受益权。因此,受益权的转让或者继承违反信托目的或者致使信托目的不能实现的,则该信托受益权不得转让或者继承。比如,委托人设定信托,由受托人以信托财产的收益抚养受益人,如果受益人将其受益权转让给第三人,虽然信托文件没有规定受益人不能转让其受益权,但是这一转让将使信托目的无法实现,因此,这一转让是无效的。又如在养老金信托中,受托人应当定期向受益人支付养老金,受养老金信托的信托目的所限,受益人不得转让其信托受益权,该信托受益权也不得继承。

第四十九条 受益人可以行使本法第二十条至第二十三条规定的委托人享有的权利。受益人行使上述权利,与委托人意见不一致时,可以申请人民法院作出裁定。

受托人有本法第二十二条第一款所列行为,共同受益人之一申请人民法院撤销该处分行为的,人民法院所作出的撤销裁定,对全体共同受益人有效。

【释义】 本条是对受益人享有的同委托人相同的权利的规定。

一、受益人享有的同委托人相同的权利。主要包括以下几项:

1. 对信托事务的知情权,即受益人有权了解信托财产的管理运用、处分及收支情况,并有权要求受托人作出说明,有权查阅、抄录或者复制与信托财产有关的信托账目以及处理信托事务的其他文件。受益人在信托关系中享有信托利益,受托人管理、运用、处分信托财产是否符合信托文件的规定,是否尽到了为受益人的最大利益处理信托事务的责任,是否履行了诚实、信用、谨慎、有效管理的义务,对受益人的利益至关重要。因此,为了维护受益人的利益,赋予受益人了解信托财产的管理运用、处分及收支情况,要求受托人作出处理信托事务情况的说明,查阅、抄录或者复制与信托财产有关的信托账目以及处理信托事务的其他文件的权利是非常必要的。

2. 调整信托财产管理方法的权利。因设立信托时未能预见的特别事由,致使信托财产的管理方法不利于实现信托目的或者不符合受益人的利益时,受益人有权要求受托人调整该信托财产的管理方法。信托的本质就是受托人为了受益人的最大利益而管理、运用或者处分信托财产的活动，信托财产的管理方法对于实现信托目的具有重要意义。信托财产的管理方法一经由信托文件规定，一般不应随意调整。但是，在出现设立信托时未能预见的特别事由，不调整信托财产的管理方法将不利于实现信托目的或者不符合受益人的利益时，作为在信托关系中享有信托利益的人，受益人有权要求受托人调整该信托财产的管理方法。受益人要求受托人调整信托财产的管理方法，受托人不予调整的，受益人有权申请人民法院作出是否调整信托财产管理方法的裁定。

3. 受托人违背职责行为的撤销权和恢复信托财产原状、损害赔偿的请求权。在信托关系中，受托人应当遵守信托文件的规定，为受益人的最大利益处理信托事务。受托人管理信托财产，必须恪尽职守，履行诚实、信用、谨慎、有效管理的义务。受托人违反信托目的处分信托财产或者因违背管理职责、处理信托事务不当致使信托财产受到损失的，受益人有权申请人民法院撤销该处分行为，并有权要求受托人恢复信托财产的原状或者予以赔偿。该信托财产的受让人明知是违反信托目的而接受该财产的，应当予以返还或者予以赔偿。受益人的上述申请权，自委托人知道或者应当知道撤销原因之日起 1 年内不行使的，归于消灭。共同受益人之一申请人民法院撤销该处分行为的，人民法院所作出的撤销裁定，对全体共同受益人有效。

4. 解任受托人的权利。受托人负有按照信托文件的规定，为受益人的最大利益处理信托事务的责任，应当履行诚实、信用、谨慎、有效管理信托财产的义务。受托人违反信托目的处分信托财产或者管理运用、处分信托财产有重大过失的，已不适宜继续担任受托人，受益人有权依照信托文件的规定解任受托人，或者申请人民法院解任受托人，以维护其自身的利益。

二、受益人行使上述权利，与委托人意见不一致时，可以申请人民法院作出裁定。本条规定的受益人的权利，是与委托人相同的权利，因此，受益人行使上述权利，与委托人的意见不一致，而与委托人发生矛盾或者冲突时，受益人或者委托人均可申请人民法院作出裁定，以决定受益人是否能够行使上述权利或者受益人行使上述权利的方式、程序或者内容等。

第五章 信托的变更与终止

第五十条 委托人是惟一受益人的,委托人或者其继承人可以解除信托。信托文件另有规定的,从其规定。

【释义】 本条是对自益信托的解除的规定。

一、自益信托的解除。所谓信托的解除,指的是在信托存续期间,信托关系当事人基于法律或者信托文件的规定,行使解除权而使信托关系归于消灭的民事法律行为。本条是对自益信托中委托人根据法律规定解除信托的规定。自益信托是委托人为自己的利益而设立,即委托人同时为唯一受益人,委托人与受益人为同一人,允许委托人享有随时解除信托的权利,在通常情况下并不会损害其他信托当事人的利益。因此,本条规定,自益信托的委托人或者其继承人可以解除信托,并且没有规定前提条件,即在自益信托的存续期间,委托人或者其继承人可以随时解除信托,不必征得受托人的同意,而且不需要有任何理由。与委托代理关系不同的是,信托关系中的受托人没有解除信托的权利,这是信托关系的特殊性所在。信托以委托人对受托人的信任为基础,当受托人由于各种原因不愿承担继续管理、处分信托财产的责任时,受托人可以辞任,以终止自己的职责。受托人辞任时,可以依照信托文件的规定选任新的受托人,或者由委托人或者受益人选任新的受托人,由新受托人为受益人的利益继续履行管理和处分信托财产的职责,使信托关系存续以实现信托目的。因此,受托人不能解除信托。

二、自益信托解除的法律后果。自益信托解除,产生以下法律后果:(1)信托终止,信托财产归属于信托文件规定的人;信托文件未规定的，信托财产归属于委托人或者其继承人。(2)因解除信托而给受托人造成损失的，委托人应当赔偿其损失。自益信托的解除在一般情况下不会损害受托人的利益，但是仍然有可能给受托人带来一定的损失，比如在约定的信托期限未结束前解除信托，受托人因不能继续履行义务而少获报酬等。根据民法的一般原则，委托人应对因解除信托而给受托人造成的损失承担赔偿责任。国外一些国家和地区的信托法都对此有明确的规定，比如日本、韩国信托法和我国台湾地区的"信托法"都规定，委托人因解除信托给受托人造成损失的，适用民法有关委托合同中委托人解除合同的规定，即委托人在不利于受托人的时期解除合同的，应负损害赔偿责任。我国合同法第四百一十条也规定，委托人可以随时解除委托合同，解除委托合同给受托人造成损失的，除不可归责于委托人的事由外，应当赔偿损失。这一原则也适用于委托人解除信托的情形。

三、自益信托的委托人解除信托的限制。信托一经生效，信托文件的规定对信托关系当事人均有法律约束力，因此，自益信托的委托人一般情况下可以随时解除信托，但是信托文件另有规定的，委托人则不得随意解除该信托。比如，委托人在设立信托时，在信托文件中事先规定该信托是不可撤销的信托，则委托人就不得解除信托。

第五十一条 设立信托后，有下列情形之一的，委托人可以变更受益人或者处分受益人的信托受益权：

(一)受益人对委托人有重大侵权行为；

(二)受益人对其他共同受益人有重大侵权行为；

(三)经受益人同意；

(四)信托文件规定的其他情形。

有前款第(一)项、第(三)项、第(四)项所列情形之一的，委托人可以解除信托。

【释义】 本条是对他益信托的委托人变更受益人、处分信托受益权和解除信托的规定。

一、委托人对信托的变更权。信托关系一经成立，即对信托当事人产生法律效力。在自益信托中，委托人和受益人为同一人，除信托文件另有规定外，委托人或者其继承人可以随时解除信托，以使自己的受益权归于消灭。在他益信托中，受益人和委托人不是同一人，除下列情形外，委托人不得擅自变更受益人或者处分受益人的受益权：(1)受益人对委托人有重大侵权行为。所谓侵权行为是指故意或者过失侵害他人财产权、人身权或者其他合法权益的行为。所谓重大侵权行为，指的是侵权行为人实施侵权行为的主观性质或者手段比较恶劣，或者给他人的合法权益造成了严重损害等。由于信托是委托人无偿地以自己的财产为受益人的利益而设立，受益人在信托关系中不付出任何代价而纯享利益，委托人在通常情况下虽不能随意剥夺受益人的受益权，但是如果受益人对委托人实施重大侵权行为，给委托人的人身、财产或者其他合法权益造成重大损害时，基于社会正义和伦理道德的要求，委托人可以变更受益人或者处分该受益人的信托受益权，以剥夺该受益人的全部或者部分受益权。(2)受益人对其他共同受益人有重大侵权行为。委托人为二个以上的受益人设定信托，其目的就是为了使这些受益人都能从该信托中获得利益，如果某一受益人对其他共同受益人实施重大侵权行为，给其他共同受益人的合法权益造成损害，就相对抵消了其他共同受益人从信托中获得的利益，委托人可以因此变更该受益人或者处分其信托受益权。(3)经受益人同意。受益权为受益人的民事权利，受益人原则上可以自由处分，受益人可以同意委托人变更受益人或者处分自己的受益权，从而放弃全部或者部分受益权。(4)信托文件规定的其他情形。除上述法定情形外，委托人还可以在信托文件中规定变更受益人或者处分受益人的受益权的其他情形，即委托人可以在设立信托的文件中保留变更受益人或者处分受益人的受益权的权利。

二、委托人对信托的解除权。根据本条的规定，委托人在下列情况下，可以行使解除权，使信托关系归于消灭：(1)受益人对委托人有重大侵权行为。受益人对委托人实施重大侵权行为，委托人可以依据本条的规定解除信托，使该受益人的受益权归于消灭。(2)经受益人同意。受益人可基于自己的意志，同意委托人解除信托，使自己的信托受益权消灭。(3)信托文件规定的其他情形。委托人可以于设立信托时在信托文件中保留随时解除信托的权利，也可以在信托文件中规定可以解除信托的其他情形。委托人可以在信托存续期间根据信托文件的规定解除信托。

第五十二条 信托不因委托人或者受托人的死亡、丧失民事行为能力、依法解散、被依法撤销或者被宣告破产而终止，也不因受托人的辞任而终止。但本法或者信托文件另有规定的除外。

【释义】 本条是对信托的连续性的规定。

一、信托的连续性。所谓信托的连续性，是指信托所具有的一经生效即不因委托人及受托人的欠缺而终止的法律特征。信托制度作为一种特殊财产管理制度，信托一经设立生效，信托财产即独立于委托人未设立信托的其他财产，如果委托人死亡、丧失民事行为能力、依法解散、被依法撤销或者被宣告破产，受托人仍可基于委托人的信任，受信托目的的约束和受益人或者公益信托监察人的监督，为受益人的利益管理和处分该信托财产，该信托并不因委托人的欠缺而终止。信托设立生效后，信托财产也独立于受托人的固有财产，如果受托人死亡、丧失民事行为能力、依法解散、被依法撤销、被宣告破产或者辞任，其职责虽然终止，但是仍可依照信托文件的规定选任新的受托人，或者由委托人或者受益人选任新的受托人，由新受托人为受益人的利益继续履行管理和处分信托财产的职责,使信托关系存续以实现信托目的,该信托也并不因受托人的欠缺而终止。

二、例外规定。在通常情况下,信托不因委托人或者受托人的死亡、丧失民事行为能力、依法解散、被依法撤销或者被宣告破产而终止,也不因受托人的辞任而终止。但是,有本条规定的除外情形时,信托终止:(1)本法有例外规定的。根据本法第十五条的规定,设立信托后,委托人死亡或者依法解散、被依法撤销、被宣告破产时,委托人是唯一受益人的,因信托的存在已失去意义,因此,该信托终止而不是存续。(2)信托文件另有规定的。委托人在设立信托的文件中可以规定因委托人或者受托人的死亡、丧失民事行为能力、依法解散、被依法撤销或者被宣告破产,或者因受托人的辞任致使委托人或者受托人欠缺时,信托终止。比如,委托人认为由其对信托事务的处理进行监督才能更好地实现信托目的,因此,委托人可以在信托文件中规定,委托人死亡、丧失民事行为能力、依法解散、被依法撤销或者被宣告破产,无法行使监督的权利时,信托终止;又如,委托人认为信托事务只能由某一人才能完成,因此,委托人可以在信托文件中规定,该受托人死亡、丧失民事行为能力、依法解散、被依法撤销、被宣告破产或者辞任时,信托终止。

第五十三条　有下列情形之一的,信托终止:

(一)信托文件规定的终止事由发生;

(二)信托的存续违反信托目的;

(三)信托目的已经实现或者不能实现;

(四)信托当事人协商同意;

(五)信托被撤销;

(六)信托被解除。

【释义】　本条是对信托终止事由的规定。

所谓信托的终止，是信托关系因法律或者信托文件规定的事由而归于消灭。信托终止的事由包括：

1. 信托文件规定的终止事由发生。设立信托的信托合同、遗嘱或者其他书面文件可以规定信托的终止条件，当信托文件规定的终止条件成就时，该信托关系消灭。设立信托的信托合同、遗嘱或者其他书面文件还可以规定信托的终止期限，当信托文件规定的终止期限届至时，信托关系消灭。

2. 信托的存续违反信托目的。信托目的是委托人设立信托所要实现的意图。信托目的是信托关系成立、存续的基本要素，当信托的存续违反委托人设立信托的目的时，信托关系归于消灭。比如，委托人设立信托，支持某垃圾处理项目的研究，以改善生态环境，如果该垃圾处理项目本身会对大气产生严重污染，则该信托的存续违反了信托目的，应当归于终止。

3. 信托目的已经实现或者不能实现。信托是为达到一定的信托目的而设立，当信托目的已经实现或者不能实现时，信托就失去了存在的意义，因此，当信托目的已经实现或者不能实现时，信托终止。比如，委托人设定信托，以信托财产为他人提供治疗某疾病的费用，当受益人的疾病已治愈，信托目的已经实现，该信托因此而终止。又如，委托人设定信托，以信托财产的收益为受益人提供大学教育费用，而受益人死亡，信托目的已不可能实现，该信托因此而终止。

4. 信托当事人协商同意。因信托是委托人基于信任关系，将其财产权委托给受托人，由受托人为受益人的利益进行管理或者处分的法律制度，信托当事人即委托人、受托人、受益人依其共同意志，当然可以解除相互之间的权利义务关系，使信托终止。

5. 信托被撤销。信托被撤销，是指委托人设立信托损害其债权人利益时，债权人申请人民法院将该信托予以撤销。

6. 信托被解除。信托的解除，指的是在信托存续期间，信托关系当事人基于法律或者信托文件的规定,行使解除权而使信托关系归于消灭的民事法律行为。根据本法的有关规定,委托人是唯一受益人的,委托人或者其继承人可以解除信托。信托文件另有规定的,从其规定。设立信托后,受益人对委托人有重大侵权行为或者经受益人同意或者发生信托文件规定的其他情形,委托人可以解除信托。

第五十四条 信托终止的,信托财产归属于信托文件规定的人;信托文件未规定的,按下列顺序确定归属:

(一)受益人或者其继承人;

(二)委托人或者其继承人。

【释义】 本条是对信托终止后信托财产归属的规定。

一、信托终止只对信托终止的将来发生法律效力,而不具有溯及既往的效力,即信托终止,信托关系当事人的权利归于消灭,义务不再履行,而信托终止前信托关系当事人对已取得的利益及已履行的义务不负恢复原状的责任。因此,信托终止的最直接的效力表现为受托人按照信托文件的规定管理、处分信托财产的义务、取得报酬的权利归于消灭,受益人的受益权归于消灭。

二、信托终止,信托财产的归属。信托终止除产生上述法律后果外,其信托财产还应当按照法律规定确定其归属。信托关系是一种特殊的民事法律关系,在信托关系存续期间,信托财产独立于委托人的非信托财产,虽为受托人占有和控制,但又不属于受托人的自有财产,受益人虽享有信托财产的收益,但信托财产并不为其所占有和控制,因此,信托终止后,受托人丧失了占有、管理、处分信托财产的权利,需要确定该财产的归属。根据本条的规定,信托终止的,信托财产按照下列顺序确定其归属人:

1. 归属于信托文件规定的人。信托关系是依委托人之意志而设定,委托人在信托文件中对信托终止后信托财产的归属人作出明确规定的，信托终止后信托财产当然归属于信托文件所规定的人。

2. 归属于受益人或者其继承人。当信托文件对信托终止信托财产的归属人未作规定时，因委托人设立信托的目的就是为了受益人的利益，所以信托财产归属于受益人最符合信托的目的。如果信托终止时，受益人已死亡，根据继承的一般原则，受益人取得该信托财产的权利应当由其继承人继承。

3. 归属于委托人或者其继承人。由于设立信托前，信托财产为委托人所有的财产，因此，当信托文件对信托终止后信托财产的归属人未作规定，而受益人和受益人的继承人已不存在时，信托财产回归于委托人最为公平、合理。如果委托人已死亡，委托人取得该信托财产的权利应当由其继承人继承。

第五十五条 依照前条规定，信托财产的归属确定后，在该信托财产转移给权利归属人的过程中，信托视为存续，权利归属人视为受益人。

【释义】 本条是对信托终止后信托财产转移给权利归属人之前信托视为存续的规定。

一、信托终止后信托财产转移给权利归属人之前，信托视为存续。信托终止，产生移转信托财产的效力。将信托财产移转给权利归属人，不论权利归属人是信托文件规定的人，还是受益人或者其继承人，还是委托人或者继承人，必须经历一定的过程。在此过程中，受托人已丧失依照信托文件的规定管理、处分信托财产的权利，受益人丧失享受信托利益的权利。但是，在信托财产转移期间受托人与权利归属人之间的关系与信托关系存续期间受托人与受益人之间的关系在本质上是相同的，体现在：(1)在信托财产转移期间和信托关系存续期间，受托人都仍事实上占有信托财产，并对信托财产负有善良保管的义务。(2)在信托财产转移期间，受托人负有移转信托财产于权利归属人的义务；在信托关系存续期间，受托人负有向受益人给付信托收益的义务。(3)在信托财产转移期间和信托关系存续期间，权利归属人和受益人均不直接占有信托财产。(4)在信托财产转移期间，权利归属人对受托人享有返还该信托财产的请求权；在信托关系存续期间，受益人对受托人享有给付信托财产收益的请求权。从以上分析可以看出，在信托终止后，信托财产移转期间，信托财产仍具有独立性，信托财产的归属确定后，在该信托财产转移给权利归属人的过程中，信托视为存续，权利归属人视为受益人。

二、信托财产移转期间，受托人和信托财产权利归属人的权利和义务。信托终止后，信托财产移转期间，信托视为存续，受托人必须妥善保管信托财产，办理信托事务清算和移交信托财产的有关活动，如收取信托财产的债权、清偿处理信托事务的债务、分配信托财产于权利归属人、制作清算报告等。权利归属人在信托财产移转期间，享有移转信托财产的请求权以及监督受托人进行清算和移交信托财产的权利。

第五十六条　信托终止后，人民法院依据本法第十七条的规定对原信托财产进行强制执行的，以权利归属人为被执行人。

【释义】　本条是对信托终止后对信托财产强制执行的规定。

一、根据本法的有关规定，信托财产具有独立性，在一般情况下，委托人、受托人、受益人的债务人都不得请求对信托财产予以强制执行。只有符合本法第十七条的规定，设立信托前债权人已对该信托财产享有优先受偿的权利，并依法行使该权利的，或者受托人处理信托事务所产生的债务，债权人要求清偿该债务的，或者信托财产本身应担负的税款以及法律规定的其他情形，方可强制执行该信托财产。当信托终止时，无论是在该信托财产转移给权利归属人的过程中，还是在信托财产已转移给权利归属人以后，权利人基于信托设立前存在于信托财产上的优先受偿的权利或因处理信托事务而产生的权利，也可以要求对该信托财产予以强制执行。

二、信托终止后对信托财产的强制执行以权利归属人为被执行人。在信托关系存续期间，受托人占有信托财产，并对信托财产享有管理和处分的权利，因此，强制执行信托财产时，应当以受托人为被执行人。信托终止后，信托财产已确定了权利归属人，虽然尚未转移给权利归属人，但受托人已丧失管理和处分信托财产的权利，只对信托财产负有善良保管的义务和信托财产移交义务，因此，在此期间，强制执行信托财产时，应当以信托财产的权利归属人为被执行人。如果信托终止后，信托财产已转移给权利归属人，对信托财产的强制执行，当然应当以信托财产的所有人和占有人即信托财产的权利归属人为被执行人。

第五十七条 信托终止后，受托人依照本法规定行使请求给付报酬、从信托财产中获得补偿的权利时，可以留置信托财产或者对信托财产的权利归属人提出请求。

【释义】 本条是对信托终止后受托人的报酬及获得补偿的请求权如何行使的规定。

一、信托终止后，受托人有权获得信托存续期间应当获得的报酬，对因处理信托事务所支出的费用、对第三人所负债务，以其固有财产先行支付的，受托人有权获得补偿。根据本法第三十五条的规定，受托人有权依照信托文件的约定取得报酬，信托文件未作事先约定的，经信托当事人协商同意，可以作出补充约定。约定的报酬经信托当事人协商同意，可以增减其数额。受托人的报酬，可以由委托人或者受益人按照信托文件的规定或者约定向受托人支付，也可以由受托人根据信托文件的规定或者约定直接从信托财产中扣除。本法第三十七条规定，受托人因处理信托事务所支出的费用、对第三人所负债务，以信托财产承担。受托人以其固有财产先行支付的，对信托财产享有优先受偿的权利。信托终止后，信托关系虽归于消灭，但是受托人在信托关系存续期间应当获得的报酬以及因以其固有财产先行支付处理信托事务的费用、对第三人所负债务而获得补偿的权利应当得到满足。

二、信托终止后，受托人行使请求给付报酬、从信托财产中获得补偿的权利时，可以留置信托财产或者向权利归属人提出请求。

1. 留置信托财产。信托终止后，信托财产在移转给权利归属人之前，仍由受托人占有，受托人应当获得的报酬以及按照本法第三十七条的规定获得补偿的权利未获满足时，因受托人的上述债权与占有信托财产有关联关系，所以受托人行使请求给付报酬、从信托财产中获得补偿的权利时，对信托财产享有留置权。受托人对信托财产的留置权，具体包括以下内容：(1)受托人在其权利未获得满足前，可以继续占有该信托财产，并可以拒绝信托财产的所有人即权利归属人的返还请求。(2)受托人享有收取留置的信托财产孳息的权利。即受托人有权收取信托财产在被留置期间所产生的法定孳息或者天然孳息，并可以收取的孳息或者孳息的折价抵偿其债权。(3)对于留置的信托财产在留置期间的保管费用，受托人可以要求信托财产的所有人即权利归属人予以补偿。(4)将被留置的信托财产折价或者拍卖、变卖以满足其债权。受托人在留置信托财产后，应当通知信托财产的权利归属人在合理期限内履行债务，权利归属人逾期仍不履行的，受托人可以将留置物折价，也可以依法拍卖、变卖留置物，受托人对该财产折价或者以拍卖、变卖该财产的价款享有优先受偿的权利。同时，受托人在留置信托财产期间，负有妥善保管留置物的义务，因保管不善致使留置物灭失或者毁损的，受托人应当承担相应的民事责任。在信托财产被留置期间，受托人未经信托财产的权利归属人同意，擅自使用、出租、处分信托财产，给信托财产权利归属人造成损失的，由受托人承担赔偿责任。受托人的留置权因其债权已获清偿或其他原因而消灭,或者信托财产的权利归属人为其债权另行提供担保而消灭。

2. 对信托财产的权利归属人提出请求。信托终止后,信托财产的权利归属人成为信托财产的法律上的所有人,而受托人应获得的报酬以及依照本法从信托财产中获得补偿的权利,都是因处理信托事务即管理、处分信托财产而产生的,因此,受托人除可以依照本条的规定留置信托财产外,还可以对信托财产的权利归属人提出请求。受托人对信托财产的权利归属人提出请求,可以口头或者书面形式要求信托财产的权利归属人给付报酬、给予补偿,也可以向人民法院对信托财产的权利归属人提起民事诉讼,由人民法院判决信托财产的权利归属人履行上述义务。

第五十八条 信托终止的,受托人应当作出处理信托事务的清算报告。受益人或者信托财产的权利归属人对清算报告无异议的,受托人就清算报告所列事项解除责任。但受托人有不正当行为的除外。

【释义】 本条是对信托终止后信托事务清算及受托人责任解除的规定。

一、信托事务的清算。信托事务的清算,是指信托终止后由受托人对因处理信托事务而产生的债权、债务进行清理的活动。信托事务的清算主要包括以下几个环节:(1)清理债权、债务。受托人在信托终止后,首先应当追缴因处理信托事务而产生的债权,并清理、偿还因处理信托事务而对第三人所负的债务。受托人在清理因处理信托事务而对第三人所负的债务时,可以书面通知已知的债权人申报债权,也可以通过一定的媒体刊登公告,通知债权人申报债权。受托人对经其核定的债务,以信托财产予以清偿。(2)核定并移交信托财产。受托人在清理债权债务后,应当对信托财产进行核定,编制资产负债表或者财产清单。信托财产在扣除委托人、受益人对受托人所负债务、清算费用后,应当及时移交给信托财产的权利归属人。(3)制作并提交清算报告。受托人在移交信托财产时应当向委托人、受益人以及信托财产的权利归属人提交清算报告。清算报告一般应当记载信托事务的处理情况、清理债权债务的情况、信托财产增减情况以及尚未收回的债权和尚未清偿的债务的情况等。

二、信托事务清算的法律后果。信托事务清算完结,受托人提交清算报告,并将信托财产移交给信托财产的权利归属人之后,受益人或者信托财产的权利归属人对清算报告无异议的,受托人就清算报告所列事项解除责任。对于清算报告未列入的事项以及已列入清算报告但受益人或者信托财产的权利归属人提出异议的事项,受托人不能解除责任。对于清算报告未列入的事项,属于因处理信托事务而产生的债权的,受托人应当继续追缴;属于因处理信托事务而产生的债务的,应当保留部分信托财产予以清偿,或者与信托财产权利归属人协商确定清偿方案。对于有争议的事项,受托人与受益人或者信托财产的权利归属人应当协商处理,或者申请人民法院作出裁决。受托人采取欺骗手段、与他人恶意串通或者有其他不正当行为,以减少信托财产的价值,或者增加存在于信托财产上的债务,编制虚假的清算报告的,受益人或者信托财产的权利归属人虽未对清算报告提出异议,受托人的责任也并不因此解除。

第六章　公 益 信 托

第五十九条　公益信托适用本章规定。本章未规定的，适用本法及其他相关法律的规定。

【释义】　本条是对公益信托法律适用的规定。

依照信托的目的，信托可以分为公益信托与私益信托。私益信托是委托人为了自己和其他特定人的利益而设定的信托，目的是为了私人利益。公益信托是委托人为了社会公益目的而设立的信托，其目的必须有利于全社会或者社会中的部分公众。在英美法上，又称慈善信托。公益信托作为信托的一种，尽管原则上适用与私益信托相同的法律规则，但是由于公益信托具有公益性，因而在许多方面，适用与私益信托不同的规则。因此，本法将公益信托单独作为一章（第六章），专门作了规定。由此，可能引出这样一个问题，即公益信托除适用第六章的规定外，是否还适用本法的有关规定。本条的规定正是对公益信托法律适用的明确。

首先，本条规定，公益信托适用本章（第六章）规定。公益信托具有公益性的特点，涉及公共利益，为了使公益信托活动能够规范进行，保证公益信托目的的实现，本章对公益信托适用的特别规范作了规定，以加强对公益信托的管理和监督，维护社会公共利益。（1）本章对公益信托的范围作了规定，实践中哪些信托属于公益信托，应当按照本章的规定进行确认。（2）关于公益信托的设立和确定其受托人，本章规定必须经过公益事业管理机构批准，因此，从事公益信托活动要履行相应的审批手续。（3）本章规定公益信托应当设置信托监察人，并对信托监察人的产生、权力作了规定。(4)本章规定未经公益事业管理机构批准,公益信托的受托人不得辞任。(5)本章规定公益事业管理机构应当对受托人处理公益信托事务的情况及财产状况进行检查;公益事业管理机构依法变更受托人,依法变更信托文件的有关条款。(6)本章规定公益信托的受托人至少每年一次作出信托事务处理情况及财产状况报告,经信托监察人认可后,报公益事业管理机构核准,并由受托人予以公告。(7)本章规定公益信托终止,受托人应当向公益事业管理机构报告终止事由的日期,并作出处理信托事务的清算报告,经信托监察人认可后,报公益事业管理机构核准,并由受托人予以公告。(8)本章规定了公益信托终止后“类似原则”的适用等。这是本章对公益信托的专门规定,所以公益信托要适用本章的规定。

其次,本条规定公益信托在适用本章规定的同时,对本章未规定的事项,适用本法及其他相关法律的规定。公益信托虽然有其特殊性,但它属于信托的一种,因此,它与其他信托又有着共同的属性,应当适用共同的规范。所以,本条规定对本章未规定的,适用本法及其他相关法律的规定。比如就公益信托的设立,应当遵守本法第二章关于信托设立的有关规定。如设立公益信托必须有确定的财产,并且该财产必须是委托人合法所有的财产;设立公益信托,应当采取信托合同、遗嘱等书面形式;信托文件应当依照本法规定载明有关事项;对于信托财产,应当依法办理信托登记等。就公益信托的信托财产,应当遵守本法第三章关于信托财产的有关规定。比如法律、行政法规禁止流通的财产,不得作为公益信托的信托财产,法律、行政法规限制流通的财产,依法经有关主管部门批准后,可以作为公益信托的信托财产;信托财产与委托人未设立信托的其他财产相区别,信托财产与属于受托人的固有财产相区别;受托人管理运用、处分信托财产所产生的债权不得与其固有财产产生的债务相抵消,受托人管理运用、处分不同委托人的信托财产所产生的债权债务,不得相互抵消;只有对符合本法规定条件的公益信托的信托财产才能强制执行。对于公益信托当事人之间的权利、义务,应当遵守本法第四章关于信托当事人的有关规定。比如受托人应当是具有完全民事行为能力的自然人、法人;受托人应当遵守信托文件的规定,为受益人的最大利益处理信托事务;受托人管理信托财产,必须恪尽职守,履行诚实、信用、谨慎、有效管理的义务;受托人不得将信托财产转为其固有财产;受托人必须将信托财产与其固有财产分别管理、分别记账,并将不同委托人的信托财产分别管理、分别记账等。对公益信托的变更与终止,应当遵守本法第五章关于信托的变更与终止的有关规定等。

第六十条 为了下列公共利益目的之一而设立的信托,属于公益信托:

(一) 救济贫困;

(二) 救助灾民;

(三) 扶助残疾人;

(四) 发展教育、科技、文化、艺术、体育事业;

(五) 发展医疗卫生事业;

(六) 发展环境保护事业,维护生态环境;

(七) 发展其他社会公益事业。

【释义】 本条是对公益信托范围的规定。

公益信托由于关系到公共利益,且享受税收等方面的优惠,因此,对公益信托必须要有严格的判定标准,即什么属于公益目的。根据英美信托法的理论与审判实务,公益信托的成立必须具备以下要件:(1)公益目的。英美法院在实践中对公益目的的判定标准以《英国公益事业法》的规定为基础,该法列举了公益目的内容,学者将其概括为十类公益目的。此外,《美国信托法重述》规定公益目的包括救济贫困、发展教育、发展宗教、增进健康、政府或社会目的及其他有利于社会利益实现的目的。大陆法系国家和地区的信托法对于公益目的,也是采取了列举的方式。比如《韩国信托法》规定,以学术、宗教、祭祀、慈善、艺术等公益为目的的信托为公益信托。我国台湾地区“信托法”规定,称公益信托者,谓以慈善、文化、学术、技艺、宗教、祭祀或其他以公共利益为目的之信托。(2)公共利益。公益信托不仅以公益为目的,而且公益目的的实现确实能促进公共利益。具体来讲,应当看信托目的有无明显的社会利益。有些信托目的从表面上看具有公益性,但是实质上不具有公共利益,对这种信托,不能认定为公益信托。同时,还应当看受益人是否特定。公益信托与私益信托最大的区别是,设立私益信托时必须有明确的受益人,否则信托不能成立。而公益信托成立时的受益人是不确定的,是社会公众或者社会公众中的一部分。当然,公益信托的委托人可以对受益人的范围或者人数作出规定。但是受益人不特定,并不必然是公益信托。因此,判定公益信托是否具有公共利益,要从以上两方面综合考虑,缺一不可。(3)绝对的公益性。即信托目的必须具有明确的公益性,如果包含多个信托目的,必须全部具备公益目的,不能兼具私益目的。同时,不能因公益信托的管理而使私人获利(合理报酬除外)。因此,概括起来讲,公益信托的目的必须具有绝对的、排他的公益性,不得包含非公益目的或从中获取私利。只有符合以上三项条件的,才属于公益信托。

以定义的方式对公益信托作出规定,从准确性、完整性等方面来讲,比较困难。本条对公益信托的界定,也是采取了列举的方式,对公益信托的范围作了规定。本条列举的这些内容,与我国公益事业捐赠法规定的公益事业的范围是一致的,是根据我国的实际情况,需要给予帮助和大力发展的事项。本条具体列举了七项,具体包括:(1)救济贫困。(2)救助灾民。(3)扶助残疾人。贫困的人、遭受灾害的人、残疾人,属于社会中的困难群体,需要社会的帮助。对他们实行救助,是人道主义的体现,有利于社会的稳定。(4)发展教育、科技、文化、艺术、体育事业。这关系到全社会精神文明建设,有利于增强国力,提高全民素质。(5)发展医疗卫生事业。有利于人民的身体健康。(6)发展环境保护事业,维护生态环境。保护环境,有利于人类的可持续发展。(7)发展其他社会公益事业。这是一种概括式的规定,以避免列举不全。本条列举的这些事项涉及不同领域,涉及不同人群,都是为了促进社会的发展和进步,提高人民的生活水平和生活质量,具有公益性。信托目的只有符合本条列举的规定,才属于本法规定的公益信托。

从事公益活动,不仅限于公益信托这一种形式,还可以采取捐赠的形式,自然人、法人或者其他组织可以选择符合其捐赠意愿的公益性社会团体和公益性非营利的事业单位进行捐赠。对此,我国公益事业捐赠法有专门规定。

第六十一条 国家鼓励发展公益信托。

【释义】 本条是关于国家鼓励发展公益信托的规定。

公益信托是为了实现公益目的,可以促进社会的发展和进步,是一项有利于国家和社会的公益活动。因此,国家对公益信托给予优惠。从英美两国看,对公益信托的优惠主要表现在税收优惠上。在委托人将财产交给受托人,成立公益信托的阶段,减免所得税、赠与税、遗产税。在公益信托成立后,受托人对信托财产进行管理或处分,信托财产所产生的孳息,无论是利息收入、租金收入或投资所得,只要用于公益目的,免征所得税。

本条规定国家鼓励发展公益信托,是原则性的规定,没有规定国家鼓励发展公益信托的具体措施。我国公益事业捐赠法对捐赠财产用于公益事业规定了优惠措施,主要体现在税收优惠上。比如公益事业捐赠法规定,公司和其他企业依照该法的规定捐赠财产用于公益事业，依照法律、行政法规的规定享受企业所得税方面的优惠；自然人和个体工商户依照该法的规定捐赠财产用于公益事业，依照法律、行政法规的规定享受个人所得税方面的优惠；境外向公益性社会团体和公益性非营利的事业单位捐赠的用于公益事业的物资，依照法律、行政法规的规定减征或者免征进口关税和进口环节的增值税；对于捐赠的工程项目，当地人民政府应当给予支持。公益信托与公益事业捐赠法规定的捐赠财产用于公益事业，都是具有公益目的，都是为了公共利益，因此，在享受优惠方面应当是同等的。

根据本条规定，将来我国需要逐步完善对公益信托的优惠规定，从而促进公益信托的发展。从目前有关法律、行政法规的规定看，对公益信托可以适用税收方面的优惠规定。比如企业所得税暂行条例规定，纳税人用于公益、救济性的捐赠，在年度应纳税所得额3%以内的部分，准予扣除。个人所得税法规定，个人将其所得对教育事业和其他公益事业捐赠的部分，按照国务院有关规定从应纳税所得中扣除。个人所得税法实施条例进一步规定，捐赠额未超过纳税义务人申报的应纳税所得额30%的部分，可以从其应纳税所得额中扣除等。

第六十二条 公益信托的设立和确定其受托人，应当经有关公益事业的管理机构（以下简称公益事业管理机构）批准。

未经公益事业管理机构的批准，不得以公益信托的名义进行活动。

公益事业管理机构对于公益信托活动应当给予支持。

【释义】 本条是关于公益信托设立及确定受托人的规定。

由于公益信托涉及社会公共利益，因此，对公益信托的管理和监督要严于私益信托。就公益信托的设立环节，英美法要求向有关机关履行登记注册手续。比如英国规定，公益信托的设立，应当由受托人向公益委员会办理登记手续。公益信托一经登记，即具有“公益性”，可享受法律上的优惠。该项登记工作，要受到公众的公开监督，任何人可以查阅公益信托的登记事项。日本、韩国等大陆法系国家规定设立公益信托必须经有关机关的批准。比如《日本信托法》规定，就公益信托的承受，其受托者须经主管官署批准。本条对公益信托的设立作了以下规定：

（一）关于信托的设立，本法规定必须有合法的信托目的，必须有确定的信托财产，并且该信托财产必须是委托人合法所有的财产。设立信托应当采取书面形式，并依法载明有关事项。同时对信托财产要依法办理信托登记。即对于私益信托的设立，没有规定需要报有关部门批准。为了加强对公益信托的管理，确保公益信托的名副其实，防止打着公益信托的幌子享受公益信托的有关优惠规定，而实际上为个人谋取私利，在本法关于信托设立的有关规定基础上，本条对公益信托的设立规定了审批制，要求经有关公益事业的管理机构批准。这种审批就是要对某信托是否符合本法规定的公益信托的要求进行审查。本条规定的批准机关，不是专门设立的对公益信托进行审批的机关，而是目前已有的涉及有关领域的管理机关。比如运用信托形式资助癌症患者，应当经卫生行政部门的批准；运用信托形式资助贫困大学生，应当经教育行政部门批准等。

（二）关于受托人的资格，本法规定受托人应当是具有完全民事行为能力的自然人、法人。法律、行政法规对受托人的条件另有规定的，从其规定。本条在此基础上规定公益信托受托人的确定要经公益事业管理机构批准，这也是对公益信托的特别规定。目的是从公益信托受托人选任这一环节严格把关，以确保公益信托目的的实现。因为受托人在信托活动中起着举足轻重的作用，信托目的是通过受托人管理或者处分信托财产来实现的，受托人是否能够胜任，直接关系到受益人的利益。考虑到公益信托的社会公益性，为了保护公共利益，本条明确规定公益信托受托人的确定要经公益事业管理机构批准。

（三）本条第二款规定，未经公益事业管理机构的批准，不得以公益信托的名义进行活动。基于对公益信托的严格管理，以确保公益信托目的的实现，本条第一款规定公益信托的设立及其确定受托人，应当经有关公益事业管理机构批准。为了进一步强调审批制，本款又从反面规定，未经公益事业管理机构批准，不得以公益信托的名义进行活动，即公益事业管理机构的批准，是公益信托成立的前提，除此之外，任何单位和个人都不得以公益信托的名义进行活动，特别是防止不法分子打着公益信托的招牌骗取委托人的财物而据为己有。

（四）本条第三款规定，公益事业管理机构对于公益信托活动应当给予支持。由于公益信托的目的是为了社会公益，有利于促进社会进步和发展，有利于社会公众，所以本法规定国家鼓励发展公益信托。本条第三款的规定是对“国家鼓励发展公益信托”一个方面的具体体现，是对公益事业管理机构提出的要求，即公益事业管理机构对于公益信托活动应当给予支持。比如在公益信托的审批环节提高效率，在公益信托的实施过程中，在符合国家有关规定的前提下，为公益信托的实现提供各种便利等。

第六十三条 公益信托的信托财产及其收益，不得用于非公益目的。

【释义】 本条是对公益信托的信托财产及其收益的用途的规定。

由于公益信托涉及社会公共利益，所以本法第六十二条对公益信托的设立规定了审批制，要求公益信托的设立及其受托人的确定，应当经公益事业管理机构的批准。目的是在设立环节严格把关，对不符合本法关于公益信托的规定的，不予批准，使信托的实现真正是为了社会公共利益。本条的规定是就公益信托在实施过程中的规定。即经公益事业管理机构批准成立的公益信托,在实施过程中应当严格按照本法及信托文件的规定,将信托财产及其收益用于社会公益目的,而不得将之用于非公益目的。从信托受益权的种类来讲,有的是本金受益,即受益人直接享用信托财产。有的是收益受益,即受益人的受益来源于信托财产的收益。因此,根据本条的规定,在公益信托中,如果是本金受益,受托人必须将信托财产用于信托文件规定的公益目的。如果是收益受益,受托人应当按照信托文件的规定管理或者处分信托财产,而将信托财产的收益必须用于公益目的。比如某人以 100 万元作为信托财产设立信托,委托受托人将这笔钱建设养老院,受托人应当将这笔钱完全用于养老院的建设,不得挪作他用。比如某人将 100 万元作为信托财产,委托受托人将这笔钱用于买卖股票,将买卖股票所得用于资助贫困地区失学儿童。受托人应当将买卖股票所得完全用于资助贫困地区失学儿童,而不得用于其他目的。本条的规定,是突出强调受托人必须要严格依照信托文件的规定执行信托事务,以确保公益目的的实现。本条的规定,既是对受托人职责的规定,也是对公益信托进行监督的一项内容。根据本法规定,公益信托设置信托监察人,信托监察人有权以自己的名义,为维护受益人的利益,提起诉讼或者实施其他法律行为。公益事业管理机构应当检查受托人处理公益信托事务的情况及财产状况。受托人应当每年至少一次作出信托事务处理情况及财产状况报告,经信托监察人认可后,报公益事业管理机构核准,并由受托人予以公告。公益信托的受托人违反信托义务的,由公益事业管理机构变更受托人。通过这些规定,通过这些环节,都可以监督检查本条的规定是否落实,即公益信托的信托财产及其收益是否用于社会公益。

第六十四条 公益信托应当设置信托监察人。

信托监察人由信托文件规定。信托文件未规定的，由公益事业管理机构指定。

【释义】　本条是关于公益信托设置信托监察人的规定。

（一）关于信托监察人的设置。本条首先在第一款明确规定公益信托应当设置信托监察人。这是本法关于公益信托的特别规定，是法定要求，对私益信托则没有这方面的规定。为了保证信托目的的实现，加强对受托人信托活动的监督，本法规定委托人、受益人有权了解信托财产的管理运用、处分及收支情况，并有权要求受托人作出说明。有权查阅、抄录或者复制与信托财产有关的信托账目以及处理信托事务的其他文件。在符合本法规定的有关条件下，有权要求受托人调整信托财产的管理方法；有权申请人民法院撤销受托人对信托财产的处分行为，并有权要求受托人恢复信托财产的原状或者予以赔偿等。由于公益信托的受益人是不特定的社会公众，只是在享受信托利益时才能确定具体的受益人。因此，与私益信托从成立时就有明确的受益人不同，公益信托在执行过程中，由于受益人范围比较广泛，由广大的受益人直接对受托人的信托活动进行监督难以操作，所以在公益信托中设置信托监察人，是为了加强对公益信托的监督，保证公益信托目的的实现，以保护社会公众利益。信托监察人既是受益人利益的代表，又是对受托人的信托活动实施监督的人。日本、韩国的信托法对公益信托也规定了这一制度。

（二）关于信托监察人的选任，本条首先规定由信托文件规定；信托文件未规定的，由公益事业管理机构指定。根据上述原则，委托人在设立公益信托时，如果决定自己选任信托监察人，就应当在信托文件中作出规定。如果在信托文件中未规定信托监察人，依照本条规定，则由公益事业管理机构指定。关于信托监察人的选任，《日本信托法》规定，受益人不特定或者尚不存在时，法院可根据利害关系人的请求或依职权选任信托管理人，但已经依信托行为指定了信托管理人时,不在此限。《韩国信托法》规定,无特定或尚没有受益人时,法院须根据有关利害关系人的请求,或以职权选任信托管理人。但是,以信托行为选任信托管理人的除外。从以上规定可以看出,本条关于公益信托监察人的选任,与日本、韩国的有关规定相同的是,都可以在信托文件中规定信托监察人。不相同的是,当信托文件未规定信托监察人时,日本、韩国的规定是,由利害关系人或检察官申请人民法院选任。本条的规定是由公益事业管理机构指定,这主要是因为公益事业管理机构是我国对公益信托实施管理的机关。本条关于公益信托设置信托监察人的规定,就要求公益事业管理机构在审查批准公益信托的设立时,应当审查信托文件中是否规定了信托监察人。如果未作规定,应当对该公益信托指定信托监察人。

第六十五条 信托监察人有权以自己的名义,为维护受益人的利益,提起诉讼或者实施其他法律行为。

【释义】 本条是对信托监察人权利的规定。

公益信托的受益人是不特定的社会公众,为了维护公益信托受益人的利益,加强对公益信托活动的监督,保证信托目的的实现,本法规定公益信托应当设置信托监察人,信托监察人即是受益人利益的代表。对于受益人的受益权,根据本法的规定,可以分为两部分。一是享受信托利益的权利,二是对信托的监督权。比如本法规定,受益人可以行使本法第二十条至第二十三条规定的委托人享有的权利。即受益人有权了解信托财产的管理运用、处分及收支情况,并有权要求受托人作出说明。受托人违反信托目的处分信托财产或者因违背管理职责、处理信托事务不当致使信托财产受到损失的,受益人有权申请人民法院撤销该处分行为,并有权要求受托人恢复信托财产的原状或者予以赔偿等。信托监察人作为受益人利益的代表,其行使权利只能在受益人的权限范围内行使,从上面我们对受益人所享有的受益权划分为两部分来看,信托监察人只能行使一部分权利,即只有以自己的名义对信托实施监督的权利,而不能行使受益人对信托利益的请求权。

本条对信托监察人权利的规定是:有权以自己的名义,为维护受益人的利益,提起诉讼或者实施其他法律行为。这一规定的主要含义是:(1)信托监察人行使权利时是以自己的名义进行,信托监察人是一个独立的法律主体。(2)信托监察人行使权利的目的是为了受益人的利益,这是信托监察人作为受益人利益代表的具体体现。(3)信托监察人行使权利的方式是进行诉讼或者实施其他法律行为。比如受托人违反信托目的处分信托财产或者因违背管理职责、处理信托事务不当致使信托财产受到损失的,信托监察人有权以自己的名义申请人民法院撤销该处分行为,并有权要求受托人恢复信托财产的原状或者予以赔偿。

第六十六条　公益信托的受托人未经公益事业管理机构批准,不得辞任。

【释义】　本条是关于公益信托受托人辞任的规定。

关于私益信托受托人的辞任,本法规定应当经委托人和受益人同意,即必须要经委托人和受益人共同同意。因为受托人是委托人选任的,所以受托人辞任应当经委托人同意。同时,受托人进行信托活动,是为了受益人的利益,受益人也是信托当事人,因此,受托人的辞任也应当经受益人同意。本条关于公益信托受托人的辞任,规定必须经公益事业管理机构批准,比私益信托的规定要严格。这是因为,虽然公益信托是委托人设立的,但是本法规定公益信托受托人的确定要经公益事业管理机构批准。即委托人选任的受托人,必须经公益事业管理机构批准才能作为公益信托的受托人。与此相对应,本条规定公益信托的受托人未经公益事业管理机构批准,不得辞任。同时,由于公益信托的受益人是不确定的,是不特定的社会公众，受托人的辞任由受益人同意在实际中难以操作。因此，本条关于公益信托受托人的辞任，没有规定要经委托人、受益人同意。

另一方面，更为重要的原因是受托人在信托中起着非常重要的作用。信托目的是通过受托人管理或者处分信托财产来实现的，受托人是否能够胜任，直接关系到信托目的能否实现，直接关系到受益人的利益。为此，本法对受托人作了一系列的规定。关于受托人资格，本法规定应当是具有完全民事行为能力的自然人、法人。而对于公益信托的受托人，本法在关于受托人资格规定的基础上，进一步规定公益信托受托人的确定要经公益事业管理机构批准，这是对公益信托的特别规定。目的是从公益信托受托人选任这一环节严格把关，确保公益信托目的的实现，以维护社会公共利益。出于同样考虑，如果受托人随意辞任，不利于信托的正常运转，不利于信托目的的实现。而且从对公益信托管理的连续性讲，本法规定公益信托受托人的确定应当经公益事业管理机构批准，那么在公益信托受托人辞任这一环节，也应当有公益事业管理机构的介入。因此，本条规定公益信托受托人未经公益事业管理机构批准，不得辞任，以加强对公益信托的管理。

第六十七条 公益事业管理机构应当检查受托人处理公益信托事务的情况及财产状况。

受托人应当至少每年一次作出信托事务处理情况及财产状况报告，经信托监察人认可后，报公益事业管理机构核准，并由受托人予以公告。

【释义】 本条是关于公益事业管理机构检查受托人处理信托事务情况和财产状况，受托人制作相关报告的规定。

由于公益信托事关公共利益，为了保证公益信托目的的实现，维护社会公共利益，国家应当对信托实施过程进行管理和监督，以便督促受托人依照法律和信托文件的规定履行职责,及时发现信托实施过程中的问题,及时纠正。一些国家的信托法对此都作了规定。比如《英国公益法》规定,公益委员会可以对公益信托行使检查权,有权要求取得有关公益信托的材料,包括账目和会计报表,查阅公益信托的档案,并可采取措施补救受托人管理中的失误。在美国,由州检察长行使对公益信托的监督权。受托人必须定期向检察长提出书面报告,报告内容包括资产细目、营运状况、会计报表等。《日本信托法》规定,公益信托属主管官署监督,主管官署可以随时检查公益信托事务的处理情况,亦可以命令实行财产提存或其他必要处分。受托人应当每年定时一次公告信托事务及财产状况。本条对公益信托管理和监督的规定是:由公益事业管理机构检查公益信托受托人处理信托事务的情况及财产状况,并要求受托人作出报告。

(一)公益事业管理机构对公益信托实施检查。由于本法规定对公益信托实施管理的机构是公益事业管理机构,比如公益信托的设立应当经公益事业管理机构批准,公益信托的受托人未经公益事业管理机构批准,不得辞任等。因此,本条将对公益信托实施检查的权力也赋予了公益事业管理机构,即本条规定公益事业管理机构应当检查受托人处理公益信托事务的情况及财产状况,这也是公益事业管理机构的一项法定职责。

(二)公益信托受托人应当作出信托事务处理情况及财产状况的报告,具体要求是:(1)受托人每年至少一次作出信托事务处理情况及财产状况报告。(2)该报告首先要经信托监察人认可。由于公益信托的受益人是不确定的,为此,本法规定公益信托设置信托监察人,作为公益信托受益人利益的代表,其有权以自己的名义,为维护受益人的利益,提起诉讼或者实施其他法律行为。因此,信托监察人有权了解信托事务处理情况及财产状况。所以,本条规定受托人应当将信托事务处理情况及财产状况报告送交信托监察人认可。(3)该报告必须在经信托监察人认可后，才能报公益事业管理机构核准，如果信托监察人对受托人的报告不认可，受托人就不能将该报告提交公益事业管理机构核准。将信托事务处理情况及财产状况报告送交公益事业管理机构核准，是国家对公益信托进行管理的一个方面。因为对于公益信托，从信托的设立，受托人的确定，本法规定都要经公益事业管理机构批准，并且公益事业管理机构有权检查受托人公益信托事务的处理情况及财产状况。因此，本条要求受托人将信托事务处理情况及财产状况报告送交公益事业管理机构核准。(4)受托人的报告经公益事业管理机构核准后，受托人应当将该报告向社会公告，以便让社会公众了解公益信托的实施情况。本法对私益信托受托人也规定了报告义务，但比公益信托的规定要简单，只是要求受托人每年定期将信托财产的管理运用、处分及收支情况，报告委托人和受益人。因为作为创设信托的委托人和作为享受信托利益的受益人，他们有权知道信托实施的具体情况。同时，由于私益信托只涉及信托当事人之间的权利义务，因此，本法规定私益信托受托人的报告限于信托当事人之间。

第六十八条 公益信托的受托人违反信托义务或者无能力履行其职责的，由公益事业管理机构变更受托人。

【释义】 本条是对公益事业管理机构变更公益信托受托人的规定。

关于私益信托受托人的变更，本法规定了两种情况：一是受托人违反信托目的处分信托财产或者管理运用、处分信托财产有重大过失的，委托人、受益人有权依照信托文件的规定解任受托人，或者申请人民法院解任受托人。二是受托人因死亡或者被宣告死亡、被宣告为无民事行为能力人或者限制民事行为能力人、被依法撤销或者被宣告破产、依法解散或者法定资格丧失等情形导致其职责终止时，依照信托文件的规定选任新受托人；信托文件未规定的，由委托人选任；委托人不指定或者无能力指定的，由受益人选任。即私益信托受托人的变更，因受托人违反信托义务而需要变更时，委托人、受益人按照信托文件的规定进行，或者申请人民法院进行；因受托人无能力履行职责时，依照信托文件的规定变更，信托文件未作规定的，由委托人变更；委托人不作或者无能力作时，由受益人变更。

本条关于公益信托受托人的变更情形，与私益信托基本相同，规定了在下列两种情况下需要变更。一是公益信托的受托人违反信托义务，这主要是指受托人违反了本法及信托文件规定的应当履行的义务。比如受托人违反了本法关于受托人应当遵守信托文件的规定，为受益人的最大利益处理信托事务的义务；受托人违反了必须将信托财产与其固有财产分别管理、分别记账，并将不同委托人的信托财产分别管理、分别记账的义务等。二是公益信托的受托人无能力履行其职责，这主要是指本法规定的受托人因死亡或者被宣告死亡、被宣告为无民事行为能力人或者限制民事行为能力人、被依法撤销或者被宣告破产、依法解散或者法定资格丧失等情形。与私益信托不同的是，本条没有像私益信托那样区分上述两种情况分别规定如何变更受托人，而是对这两种情况统一规定为由公益事业管理机构变更受托人。这样规定体现了国家对公益信托的管理。因为本法规定公益信托受托人的确定要经公益事业管理机构批准，公益信托受托人的辞任要经公益事业管理机构批准，与此相对应，本条规定公益信托受托人的变更，也是由公益事业管理机构进行，体现了国家对公益信托受托人确定、辞任、变更每一环节的管理，目的是对受托人严格把关，以确保公益信托目的的实现。

第六十九条　公益信托成立后，发生设立信托时不能预见的情形，公益事业管理机构可以根据信托目的，变更信托文件中的有关条款。

【释义】 本条是对公益事业管理机构变更公益信托文件有关条款的规定。

关于私益信托变更信托文件的情形，本法作了规定。例如，因设立信托时未能预见的特别事由，致使信托财产管理方法不利于实现信托目的或者不符合受益人利益时，委托人、受益人有权要求受托人调整该信托财产的管理方法。又如，在设立信托后，受益人对委托人有重大侵权行为，或者受益人对共同受益人中的其他人有重大侵权行为时，委托人可以变更该受益人或者处分该受益人的信托受益权。与私益信托的规定相比，本条的规定有下列不同点：一是关于公益信托条款进行变更的前提是发生设立信托时不能预见的情形，比私益信托规定的前提要广，不限于发生设立信托时未能预见的特别事由，在公益信托实施中凡出现与设立公益信托时为实现信托目的不相适应的未能预见的情形，为保证公益信托目的的实现，公益信托事业管理机构就有义务根据信托目的，变更信托文件中的有关条款，以使受托人调整信托财产的管理和运用。二是有权对公益信托条款进行变更的是公益事业管理机构，而不是委托人、受益人。这是因为本法规定公益信托的设立必须要经公益事业管理机构批准，如果对公益信托条款的变更不作限制，则公益信托设立时的审批就形同虚设，因此，本条没有规定委托人有权进行变更；同时，由于公益信托的受益人是不特定的社会公众，因此，由受益人对信托条款进行变更也难以操作。三是对公益信托变更的范围未作任何限制，不限于私益信托可以变更信托财产的管理方法这一种形式，即公益事业管理机构根据信托目的，可以对信托文件的条款进行变更。

第七十条 公益信托终止的，受托人应当于终止事由发生之日起十五日内,将终止事由和终止日期报告公益事业管理机构。

【释义】 本条是对公益信托终止时受托人有关义务的规定。

本章没有规定公益信托终止的情形。根据本法规定,公益信托适用本章规定,本章未规定的,适用本法及相关法律的规定。因此,公益信托终止的情形应当适用本法关于私益信托终止情形的规定。本法对私益信托终止情形的规定是:(一)信托文件规定的终止事由发生;(二)信托的存续违反信托目的;(三)信托目的已经实现或者不能实现;(四)信托当事人协商同意;(五)信托被撤销;(六)信托被解除。从公益信托来讲,第(四)项的规定不适用。因为第(四)项规定信托当事人协商同意信托终止,而根据本法的规定,信托当事人是指委托人、受托人和受益人。公益信托的受益人是不特定的社会公众,公益信托的终止不可能得到不特定的社会公众的同意。第(六)项规定信托因被解除而终止,根据本法规定,信托解除的情形是:第一,委托人是唯一受益人的,委托人或者其继承人可以解除信托,即在自益信托的情况下,委托人或者其继承人可以解除信托。而公益信托是为了公共利益目的设立的,受益人是不特定的社会公众,因此,公益信托不可能是自益信托,只能是他益信托。因此,这种解除情形不适用于公益信托。第二,受益人对委托人有重大侵权行为的,或者经受益人同意的,委托人可以解除信托。由于公益信托的受益人是不特定的社会公众,所以不可能出现受益人对委托人有重大侵权行为或者经受益人同意的情况,因此,这种解除情形也不适用于公益信托。第三,因信托文件规定的其他情形,委托人可以解除信托。这种情形可以适用于公益信托,并可归入信托终止的第一种情形。

由此,我们可以得出,公益信托因下列情形而终止:第一,信托文件规定的终止事由出现。设立信托是一种民事行为,采取意思自治原则,信托当事人可以在信托文件中规定信托终止的事由。比如在信托文件中规定信托的存续期间,当信托期限届满时,信托终止。第二,信托的存续违反信托目的。信托目的是指通过信托所要达到的目的,如果该信托的存续恰恰是违反了信托的目的,该信托应当终止。第三,信托目的已经实现或者不能实现。信托事务是围绕着信托目的的实现而展开的,如果信托目的已经实现,或者由于种种原因使得该信托目的不能实现,那么该信托就无存在的必要,因此,应当终止。比如某一信托是将写字楼出卖后以其所得价款资助某一地区的失学儿童,如果该写字楼在出卖前不幸被火烧毁,则该信托目的就不能实现,该信托就应当终止。第四,信托被撤销。根据本法规定,信托被撤销的情形是,委托人设立信托损害其债权人利益的,债权人有权申请人民法院撤销该信托。如果某一公益信托的设立损害了债权人利益,比如委托人将其可供清偿债务的财产设立了公益信托,债权人有权根据本法的规定申请人民法院撤销该信托。

当公益信托出现上述规定的终止事由时,根据本条规定,受托人应当于终止事由发生之日起 15 日内,将终止事由和终止日期报告公益事业管理机构。这是对受托人义务的规定,受托人应当严格按照本条要求向公益事业管理机构报告。要求向公益事业管理机构报告,体现了国家对公益信托的管理。因为本法规定公益信托的设立必须经公益事业管理机构批准,从对公益信托管理的连续性考虑,本条要求公益信托的终止要向公益事业管理机构报告。

第七十一条 公益信托终止的,受托人作出的处理信托事务的清算报告,应当经信托监察人认可后,报公益事业管理机构核准,并由受托人予以公告。

【释义】 本条是对公益信托终止时受托人有关义务的规定。

信托终止后,作为对信托财产进行管理或者处分的受托人,应当制作处理信托事务的清算报告。这是受托人对其履行职责的总结,是对信托财产的管理运用而产生的债权债务的客观说明。对于私益信托的终止,本法规定受托人应当作出处理信托事务的清算报告,受益人或者信托财产的权利归属人对清算报告无异议的,受托人就清算报告所列事项解除责任,但受托人有不正当行为的除外。本条关于公益信托终止的规定,与私益信托相同的是,要求受托人作出处理信托事务的清算报告。所不同的是,对清算报告的审核程序要比私益信托复杂。第一,本条规定公益信托受托人所作的清算报告首先应当交给信托监察人。因为信托监察人是本法要求公益信托所必须设置的,目的是作为受益人利益的代表,更好地维护受益人的利益。因此,处理信托事务的清算报告应当经信托监察人认可。第二,本条规定处理信托事务的清算报告经信托监察人认可后,应当报公益事业管理机构核准。即信托监察人的认可,是报公益事业管理机构核准的前提。要求报公益事业管理机构核准的规定,与本法关于公益信托的设立及受托人的确定必须经公益事业管理机构批准;公益信托的受托人未经公益事业管理机构批准,不得辞任;公益事业管理机构应当检查受托人处理公益信托事务的情况及财产状况,并对受托人至少每年一次作出的信托事务处理情况及财产状况的报告予以核准;以及公益事业管理机构依法变更受托人和依法变更信托文件中的有关条款的规定是一脉相承的,体现了国家对公益信托的管理。第三,本条规定受托人作出的处理信托事务的清算报告经过上述程序,报公益事业管理机构核准后,由受托人予以公告。即由受托人向社会公告,使社会可以了解公益信托的处理情况,对公益信托的清算报告进行监督。

第七十二条　公益信托终止,没有信托财产权利归属人或者信托财产权利归属人是不特定的社会公众的,经公益事业管理机构批准,受托人应当将信托财产用于与原公益目的相近似的目的,或者将信托财产转移给具有近似目的的公益组织或者其他公益信托。

【释义】 本条是关于公益信托适用“类似原则”的规定。

公益信托中的“类似原则”的适用是公益信托与私益信托的一个重要区别。私益信托终止后，如果信托文件中未规定信托财产的权利归属人，按照法定顺序，依次由受益人或者其继承人、委托人或者其继承人为信托财产的权利归属人。但是对于公益信托，除非在信托文件中规定了明确的权利归属人，否则，信托财产不会归复某受益人、委托人或者他们的代理人。信托财产将用于与初始信托“尽可能相似”的其他一些公益目的，从而使公益信托能够继续存在下去。这就是英美法上著名的“类似原则”。日本、韩国一些大陆法学者将此称为“公益信托的继承性”。日本、韩国的信托法都作了这样的规定。比如《日本信托法》规定，公益信托终止，无信托财产权利归属人的，主管机关得依信托本旨，为类似目的，使信托继续存在。日本、韩国信托法上的类似原则与英美法上的不同主要是：(1)适用机关不同。日本、韩国规定实施的机关是公益信托的主管机关，在性质上属于行政机关。英美的规定是法院，属于司法机关。(2)适用范围不同。日本、韩国的类似原则适用于公益信托终止时无信托财产权利归属人时；而英美法上的类似原则适用于公益目的不能实现的各种情况，范围比较广泛。

本条对公益信托也规定了“类似原则”。第一，关于“类似原则”适用的前提，本条的规定是：公益信托终止，没有信托财产权利归属人或者信托财产权利归属人是不特定的社会公众，即如果在公益信托文件中明确规定了信托终止后信托财产的权利归属人，就不能对该信托适用“类似原则”。“没有信托财产权利归属人”是指在信托文件中没有规定谁是信托财产的权利归属人。“信托财产权利归属人是不特定的社会公众”是指在信托文件中笼统地规定信托财产归某一社会群体或某类社会公众，但仍不能确定具体的人员。第二，关于实施“类似原则”的审批。本条规定在实施“类似原则”时,须经公益事业管理机构批准,这是公益事业管理机构对公益信托实施管理的延伸和继续。已经终止的公益信托的信托财产转交给新的公益信托或公益组织,是否与原公益信托的目的和性质相同或近似,要由公益事业管理机构予以把关认定。第三,具体的实施方法是由受托人将信托财产用于与原公益目的相近似的目的,或者将信托财产转移给具有近似目的的公益组织或者其他公益信托。前者是指使信托关系存续,将信托财产用于与原公益目的相近似的目的;后者是指将该信托财产转移给与原信托具有近似目的的公益组织,或者将该信托财产转移给与原信托具有近似目的的其他公益信托。

第七十三条 公益事业管理机构违反本法规定的,委托人、受托人或者受益人有权向人民法院起诉。

【释义】 本条是关于公益信托当事人对公益事业管理机构的违法行为有权起诉的规定。

本法规定的公益事业管理机构是对公益信托实施管理和监督的机构。本法赋予公益事业管理机构的职权是:公益信托的设立和确定其受托人,由公益事业管理机构批准;公益信托的受托人未经公益事业管理机构批准,不得辞任;公益事业管理机构应当检查受托人处理公益信托事务的情况及财产状况,并对受托人制作的信托事务处理情况及财产状况报告进行核准;公益事业管理机构有权依法变更公益信托的受托人和变更信托文件中的有关条款;公益信托终止后,公益事业管理机构核准受托人制作的处理信托事务的清算报告;公益信托终止后,公益事业管理机构依法批准适用公益信托的“类似原则”等。所以说,从公益信托的设立,公益信托的变更,到公益信托的终止及终止后的清算报告,都需要公益事业管理机构的批准、核准。为了保护公益信托当事人的合法利益,确保公益事业管理机构依法履行职责,本条赋予公益信托的委托人、受托人或者受益人，即公益信托当事人对公益事业管理机构的违法行为予以起诉的权利。

根据本法规定，公益事业管理机构的违法行为主要是：公益事业管理机构对符合公益信托条件的信托不予批准；公益事业管理机构随意变更公益信托的受托人；公益事业管理机构随意变更公益信托文件中的有关条款；公益信托终止后，在有信托财产权利归属人的情况下，公益事业管理机构要求该公益信托适用“类似原则”，等等。这些行为损害了公益信托当事人的利益。由于公益事业管理机构是不同行业的行政部门，因此，公益信托的委托人、受托人或者受益人向人民法院起诉时，以公益事业管理机构为被告的诉讼，属于行政诉讼。

第七章　附　　则

第七十四条　本法自 2001 年 10 月 1 日起施行。

【释义】　本条是对本法施行日期的规定。

法律的施行日期即法律的生效日期，是一部法律开始生效的时间。每一部法律都有施行日期的规定，只有这样，社会公众才能知道这部法律从何时起产生法律效力，以避免在法律适用上的混乱。

关于法律的施行日期，从我国已通过的法律看，有三种形式的规定：一是从颁布之日起施行，这主要适用于法律实施的条件比较成熟，或者是不需要作什么准备就可以实施的情况。二是法律规定于将来的某一日期施行，即从颁布到施行有一段时间，这主要是为了做好法律实施的准备工作。三是法律规定以另一部法律的实施作为前提，规定本法的施行日期，但这种情况比较少见。本条规定本法的施行日期采用的是第二种形式。本法是 2001 年 4 月 28 日由九届全国人大常委会第二十一次会议审议通过的，当天以国家主席令予以公布。从 4 月 28 日通过到 10 月 1 日起施行，这期间有 5 个多月的时间，目的是做好信托法的实施准备工作。信托法是我国第一部关于调整信托关系的法律，同时，信托法又是一部比较专业的法律，既涉及民法原理，又有与民法不同的、信托法独有的内容，所以需要认真学习和宣传，以确保信托法的真正贯彻执行。

第三部分 附　　录

附录一：

中华人民共和国主席令

第五十号

《中华人民共和国信托法》已由中华人民共和国第九届全国人民代表大会常务委员会第二十一次会议于2001年4月28日通过，现予公布，自2001年10月1日起施行。

中华人民共和国主席　**江泽民**

2001年4月28日

中华人民共和国信托法

（2001 年 4 月 28 日第九届全国人民代表大会
常务委员会第二十一次会议通过）

目 录

第一章 总 则

第一条 为了调整信托关系，规范信托行为，保护信托当事人的合法权益，促进信托事业的健康发展，制定本法。

第二条 本法所称信托,是指委托人基于对受托人的信任,将其财产权委托给受托人,由受托人按委托人的意愿以自己的名义,为受益人的利益或者特定目的,进行管理或者处分的行为。

第三条 委托人、受托人、受益人(以下统称信托当事人)在中华人民共和国境内进行民事、营业、公益信托活动,适用本法。

第四条 受托人采取信托机构形式从事信托活动,其组织和管理由国务院制定具体办法。

第五条 信托当事人进行信托活动,必须遵守法律、行政法规,遵循自愿、公平和诚实信用原则,不得损害国家利益和社会公共利益。

第二章 信托的设立

第六条 设立信托,必须有合法的信托目的。

第七条 设立信托,必须有确定的信托财产,并且该信托财产必须是委托人合法所有的财产。

本法所称财产包括合法的财产权利。

第八条 设立信托,应当采取书面形式。

书面形式包括信托合同、遗嘱或者法律、行政法规规定的其他书面文件等。

采取信托合同形式设立信托的,信托合同签订时,信托成立。采取其他书面形式设立信托的,受托人承诺信托时,信托成立。

第九条 设立信托,其书面文件应当载明下列事项:

(一)信托目的;

(二)委托人、受托人的姓名或者名称、住所;

(三)受益人或者受益人范围;

(四)信托财产的范围、种类及状况;

(五)受益人取得信托利益的形式、方法。

除前款所列事项外,可以载明信托期限、信托财产的管理方法、受托人的报酬、新受托人的选任方式、信托终止事由等事项。

第十条 设立信托,对于信托财产,有关法律、行政法规规定应当办理登记手续的,应当依法办理信托登记。

未依照前款规定办理信托登记的,应当补办登记手续;不补办的,该信托不产生效力。

第十一条 有下列情形之一的,信托无效:

(一)信托目的违反法律、行政法规或者损害社会公共利益;

(二)信托财产不能确定;

(三)委托人以非法财产或者本法规定不得设立信托的财产设立信托;

(四)专以诉讼或者讨债为目的设立信托;

(五)受益人或者受益人范围不能确定;

(六)法律、行政法规规定的其他情形。

第十二条 委托人设立信托损害其债权人利益的,债权人有权申请人民法院撤销该信托。

人民法院依照前款规定撤销信托的,不影响善意受益人已经取得的信托利益。

本条第一款规定的申请权,自债权人知道或者应当知道撤销原因之日起一年内不行使的,归于消灭。

第十三条 设立遗嘱信托,应当遵守继承法关于遗嘱的规定。

遗嘱指定的人拒绝或者无能力担任受托人的,由受益人另行选任受托人;受益人为无民事行为能力人或者限制民事行为能力人的,依法由其监护人代行选任。遗嘱对选任受托人另有规定的,从其规定。

第三章 信 托 财 产

第十四条 受托人因承诺信托而取得的财产是信托财产。

受托人因信托财产的管理运用、处分或者其他情形而取得的财产,也归入信托财产。

法律、行政法规禁止流通的财产,不得作为信托财产。

法律、行政法规限制流通的财产,依法经有关主管部门批准后,可以作为信托财产。

第十五条 信托财产与委托人未设立信托的其他财产相区别。设立信托后,委托人死亡或者依法解散、被依法撤销、被宣告破产时,委托人是惟一受益人的,信托终止,信托财产作为其遗产或者清算财产;委托人不是惟一受益人的,信托存续,信托财产不作为其遗产或者清算财产;但作为共同受益人的委托人死亡或者依法解散、被依法撤销、被宣告破产时,其信托受益权作为其遗产或者清算财产。

第十六条 信托财产与属于受托人所有的财产(以下简称固有财产)相区别,不得归入受托人的固有财产或者成为固有财产的一部分。

受托人死亡或者依法解散、被依法撤销、被宣告破产而终止,信托财产不属于其遗产或者清算财产。

第十七条 除因下列情形之一外,对信托财产不得强制执行:

(一)设立信托前债权人已对该信托财产享有优先受偿的权利,并依法行使该权利的;

(二)受托人处理信托事务所产生债务,债权人要求清偿该债务的;

(三)信托财产本身应担负的税款;

(四)法律规定的其他情形。

对于违反前款规定而强制执行信托财产，委托人、受托人或者受益人有权向人民法院提出异议。

第十八条　受托人管理运用、处分信托财产所产生的债权，不得与其固有财产产生的债务相抵消。

受托人管理运用、处分不同委托人的信托财产所产生的债权债务，不得相互抵消。

第四章　信托当事人

第一节　委　托　人

第十九条　委托人应当是具有完全民事行为能力的自然人、法人或者依法成立的其他组织。

第二十条　委托人有权了解其信托财产的管理运用、处分及收支情况，并有权要求受托人作出说明。

委托人有权查阅、抄录或者复制与其信托财产有关的信托账目以及处理信托事务的其他文件。

第二十一条　因设立信托时未能预见的特别事由，致使信托财产的管理方法不利于实现信托目的或者不符合受益人的利益时，委托人有权要求受托人调整该信托财产的管理方法。

第二十二条　受托人违反信托目的处分信托财产或者因违背管理职责、处理信托事务不当致使信托财产受到损失的，委托人有权申请人民法院撤销该处分行为，并有权要求受托人恢复信托财产的原状或者予以赔偿；该信托财产的受让人明知是违反信托目的而接受该财产的，应当予以返还或者予以赔偿。

前款规定的申请权，自委托人知道或者应当知道撤销原因之日起一年内不行使的，归于消灭。

第二十三条　受托人违反信托目的处分信托财产或者管理运

用、处分信托财产有重大过失的，委托人有权依照信托文件的规定解任受托人，或者申请人民法院解任受托人。

第二节 受 托 人

第二十四条 受托人应当是具有完全民事行为能力的自然人、法人。

法律、行政法规对受托人的条件另有规定的，从其规定。

第二十五条 受托人应当遵守信托文件的规定，为受益人的最大利益处理信托事务。

受托人管理信托财产，必须恪尽职守，履行诚实、信用、谨慎、有效管理的义务。

第二十六条 受托人除依照本法规定取得报酬外，不得利用信托财产为自己谋取利益。

受托人违反前款规定，利用信托财产为自己谋取利益的，所得利益归入信托财产。

第二十七条 受托人不得将信托财产转为其固有财产。受托人将信托财产转为其固有财产的，必须恢复该信托财产的原状；造成信托财产损失的，应当承担赔偿责任。

第二十八条 受托人不得将其固有财产与信托财产进行交易或者将不同委托人的信托财产进行相互交易，但信托文件另有规定或者经委托人或者受益人同意，并以公平的市场价格进行交易的除外。

受托人违反前款规定，造成信托财产损失的，应当承担赔偿责任。

第二十九条 受托人必须将信托财产与其固有财产分别管理、分别记账，并将不同委托人的信托财产分别管理、分别记账。

第三十条 受托人应当自己处理信托事务，但信托文件另有规定或者有不得已事由的,可以委托他人代为处理。

受托人依法将信托事务委托他人代理的,应当对他人处理信托事务的行为承担责任。

第三十一条 同一信托的受托人有两个以上的,为共同受托人。

共同受托人应当共同处理信托事务,但信托文件规定对某些具体事务由受托人分别处理的,从其规定。

共同受托人共同处理信托事务,意见不一致时,按信托文件规定处理;信托文件未规定的,由委托人、受益人或者其利害关系人决定。

第三十二条 共同受托人处理信托事务对第三人所负债务,应当承担连带清偿责任。第三人对共同受托人之一所作的意思表示,对其他受托人同样有效。

共同受托人之一违反信托目的处分信托财产或者因违背管理职责、处理信托事务不当致使信托财产受到损失的,其他受托人应当承担连带赔偿责任。

第三十三条 受托人必须保存处理信托事务的完整记录。

受托人应当每年定期将信托财产的管理运用、处分及收支情况,报告委托人和受益人。

受托人对委托人、受益人以及处理信托事务的情况和资料负有依法保密的义务。

第三十四条 受托人以信托财产为限向受益人承担支付信托利益的义务。

第三十五条 受托人有权依照信托文件的约定取得报酬。信托文件未作事先约定的,经信托当事人协商同意,可以作出补充约定;未作事先约定和补充约定的,不得收取报酬。

约定的报酬经信托当事人协商同意,可以增减其数额。

第三十六条 受托人违反信托目的处分信托财产或者因违背

管理职责、处理信托事务不当致使信托财产受到损失的,在未恢复信托财产的原状或者未予赔偿前,不得请求给付报酬。

第三十七条 受托人因处理信托事务所支出的费用、对第三人所负债务,以信托财产承担。受托人以其固有财产先行支付的,对信托财产享有优先受偿的权利。

受托人违背管理职责或者处理信托事务不当对第三人所负债务或者自己所受到的损失,以其固有财产承担。

第三十八条 设立信托后,经委托人和受益人同意,受托人可以辞任。本法对公益信托的受托人辞任另有规定的,从其规定。

受托人辞任的,在新受托人选出前仍应履行管理信托事务的职责。

第三十九条 受托人有下列情形之一的,其职责终止:

(一)死亡或者被依法宣告死亡;

(二)被依法宣告为无民事行为能力人或者限制民事行为能力人;

(三)被依法撤销或者被宣告破产;

(四)依法解散或者法定资格丧失;

(五)辞任或者被解任;

(六)法律、行政法规规定的其他情形。

受托人职责终止时,其继承人或者遗产管理人、监护人、清算人应当妥善保管信托财产,协助新受托人接管信托事务。

第四十条 受托人职责终止的,依照信托文件规定选任新受托人;信托文件未规定的,由委托人选任;委托人不指定或者无能力指定的,由受益人选任;受益人为无民事行为能力人或者限制民事行为能力人的,依法由其监护人代行选任。

原受托人处理信托事务的权利和义务,由新受托人承继。

第四十一条 受托人有本法第三十九条第一款第(三)项至第(六)项所列情形之一,职责终止的,应当作出处理信托事务的报告,并向新受托人办理信托财产和信托事务的移交手续。

前款报告经委托人或者受益人认可,原受托人就报告中所列事项解除责任。但原受托人有不正当行为的除外。

第四十二条 共同受托人之一职责终止的,信托财产由其他受托人管理和处分。

第三节 受 益 人

第四十三条 受益人是在信托中享有信托受益权的人。受益人可以是自然人、法人或者依法成立的其他组织。

委托人可以是受益人,也可以是同一信托的惟一受益人。

受托人可以是受益人,但不得是同一信托的惟一受益人。

第四十四条 受益人自信托生效之日起享有信托受益权。信托文件另有规定的,从其规定。

第四十五条 共同受益人按照信托文件的规定享受信托利益。信托文件对信托利益的分配比例或者分配方法未作规定的,各受益人按照均等的比例享受信托利益。

第四十六条 受益人可以放弃信托受益权。

全体受益人放弃信托受益权的,信托终止。

部分受益人放弃信托受益权的,被放弃的信托受益权按下列顺序确定归属:

(一)信托文件规定的人;

(二)其他受益人;

(三)委托人或者其继承人。

第四十七条 受益人不能清偿到期债务的,其信托受益权可以用于清偿债务,但法律、行政法规以及信托文件有限制性规定的除外。

第四十八条 受益人的信托受益权可以依法转让和继承,但信托文件有限制性规定的除外。

第四十九条 受益人可以行使本法第二十条至第二十三条规定的委托人享有的权利。受益人行使上述权利，与委托人意见不一致时，可以申请人民法院作出裁定。

受托人有本法第二十二条第一款所列行为，共同受益人之一申请人民法院撤销该处分行为的，人民法院所作出的撤销裁定，对全体共同受益人有效。

第五章 信托的变更与终止

第五十条 委托人是惟一受益人的，委托人或者其继承人可以解除信托。信托文件另有规定的，从其规定。

第五十一条 设立信托后，有下列情形之一的，委托人可以变更受益人或者处分受益人的信托受益权：

（一）受益人对委托人有重大侵权行为；

（二）受益人对其他共同受益人有重大侵权行为；

（三）经受益人同意；

（四）信托文件规定的其他情形。

有前款第（一）项、第（三）项、第（四）项所列情形之一的，委托人可以解除信托。

第五十二条 信托不因委托人或者受托人的死亡、丧失民事行为能力、依法解散、被依法撤销或者被宣告破产而终止，也不因受托人的辞任而终止。但本法或者信托文件另有规定的除外。

第五十三条 有下列情形之一的，信托终止：

（一）信托文件规定的终止事由发生；

（二）信托的存续违反信托目的；

（三）信托目的已经实现或者不能实现；

（四）信托当事人协商同意；

（五）信托被撤销；

（六）信托被解除。

第五十四条　信托终止的，信托财产归属于信托文件规定的人；信托文件未规定的，按下列顺序确定归属：

（一）受益人或者其继承人；

（二）委托人或者其继承人。

第五十五条　依照前条规定，信托财产的归属确定后，在该信托财产转移给权利归属人的过程中，信托视为存续，权利归属人视为受益人。

第五十六条　信托终止后，人民法院依据本法第十七条的规定对原信托财产进行强制执行的，以权利归属人为被执行人。

第五十七条　信托终止后，受托人依照本法规定行使请求给付报酬、从信托财产中获得补偿的权利时，可以留置信托财产或者对信托财产的权利归属人提出请求。

第五十八条　信托终止的，受托人应当作出处理信托事务的清算报告。受益人或者信托财产的权利归属人对清算报告无异议的，受托人就清算报告所列事项解除责任。但受托人有不正当行为的除外。

第六章　公 益 信 托

第五十九条　公益信托适用本章规定。本章未规定的，适用本法及其他相关法律的规定。

第六十条　为了下列公共利益目的之一而设立的信托，属于公益信托：

（一）救济贫困；

（二）救助灾民；

（三）扶助残疾人；

（四）发展教育、科技、文化、艺术、体育事业；

（五）发展医疗卫生事业；

（六）发展环境保护事业，维护生态环境；

（七）发展其他社会公益事业。

第六十一条 国家鼓励发展公益信托。

第六十二条 公益信托的设立和确定其受托人，应当经有关公益事业的管理机构（以下简称公益事业管理机构）批准。

未经公益事业管理机构的批准，不得以公益信托的名义进行活动。

公益事业管理机构对于公益信托活动应当给予支持。

第六十三条 公益信托的信托财产及其收益，不得用于非公益目的。

第六十四条 公益信托应当设置信托监察人。

信托监察人由信托文件规定。信托文件未规定的，由公益事业管理机构指定。

第六十五条 信托监察人有权以自己的名义，为维护受益人的利益，提起诉讼或者实施其他法律行为。

第六十六条 公益信托的受托人未经公益事业管理机构批准，不得辞任。

第六十七条 公益事业管理机构应当检查受托人处理公益信托事务的情况及财产状况。

受托人应当至少每年一次作出信托事务处理情况及财产状况报告，经信托监察人认可后，报公益事业管理机构核准，并由受托人予以公告。

第六十八条 公益信托的受托人违反信托义务或者无能力履行其职责的，由公益事业管理机构变更受托人。

第六十九条 公益信托成立后，发生设立信托时不能预见的情形，公益事业管理机构可以根据信托目的，变更信托文件中的有关条款。

第七十条 公益信托终止的,受托人应当于终止事由发生之日起十五日内,将终止事由和终止日期报告公益事业管理机构。

第七十一条 公益信托终止的,受托人作出的处理信托事务的清算报告,应当经信托监察人认可后,报公益事业管理机构核准,并由受托人予以公告。

第七十二条 公益信托终止,没有信托财产权利归属人或者信托财产权利归属人是不特定的社会公众的,经公益事业管理机构批准,受托人应当将信托财产用于与原公益目的相近似的目的,或者将信托财产转移给具有近似目的的公益组织或者其他公益信托。

第七十三条 公益事业管理机构违反本法规定的,委托人、受托人或者受益人有权向人民法院起诉。

第七章 附 则

第七十四条 本法自 2001 年 10 月 1 日起施行。

全国人民代表大会财政经济委员会关于提请审议《中华人民共和国信托法(草案)》的议案

全国人民代表大会常务委员会:

为了规范信托行为,保护信托当事人的合法权益,加强对信托业的监督管理,促进信托事业的健康发展,全国人大财政经济委员会按照八届全国人大常委会立法规划的要求,经过广泛征求意见,深入调查研究,认真总结实践经验,反复论证,数易其稿,形成了《中华人民共和国信托法(草案)》。这个草案已经全国人大财政经济委员会1996年第17次全体会议讨论通过,现提请全国人大常委会审议。

全国人大财政经济委员会

1996年11月29日

关于《中华人民共和国信托法(草案)》的说明

全国人大财经委员会副主任委员 张绪武

委员长、各位副委员长、秘书长、各位委员:

我受全国人大财经委员会的委托,现就《中华人民共和国信托法(草案)》作如下说明:

信托法是调整信托当事人之间权利义务关系的一部重要法律,也是国家对信托业和信托市场实施监督管理的重要依据。信托起源于英国,是建立在信任基础上,财产所有者出于增益或其他特定目的,委托他人管理或处分财产的一种制度。这种制度因在财产管理、资金融通、投资理财和社会公益等方面具有突出的功能,已为当代世界上不少国家所采用,并成为现代金融业的重要支柱之一。

中国实行信托制度,有近一个世纪的历史。新中国成立后,信托业一度停顿。改革开放后,信托业又获得了长足的发展。截止1995年底,全国具有法人资格的信托机构达392家,总资产达6000多亿元,约占全部金融资产的10%。信托业的发展,对于弥补我国传统单一的银行信用的不足,利用社会闲置资金,引进外资,拓展投资渠道,促进市场经济的发展,发挥了积极的作用。但是,信托业目前还存在不少问题。主要表现在:一是机构地位不确定,业务范围不明确。二是违规经营严重,资产结构不合理,风险控制能力低。三是内部约束机制不健全,管理混乱。产生上述问题的原因,除体制不顺、监督不力外,重要的是信托立法滞后,对信托业缺少应有的法律规范和保障。

为了解决信托业在发展中出现的问题,1986 年,中国人民银行曾颁发了《金融信托投资机构管理暂行规定》。但是,随着市场经济体制的确立和金融体制改革的不断深化,尤其是金融业分业管理政策的提出和落实,信托机构经营环境和条件发生了很大变化,该规定已不能适应金融业和信托业发展的需要。为了将我国信托制度建立在更加完善的法制基础上,使信托业健康、规范地发展,制定信托法十分必要。

根据八届全国人大常委会的立法规划,自 1993 年 8 月起,全国人大财经委员会组织成立了有中国政法大学、中国社会科学院和国务院有关部门专家学者参加的信托法起草组。起草组对我国信托业和信托市场的现状、发展前景以及存在的问题进行了调查研究,翻译、整理了大量有关国家信托制度和信托立法的资料。在起草过程中,起草组通过召开座谈会、研讨会等形式,广泛听取了国务院有关部门、银行系统、法院系统、大专院校、信托投资公司以及有关专家学者的意见,并多次与外国信托法律专家、实业界人士进行研讨。在充分调查信托业实际情况并广泛征求意见的基础上,起草组数易其稿,形成了《中华人民共和国信托法(草案)》(以下简称草案)。草案共六章 125 条,除总则和附则外,对信托关系、公益信托、信托公司和法律责任分章作了规定。这个草案已经全国人大财经委员会 1996 年第 17 次全体会议讨论通过,现提请全国人大常委会审议。

一、关于制定信托法的指导思想

制定信托法的指导思想是:根据建立社会主义市场经济体制的要求,结合我国信托业的现状,借鉴国际上通行的做法,用法律的手段规范信托行为,保护信托当事人的合法权益,强化对信托业的监督管理,促进信托业健康、规范发展。据此,在起草过程中,坚持了以下原则:一是重在对受托人作出约束规定,以维护信托财产的安全,保障受益人的利益。二是根据金融体制改革的需要,体现分业经营。将现有信托机构的业务与银行业务相区别,把信托公司办成符合社会主义市场经济需要的专业财产管理机构,并在此基础上发挥其中长期的金融职能。三是稳定和规范信托公司的经营活动, 既要有利于国家对金融业的宏观调控, 同时也要照顾到我国信托业发展的现实, 尽量减少对信托公司经营活动的冲击。四是既要符合国际通行做法,又要结合中国的国情, 具有可操作性。

二、关于信托法的调整范围

根据制定信托法的指导思想,草案主要规范了信托的基本关系和信托公司的经营行为。第二章规范的是信托的基本关系,涉及信托当事人的资格和权利义务、信托财产、信托的设立和终止等,适用于营业信托和非营业信托。第四章规范的是信托公司的经营行为,即营业信托,涉及信托公司的性质、组建形式、业务范围、经营规则以及监督管理等。草案重点调整营业信托,主要理由:一是我国目前绝大多数信托行为是营业信托;二是营业信托中存在不少问题,亟须调整和规范。同时,草案也将非营业信托纳入调整范围。这是因为,虽然我国目前非营业信托还很少,但从长远看,随着私人财富的不断增加,非营业信托将会有一定的发展。加之,目前境外不少国有企业以私人名义注册,国有资产流失现象屡有发生。将境外的国有资产导入信托机制,有利于我国的国有资产得到境外法律的保护。这样规定,也符合世界各国的通行做法。

三、关于受托人

受托人在信托三方当事人中,处于掌握、管理和处分信托财产的中心位置,因此,受托人的素质和经营能力对于能否给受益人带来信托收益,实现委托人的信托目的,起着关键的作用。为此,草案对受托人作出了严格的约束规定。一是严格受托人的资格,规定无民事行为能力人和限制民事行为能力人不得作受托人;强调经营信托业务的受托人只能是信托公司,除法律、行政法规另有规定外,其他任何单位和个人,不得经营信托业务。这样规定是为了便于国家对信托业的监督管理,防止利用信托从事乱集资等非法活动。二是明确了受托人的义务,概括起来主要有:(1)谨慎管理义务。受托人管理信托财产,负有与管理自有财产同等谨慎的义务,要和管理自己的财产一样尽职尽责。(2)分别管理义务。信托财产具有独特的属性,不属于受托人的破产财产和遗产,受托人必须将信托财产和自有财产分开管理。(3)亲自管理义务。信托的设立前提,是委托人出于对受托人的信任,受托人如果不亲自管理信托财产,则与委托人的意愿相违背。因此,除特殊情况外,受托人必须自己处理信托事务,不得让他人代为处理。(4)接受检查义务。为了增加信托"代人理财"的透明度,促使受托人为受益人的最大利益服务,受托人必须保存管理或处分信托财产的完整记录,定期将信托财产及其收支情况报告受益人,并接受委托人或受益人的检查。

四、关于公益信托的特别规定

公益信托是为了公共利益目的而设立的信托,是发展社会公益事业的一种有效形式。公益信托与社会公众利益关系密切,受益人范围广且不确定,难以对受托人进行有效的监督检查,一旦出了问题,会对社会造成不良影响。考虑到公益信托具有信托基本关系不能完全包含的特殊性，草案对公益信托设专章作了特别规定。一是国家采取优惠措施，鼓励发展公益信托（草案第五十八条）。二是公益信托的设立，除须经信托监督管理部门批准外，还必须报有关行业主管部门备案（草案第五十九条）。三是明确公益信托的信托财产及其收益，不得用于非公益目的（草案第六十条）。四是规定了公益信托监察人制度，由信托监察人代表公益信托受益人的利益，实施与信托有关的诉讼或非诉讼行为（草案第六十一条、第六十二条）。

五、关于信托公司的功能和业务范围

我国信托业自 1979 年恢复以来，在经济生活中起了一定的积极作用。但是，信托公司的功能一直不明确，业务范围不规范。不少信托公司违规经营，没有发挥出信托应有的功能。随着金融体制改革的深化，信托机构的现有业务日渐萎缩，经营困难。因此，有必要根据社会主义市场经济发展的要求，重新界定信托公司的功能和业务范围。

草案规定："本法所称信托公司，是指依照本法和公司法设立的经营信托业务的金融机构"（草案第七十一条）。因为信托公司的主要职能是管理和经营信托财产，使信托财产保值和增值。而信托财产大多表现为货币形态，这就使信托公司必然派生出金融功能特别是中长期金融功能。草案将信托公司界定为具有社会理财职能的金融机构，既有利于信托公司在金融功能上与其他金融行业形成合理的分工，体现了金融业分业管理的要求，也有利于对信托业的监督管理。

根据信托公司的功能，草案规定信托公司可以经营资金信托、有价证券信托、动产信托、不动产信托以及其他财产和财产权信托（草案第八十八条）。规定信托公司可以从事资金信托，即允许法人和具有完全民事行为能力的自然人，将自有财产包括货币资金交付信托公司管理和经营。其主要理由:一是各机关、企事业单位及个人向信托公司信托的财产,多数是货币形态的资金。允许信托公司经营这部分资金,既可发展信托公司的业务,也可分流巨额储蓄,减轻银行的风险。二是通过信托公司对信托资金的规范化管理,有利于筹集社会闲散资金用于国家急需发展的领域,促进国民经济的发展。三是随着市场经济的发展,投资主体出现多样化,允许法人和个人进行资金信托,能满足社会多渠道投资的需求。

草案还规定,信托公司可以兼营贷款、投资、融资租赁、保管箱、担保、代理以及经有关部门批准的证券、外汇和举债等业务(草案第八十九条)。这样规定,主要是为了充分利用信托公司在这些领域的优势,为社会提供多元化的服务。

六、关于信托公司的风险管理

加强对信托公司的风险管理,维护信托财产的安全,提高信托公司的信誉,是促进我国信托业健康发展的重要保障。为了保护信托财产的安全,维护委托人、受益人的权益,本法在信托公司的设立和经营规则方面提出了严格的要求。草案规定,设立信托公司必须具备符合规定的条件并经过法定的审批程序;信托公司经营信托业务与非信托业务,应当在其人员、信息、财务会计等方面分别独立;信托公司吸收委托人授权信托公司确定用途的信托资金额,不得超过其自有资本总额的二十五倍,并限用于同业拆放、抵押或质押贷款、投资于有价证券和买入动产、不动产等;信托公司应当提取信托风险准备金。同时,草案还专门对信托公司的监督管理作了详细的规定(草案第四章第三节)。

七、关于现有信托机构与法律的衔接

现有不少信托机构及其经营的业务与本法要求有一定的差距,为了维护信托机构的信誉,稳定信托机构的经营活动,继续发

挥其筹集国内外资金的作用，草案规定，凡本法施行前经批准设立的信托机构及其经营的业务，可以继续保留，但应当根据不同情况和金融业发展的要求，依照本法和其他有关法律、行政法规分别限期规范。其具体办法，由国务院另行规定。

我的说明完了，请予审议。

中华人民共和国信托法(草案)

目　　录

第一章　总　　则

第一条　为了规范信托行为,保护信托当事人的合法权益,加强对信托业的监督管理,促进信托事业的健康发展,制定本法。

第二条 信托当事人包括委托人、受托人和受益人。

第三条 本法所称信托,是指委托人基于对受托人的信任,将其财产权转移给受托人,受托人按委托人的意愿以自己的名义,为受益人的利益或特定目的,管理或处分财产的行为。

第四条 在中华人民共和国境内从事信托活动,适用本法。

第五条 从事信托活动必须遵守法律、行政法规,不得损害国家利益和社会公共利益。

第六条 经营信托业务,应当遵循诚实信用、公平竞争的原则,不得从事不正当竞争。

第七条 国务院信托监督管理部门依照本法对信托业实施监督管理。

第二章 信 托 关 系

第一节 信托的设立

第八条 信托应当以合同、遗嘱或者法律、行政法规规定的其他方式设立。

第九条 设立信托的信托合同或者遗嘱应当采取书面形式,并至少载明以下事项:

(一)委托人、受托人的姓名或名称、住所;

(二)信托财产的种类和范围;

(三)受益人;

(四)信托目的。

第十条 委托人和受托人订立信托合同,应当遵循公平自愿、协商一致的原则。

任何单位和个人不得强制他人订立信托合同。

第十一条 有下列情形之一的，信托无效：

（一）信托财产不能确定；

（二）受益人或者受益人范围不能确定；

（三）信托目的违反法律、行政法规；

（四）法律规定的其他情形。

第十二条 委托人设立信托明知危害其债权人利益的，债权人可以向委托人住所地人民法院申请撤销该信托。

委托人在信托设立后一年内被宣告破产的，视为明知。

人民法院依照第一款规定撤销信托的，不影响善意受益人已经取得的信托利益。

第一款规定的申请权，自债权人知道或者应当知道撤销原因之日起一年内不行使的，归于消灭。

第十三条 遗嘱指定的人拒绝或者不能担任受托人的，按遗嘱处理。遗嘱未载明的，由受益人或其利害关系人选任新受托人。

第二节 信托财产

第十四条 受托人因接受信托而取得的财产是信托财产。

受托人因信托财产的管理、处分或者其他情形而取得的财产，仍属于信托财产。

法律、行政法规禁止或者限制流通的财产，不得作为信托财产。

第十五条 属于信托财产的债权与不属于信托财产的债务，不得抵消。

第十六条 委托人破产，委托人是惟一受益人的，信托终止，信托财产属于破产财产；委托人不是惟一受益人的，信托存续，信托财产不属于破产财产，但其信托受益权属于破产财产。

第十七条 信托财产不属于受托人的自有财产。

受托人破产,信托财产不属于其破产财产。

受托人死亡,信托财产不属于其遗产。

第十八条　除因下列情形外,人民法院不得对信托财产采取强制措施:

(一)信托前存在于信托财产上的权利;

(二)因处理信托事务所产生的权利;

(三)信托财产本身所负担的税款;

(四)法律规定的其他情形。

第十九条　委托人以法律规定应登记的财产进行信托的,应向有关登记机关办理信托登记。未登记的,信托不得对抗第三人。

第三节　委　托　人

第二十条　委托人应当是具有完全民事行为能力的自然人、法人和其他组织。

第二十一条　委托人有权查阅、抄录或者复制与其信托财产有关的信托账目以及处理信托事务的其他文件。

委托人有权了解其信托财产的管理、处分及收支情况,并有权要求受托人作出说明。

第四节　受　托　人

第二十二条　无民事行为能力人和限制民事行为能力人,不得作为受托人。

经营信托业务的受托人,应当是依照本法设立的信托公司,其他任何单位和个人,不得经营信托业务。但法律、行政法规另有规定的除外。

第二十三条　受托人应当遵守信托文件的规定,为受益人的最大利益处理信托事务。

受托人管理信托财产,负有与管理自有财产同等谨慎的义务。

第二十四条 受托人不得利用信托财产为自己谋取利益。

受托人利用信托财产为自己谋取利益的,所得利益归入信托财产。

第二十五条 受托人不得将信托财产转为自有财产或者以自有财产与信托财产从事交易,但信托文件另有规定或者经委托人或受益人同意的除外。

第二十六条 受托人必须将信托财产与自有财产以及其他信托财产分别管理。信托财产为资金的,也可以采取分别记账的方式。

第二十七条 受托人应当自己处理信托事务,但信托文件另有规定或者有不得已事由的,可以委托他人代为处理。

第二十八条 同一信托的受托人有两个以上的,为共同受托人。

第二十九条 共同受托人应当共同处理信托事务。共同受托人意见不一致时,按信托文件规定处理;信托文件未规定的,由受益人或其利害关系人决定。

共同受托人处理信托事务对第三人所负债务,应当承担连带清偿责任。

第三人对共同受托人之一所作的意思表示,对其他受托人同样有效。

第三十条 受托人应当保存处理信托事务的完整记录。

受托人应当每年定期将信托财产及其收支情况,报告受益人。

第三十一条 受托人以信托财产为限向受益人承担支付信托利益的义务。

第三十二条 经营信托业务的受托人有权依据约定取得报酬,报酬形式以手续费或佣金为主。其他受托人非经约定,不得请求报酬。

约定的报酬经信托当事人协商同意,可以增减其数额。

第三十三条 受托人因管理不当致使信托财产受到损害的,在未予赔偿或恢复原状前,不得请求给付报酬。

第三十四条 受托人因处理信托事务所支出的费用、负担的债务或者所受到的损害,可以按照信托文件规定获得补偿;信托文件未规定的,可以要求从信托财产中获得补偿。但因受托人过错造成的除外。

第三十五条 信托生效后,经委托人和受益人同意,受托人可以辞任。

受托人辞任的,在新受托人选出前仍应履行管理信托事务的职责。

第三十六条 受托人因死亡、丧失民事行为能力、解散、破产或被撤销的,职责终止。其继承人、遗产管理人、破产管理人或者清算人,应当妥善保管信托财产,协助新受托人接管信托事务。

第三十七条 原受托人职责终止的,新受托人依照信托文件规定选任;信托文件未规定的,由委托人选任;委托人不能或者不指定的,由受益人或其利害关系人选任。

原受托人处理信托事务的权利和义务,由新受托人承担。

第三十八条 受托人变更的,原受托人应当作出处理信托事务的报告,并办理信托财产转移手续和信托事务移交手续。

前款报告经委托人或者受益人认可,原受托人就报告中所列事项解除责任。但受托人有不正当行为的除外。

第三十九条 共同受托人之一职责终止的,信托财产由其他受托人管理或处分。

第五节 受 益 人

第四十条 受益人是在信托中享有信托受益权的人。

委托人可以是受益人,也可以是同一信托的惟一受益人。

受托人可以是受益人,但不得是同一信托的惟一受益人。

第四十一条 受益人自信托生效之日起享有信托受益权。信托文件另有规定的,从其规定。

第四十二条 受益人可以放弃信托受益权。全体受益人放弃的,信托终止;部分受益人放弃的,按下列顺序确定受益权的归属:

(一)信托文件规定的人;

(二)其他受益人;

(三)委托人或其继承人。

第四十三条 受益人享有本法第二十一条规定的委托人享有的权利。

第四十四条 受托人违反信托目的处分信托财产,受益人可以向受托人住所地人民法院申请撤销该处分,但不影响善意第三人已经取得的利益。

人民法院依据共同受益人之一的请求所作出的撤销,对其他受益人同样有效。

第一款规定的申请权,自受益人知道或者应当知道撤销原因之日起一年内不行使的,归于消灭。

第六节 信托的变更与终止

第四十五条 委托人不是惟一受益人的,委托人在信托生效后不得变更受益人或者解除信托,也不得处分受益人的信托受益权,但有下列情形之一的除外:

(一)受益人对委托人或者其他受益人有重大侵权行为的;

(二)经受益人同意的;

(三)信托文件另有规定的。

第四十六条 受托人不履行职责或者有影响其执行职责的其

他重大事由，不利于实现信托目的或者给委托人或受益人造成损害的，委托人或者受益人可以变更受托人。

第四十七条　信托财产的管理方式不利于实现信托目的的，经委托人、受托人及受益人协商一致，可以变更。

第四十八条　信托不因委托人或者受托人的死亡、丧失民事行为能力、解散、破产或被撤销而终止，也不因受托人的辞任而终止。但本法或者信托文件另有规定的除外。

第四十九条　有下列情形之一的，信托终止：

（一）信托文件规定的终止事由发生；

（二）信托的存续违反信托目的；

（三）信托目的已经实现或不能实现；

（四）信托当事人协商同意；

（五）信托期限届满；

（六）信托被解除。

第五十条　委托人是惟一受益人的，委托人或其继承人可以解除信托。信托文件另有规定的，从其规定。

第五十一条　信托终止，信托财产归属于信托文件规定的人；信托文件没有规定的，按下列顺序确定归属：

（一）受益人或其继承人；

（二）受托人或其继承人。

第五十二条　信托财产转移给前条规定的权利归属人之前，信托视为存续，权利归属人视为受益人。

第五十三条　信托终止后，依本法第十八条所列情形之一对原信托财产进行强制执行的，以权利归属人为被执行人。

第五十四条　信托终止后，受托人为了行使本法第三十二条和第三十四条规定的权利，可以留置信托财产或者对信托财产的权利归属人提出请求。

第五十五条　信托终止，受托人应当作出处理信托事务的清算报告。受益人或者信托财产的权利归属人对清算报告无异议的，受托人就清算报告所列事项解除责任。但受托人有不正当行为的除外。

第三章　公益信托的特别规定

第五十六条　公益信托适用本章规定，本章未规定的，适用本法及其他相关法律的规定。

第五十七条　为了下列公共利益目的之一而设立的信托，属公益信托：

（一）救济贫困；

（二）发展教育、科技、文化、艺术事业；

（三）促进人民健康；

（四）发展社会公共事业；

（五）其他有利于社会的目的。

第五十八条　国家采取优惠措施，鼓励发展公益信托。

第五十九条　受托人接受公益信托，应经信托监督管理部门批准，并报有关行业主管部门备案。

第六十条　公益信托的信托财产及其收益，不得用于非公益目的。

第六十一条　公益信托应当设置信托监察人。

信托监察人由信托文件规定。信托文件未规定的，由信托监督管理部门指定。

第六十二条　信托监察人有权以自己的名义，为受益人的利益，实施与信托有关的诉讼或者非诉讼行为。

第六十三条　公益信托的受托人未经信托监督管理部门的批准，不得辞任。

第六十四条　信托监督管理部门可以定期或者不定期检查受

托人处理信托事务的情况及财产状况。必要时,可以责令受托人提供相当的保证,改正不当行为。

委托人应当至少每年一次作出信托事务处理情况及财产状况报告,经信托监察人认可后,报信托监督管理部门核准,并由受托人予以公告。

第六十五条 遗嘱指定的人拒绝或者不能担任受托人的,按遗嘱处理。遗嘱未载明的,由信托监督管理部门指定新受托人。

受托人违背职责或者不能履行其职责,由信托监督管理部门变更受托人。

第六十六条 未经信托监督管理部门的核准,任何单位和个人不得使用公益信托的名称或者易被误认为公益信托的字样。

第六十七条 公益信托成立后,发生设立信托时不能预见的情形,信托监督管理部门可以根据信托目的,变更信托条款。

第六十八条 公益信托终止的,受托人应当于终止事由发生之日起十五日内,将终止事由和终止日期报告信托监督管理部门。

第六十九条 公益信托终止的,受托人应当将处理信托事务的情况及财产状况作成清算报告,经信托监察人认可后,报信托监督管理部门核准,并由受托人予以公告。

第七十条 公益信托终止,没有信托财产权利归属人的,经信托监督管理部门批准,受托人应当将信托财产用于与原公益目的相近似的目的,或者将信托财产转移给具有近似目的的公益组织或其他公益信托的受托人。

第四章 信托公司

第一节 信托公司的设立、变更和终止

第七十一条 本法所称信托公司,是指依照本法和公司法设

立的经营信托业务的金融机构。

第七十二条 设立信托公司,应当经信托监督管理部门审查批准。

第七十三条 信托公司应当采取有限责任公司或者股份有限公司的形式,并在其名称中标明“信托”字样。

第七十四条 设立信托公司,应当具备下列条件:

(一)符合本法和公司法规定的章程;

(二)符合本法规定的注册资本;

(三)符合信托监督管理部门规定的投资入股资格的股东;

(四)具备信托监督管理部门规定的任职资格的高级管理人员;

(五)健全的组织机构和管理制度;

(六)符合要求的营业场所、安全防范措施和与业务有关的其他设施。

第七十五条 设立信托公司的注册资本最低限额为一亿元人民币。信托公司的注册资本应当是实缴货币资本。

信托监督管理部门根据信托业发展的需要,可以调整设立信托公司注册资本的最低限额,但不得低于前款规定的数额。

第七十六条 筹建信托公司,发起人应当向信托监督管理部门提交下列文件:

(一)筹建申请书;

(二)筹建方案及可行性研究报告;

(三)筹建人员名单及其简历;

(四)信托监督管理部门要求提交的其他文件。

信托监督管理部门应当在接到筹建申请之日起三个月内,作出批准或者不批准的决定。

第七十七条 发起人应当自筹建申请被批准之日起六个月内完成筹建工作。具备本法第七十四条规定条件的,可以向信托监

督管理部门申请开业,并提交下列文件:

(一)开业申请书;

(二)公司章程;

(三)股东名册及其股份或者出资人及其出资额;

(四)发起人的资信证明和有关材料;

(五)法定验资机构出具的验资证明;

(六)拟任职的高级管理人员的名单、简历;

(七)经营方针、经营计划和业务管理制度;

(八)有关营业场所及其他经营设施资料;

(九)信托监督管理部门规定的其他文件、资料。

筹建期间,发起人不得经营信托业务。

第七十八条 信托监督管理部门自收到开业申请之日起一个月内,应当作出批准或者不批准的决定。不批准的,应当书面说明理由。

第七十九条 经批准开业的信托公司,由信托监督管理部门颁发经营信托业务许可证,并凭该许可证向工商行政管理部门办理注册登记,领取营业执照。

信托公司自取得经营信托业务许可证之日起六个月内无正当理由未办理公司注册登记的,其经营信托业务许可证自动失效。

第八十条 经信托监督管理部门批准,信托公司可以在中华人民共和国境内外设立分支机构。

信托公司经批准设立的境内分支机构,由信托监督管理部门颁发经营信托业务许可证,并凭该许可证向工商行政管理部门领取营业执照。

信托公司境内分支机构不具有法人资格,其民事责任由信托公司承担。

第八十一条 信托公司因分立、合并或者公司章程规定的解散事由出现,需要解散的,经信托监督管理部门批准后解散,并依法成立清算组进行清算。

第八十二条 信托公司违反法律、行政法规，被信托监督管理部门吊销经营信托业务许可证的，依法撤销，并由信托监督管理部门依法组织清算组进行清算。

第八十三条 信托公司不能支付到期债务，经信托监督管理部门同意，由人民法院依法宣告破产。

信托公司被宣告破产的，由人民法院组织信托监督管理部门等有关部门和有关人员成立清算组，进行清算。

第八十四条 信托公司解散、被依法撤销或者依法宣告破产的，信托财产不属于其清算财产或者破产财产。

第八十五条 信托公司依法破产的，按下列顺序清偿债务：

（一）破产费用；

（二）委托人授权信托公司确定用途的信托资金损失而信托风险准备金不足补偿部分；

（三）职工工资；

（四）所欠税款；

（五）公司的其他债务。

第八十六条 信托公司的分立、合并、解散、被撤销、破产及其清算事项，本法未作规定的，适用公司法和其他有关法律、行政法规的规定。

第二节 信托公司的经营规则

第八十七条 信托公司与委托人订立的书面合同，除应载明本法第九条规定的事项外，还应当载明以下事项：

（一）信托财产的管理方式；

（二）受托人的职责及报酬；

（三）信托利益的分配；

（四）信托终止事由；

（五）信托终止时信托财产的归属；

（六）信托期限；

（七）会计报表的制作及其送达；

（八）当事人认为应当载明的其他事项。

第八十八条 信托公司可以经营下列信托业务：

（一）资金信托；

（二）有价证券信托；

（三）动产信托；

（四）不动产信托；

（五）其他财产和财产权信托。

第八十九条 信托公司限于兼营下列业务：

（一）贷款、投资和融资租赁；

（二）同业拆借；

（三）保管箱、代理财产收付及代理保险、担保、财产买卖的居间和经济咨询；

（四）经有关部门批准的证券、外汇和举债业务；

（五）经信托监督管理部门批准的其他业务。

第九十条 信托公司经营信托业务与非信托业务应当在人员、信息、财务会计等方面分别独立。

第九十一条 信托公司经营的资金信托业务，包括委托人确定用途的资金信托和委托人授权信托公司确定用途的资金信托。

委托人确定用途的资金信托，信托公司对信托本金的损失及最低收益不提供保证。

委托人授权信托公司确定用途的资金信托，信托期限不得少于一年，信托公司可以在信托文件中约定对信托本金的损失及最低收益提供保证。

第九十二条 信托公司经营资金信托，经信托监督管理部门批准,可以采取募集共同信托基金的形式设立,具体办法由信托监督管理部门制定。

第九十三条 信托公司吸收委托人授权确定用途的信托资金额,不得超过其自有资本总额的二十五倍。

第九十四条 委托人授权信托公司确定用途的信托资金的运用方式,限于下列各项:

(一)同业拆放;

(二)抵押或质押贷款;

(三)买入动产、不动产;

(四)投资于有价证券;

(五)经信托监督管理部门批准的其他运用方式。

信托资金用于上述各项的比例限制,由信托监督管理部门另行规定。

第九十五条 信托公司对重大项目的投资额,超过该项目实收资本额百分之十以上的,应当报信托监督管理部门备案。

第九十六条 信托公司应当提取信托风险准备金。信托风险准备金的提取、管理和使用办法,由信托监督管理部门规定。

前款信托风险准备金,受益人有优先于信托公司的债权人受偿的权利。

第九十七条 信托公司不得有下列行为:

(一)将信托资金投资于自己或关系人发行的有价证券;

(二)将信托资金贷放于自己或关系人;

(三)将不同信托账户的信托财产进行相互交易;

(四)将信托财产转为自有财产或者以信托财产购买自有财产;

(五)信托监督管理部门规定的其他行为。

信托公司事先取得委托人或者受益人的同意,并以公平的市场价格进行交易的,不在此限。

第九十八条　前条所称关系人，是指下列机构或个人：

（一）拥有该信托公司百分之十以上股权或者百分之十以上股权被该信托公司拥有的；

（二）该信托公司的董事、监事、总经理等高级管理人员及其近亲属；

（三）前项所列人员投资或者担任高级管理职务的公司、企业和其他经济组织。

第九十九条　信托公司应当在信托监督管理部门规定的范围内收取手续费或佣金。

第一百条　信托公司依法开展业务，不受任何单位和个人的干涉。

信托公司实行自主经营，自担风险，自负盈亏，自我约束，以其全部自有资产独立承担民事责任。

第一百零一条　信托公司的工作人员在信托业务活动中，不得有下列行为：

（一）利用职务便利收受回扣；

（二）利用职务便利挪用、侵占信托财产；

（三）违反规定徇私情发放贷款或提供担保；

（四）违反法律、行政法规的其他行为。

第一百零二条　信托公司的工作人员不得泄露其在任职期间知悉的商业秘密。

第三节　信托公司的监督管理

第一百零三条　信托公司应当按季度向信托监督管理部门报送资产负债表和损益表，并于每一会计年度终了后的一个月内报送上一年度经过法定审计机构审计的营业报告、信托财产目录、资产负债表、损益表及其他财务会计报表。

信托公司的重大业务活动及重大亏损应及时向信托监督管理部门报告。

第一百零四条 信托公司应当妥善保管有关业务经营活动的完整记录、原始凭证及有关资料。

前款规定的记录、原始凭证及有关资料的保管期限,自信托终止之日起,不得少于十年。

第一百零五条 信托监督管理部门可以定期或者不定期检查信托公司的经营管理状况,必要时可以要求信托公司提供有关业务、财务资料。

第一百零六条 信托公司有下列事项之一的,应当经信托监督管理部门批准,并办理变更登记:

(一)修改公司章程;

(二)增减注册资本;

(三)变更名称;

(四)公司合并;

(五)歇业、复业或者转业;

(六)撤销分支机构;

(七)变更公司或分支机构住所地;

(八)调整业务范围;

(九)变更持有公司股份或者出资额百分之十以上的股东;

(十)变更公司高级管理人员;

(十一)信托监督管理部门规定的其他变更事项。

第一百零七条 信托监督管理部门应当根据信托财产效益、流动、安全的原则和信托业发展的需要,依照本法制定信托公司有关管理办法。

第一百零八条 信托公司的财务会计制度,由财政部门会同信托监督管理部门制定。

第一百零九条 信托公司未按规定提取信托风险准备金、违反信托资金运用限制或者有严重违反本法的其他行为，信托监督管理部门可以责令其限期改正。逾期不改正的，信托监督管理部门可以对该信托公司进行整顿。

整顿决定应当载明被整顿信托公司的名称、整顿理由、整顿组织和整顿期限，并予以公告。

整顿过程中，信托公司的原有业务继续进行。

第一百一十条　信托公司违反本法规定，损害社会公共利益，可能严重危及或者已经危及受益人利益的，信托监督管理部门可以对该信托公司实行接管。接管的期限，不得超过二年。

被接管信托公司的债权债务关系不因接管而变化。

第一百一十一条　信托业应当在平等的基础上成立信托业协会，实行自律管理。

信托业协会开展活动，应当接受信托监督管理部门的指导和监督。信托监督管理部门认为必要时，可以授权信托业协会行使部分管理职能。

第五章　法律责任

第一百一十二条　受托人未履行职责或者管理信托事务不当，致使信托财产遭受损害的，应当承担民事责任。

第一百一十三条　受托人违反本法第二十七条规定，委托第三人代为处理信托事务的，应当对第三人代为处理信托事务的行为承担责任。

第一百一十四条　共同受托人之一违反信托文件规定处理信托事务，给信托财产造成损害的，其他受托人应当承担连带责任，但其他受托人对违反信托文件规定的行为不知情或者事先提出明确异议的除外。

第一百一十五条　受托人谨慎处理信托事务对第三人所产生

的合同责任和侵权责任，以信托财产承担。

受托人处理信托事务不当对第三人所产生的合同责任和侵权责任，以自有财产承担。

第一百一十六条 未经批准设立公益信托，或者非公益信托使用公益信托或易被误认为公益信托的名称的，由信托监督管理部门责令限期改正或者予以取缔，并可处以十万元以上五十万元以下罚款。

第一百一十七条 未经批准擅自设立信托公司或分支机构，由信托监督管理部门予以取缔，并可处以十万元以上五十万元以下罚款；有违法所得的，没收违法所得；构成犯罪的，依法追究刑事责任。

第一百一十八条 违反本法第二十二条第二款规定，擅自经营信托业务的，由信托监督管理部门责令限期改正，并可处以十万元以上五十万元以下罚款。

第一百一十九条 信托公司有下列情形之一，由信托监督管理部门责令限期改正，并可处以五万元以上三十万元以下罚款；有违法所得的，没收违法所得；情节严重的，责令停业整顿，直至吊销经营信托业务许可证；构成犯罪的，依法追究刑事责任：

（一）有欺诈行为，损害委托人或者受益人利益的；

（二）未经批准募集共同信托基金的；

（三）超出信托监督管理部门核定的业务范围从事经营活动的；

（四）未按本法规定分别管理信托财产的；

（五）有本法第九十七条所列行为之一的。

第一百二十条 信托公司有下列情形之一，由信托监督管理部门责令限期改正，并可处以五万元以上三十万元以下罚款：

（一）违反本法第一百零六条规定的；

（二）未按规定提取信托风险准备金的；

（三）未按规定向信托监督管理部门报送有关财务、会计报表和信托财产目录等文件的；

（四）提供虚假或者隐瞒事实真相的财务、会计报表及有关业务文件的；

（五）拒绝、妨碍信托监督管理部门的监督检查的。

第一百二十一条 违反本法第一百零一条或第一百零二条的规定，或者有本法第一百一十六条至第一百二十条规定的情形的，信托监督管理部门可以对直接负责的主管人员和其他直接责任人员，予以警告、通报批评；情节严重的，可以解除其职务，并可处以五千元以上十万元以下罚款。

第一百二十二条 对信托监督管理部门的处罚决定不服的，自收到行政处罚决定之日起十五日内，可以申请行政复议或者向人民法院提起行政诉讼。

第一百二十三条 信托监督管理部门的工作人员在对信托业的监督管理中滥用职权、徇私舞弊、玩忽职守，构成犯罪的，依法追究刑事责任；未构成犯罪的，依法给予行政处分。

第六章 附 则

第一百二十四条 本法施行前经批准设立的信托机构及其经营的业务，可以继续保留，但应当根据不同情况和金融业发展的要求，依照本法和其他有关法律、行政法规分别限期规范。具体办法，由国务院另行规定。

第一百二十五条 本法自 年 月 日起施行。

全国人大法律委员会关于《中华人民共和国信托法(草案)》修改情况的汇报

全国人民代表大会常务委员会:

《中华人民共和国信托法(草案)》的议案是在八届全国人大常委会第二十三次会议上提出的,并在该次会议上进行了初次审议。由于对信托法草案的有关内容存在不同意见,八届全国人大常委会未能对该草案再次审议。九届全国人大以来,根据九届全国人大常委会立法规划的要求,经过进一步的会同研究,最近有关方面对信托法立法内容取得一致意见,因此对此议案提出再审。全国人大法律委员会于2000年6月23日召开会议,根据各方面的意见对信托法草案进行了逐条审议。全国人大财经委员会及国务院有关部门的负责同志列席了会议。6月29日法律委员会再次进行了审议。现将信托法草案修改情况汇报如下:

一、关于信托法的调整范围

提请八届全国人大常委会第二十三次会议初次审议的信托法草案,除有关信托关系的内容外,还主要就信托公司从事营业性信托活动的信托业作出规定。对此,国务院及有关部门的意见认为,在目前条件下,信托法应先对信托基本关系作出规范,而有关信托业的体制及相应规范还不具备立法条件,在草案中可以不作规定。其主要理由是:第一,1997年以来,根据中央关于深化金融体制改革、防范金融风险的部署,国务院对信托业一直在抓紧清理整顿,我国信托公司在法律上如何加以规范,还需要进一步总结经验,制定法律的时机还不成熟。第二,草案对信托业的规定,基本上维持了当前信托公司的现状,并且进一步扩大了信托公司的经营范围,其中绝大多数业务并不是真正的信托业务,按照中央确定的方针以及有关法律关于银行业、证券业、保险业、信托业分业经营、分业管理的原则,对信托公司如何定位,也需要进一步研究。第三,从国外信托立法的实例来看,信托法属于民事法律范畴,主要是规定信托基本关系。而对信托业的监督管理,从我国的实际来看,其立法需另作研究为宜。目前国务院正在起草有关信托业的管理条例。根据这一情况,最近法律委员会与财经委员会商定,建议信托法只规定信托基本关系,删去草案中有关信托公司的内容。

二、关于信托关系的适用范围

在信托活动中存在民事信托、营业信托、公益信托三种信托。民事信托主要是以个人财产为抚养、赡养、处理遗产等目的而设立的信托;营业信托主要是个人或法人以财产增值为目的,委托营业性信托机构进行财产经营而设立的信托;公益信托主要是以发展公益事业为目的而设立的信托。考虑完善我国民事财产法律制度,适应社会主义市场经济条件下财产运用的要求,我国信托法所规定的信托关系应当涵盖民事信托、营业信托、公益信托三种信托活动。因此,草案二次审议稿第三条规定:“委托人、受托人、受益人(以下统称信托当事人)在中华人民共和国境内进行民事、营业、公益信托活动,适用本法。”

三、关于信托关系

“受人之托,代人理财”是信托的基本特征,是一种专门的理财制度。财产所有人作为委托人,基于对受托人的信任,委托受托人按照特定的目的管理和处分其信托财产，形成民事财产制度中的一种特殊的信托关系。为此，草案二次审议稿第二条将信托关系规定为："本法所称信托，是指委托人基于对受托人的信任，将其财产权委托给受托人，由受托人按委托人的意愿以自己的名义，为受益人的利益或者特定目的，进行管理或者处分的行为。"依据信托关系的这一性质，草案二次审议稿对信托的设立、委托人、受托人、受益人的权利义务及相互之间关系等内容作了修改，并增加了新的规定，共涉及三十多项条款，主要是：

（一）对设立信托的条件作了修改和补充，草案二次审议稿增加规定：设立信托，必须有合法的信托目的；设立信托，必须有确定的信托财产，并且该信托财产必须是委托人合法所有的财产，本法所称财产包括合法的财产权利；设立信托，应当采取书面形式，包括信托合同、遗嘱或者法律、行政法规规定的其他书面文件。同时，还对信托文件应当记载的事项增加了受托人取得信托利益的形式或者方法、信托财产的管理方法、信托期限、新受托人的选任方式等内容。并根据财经委员会的意见，规定委托人以非法财产设立的信托、专以诉讼或者讨债为目的设立的信托，属于无效。（草案二次审议稿第五条、第六条、第七条、第十条）

（二）进一步确定信托财产的独立性。为受益人的利益或者特定目的而设立的信托财产具有一定的独立性，以使信托财产的管理和运用较好地为实现信托目的服务。为此，草案二次审议稿增加规定：信托财产与委托人未设立信托的其他财产相区别，也与受托人原有的财产相区别；委托人、受托人发生死亡、解散、撤销、破产等情形时，信托财产不属于其遗产或者清算财产；除法律规定的情形外，对信托财产不得强制执行，委托人、受托人、受益人对违法强制执行信托财产的行为，有权向人民法院提出异议；受托人管理、处分信托财产取得的债权，不得与其固有财产产生的债务相抵消；受托人管理、处分不同委托人的信托财产所产生的债权债务，

不得相互抵消。(草案二次审议稿第十四条、第十五条、第十六条、第十七条)

(三)关于委托人的权利、义务,草案二次审议稿修改或增加了以下规定:委托人在遇到设立信托时未能预见的情形致使不利于实现信托目的或者不符合受益人的利益时,有权要求受托人调整信托财产的管理方法;受托人违反信托目的处分信托财产,或者违背管理职责,或者有重大过失,致使信托财产受到损失时,委托人有权申请人民法院撤销受托人的处分信托财产的行为,要求受托人恢复信托财产的原状或者予以赔偿,并可以解任受托人。(草案二次审议稿第二十条、第二十一条、第二十二条)

(四)关于受托人的权利、义务,根据财经委员会的意见,草案二次审议稿增加规定:受托人依法将信托事务委托他人代理的,应当对他人处理信托事务的行为承担责任;依法代理受托人处理信托事务的人,应当承担与受托人相同的责任。此外,还同时规定,受托人处理信托事务所支付的费用、对第三人所负债务,以信托财产承担;共同受托人处理信托事务对第三人所负债务,应当承担连带清偿责任;共同受托人之一违背管理职责或者管理信托事务不当,致使信托财产受到损失的,其他受托人应当承担连带赔偿责任等。(草案二次审议稿第二十八条、第三十条、第三十三条、第三十五条)

(五)关于受益人的权利、义务,草案二次审议稿增加规定:受益人可以是自然人、法人或者依法成立的其他组织;共同受益人按照信托文件的规定享受信托利益,信托文件对信托利益的分配比例或者分配方法未作规定的,各受益人按照均等的比例享受信托利益;受益人的信托受益权可以依法转让和继承,但信托文件有限制性规定的除外;受益人不能清偿到期债务的,其信托受益权可以用于清偿债务。(草案二次审议稿第四十一条、第四十三条、第四十五条、第四十六条)

四、关于公益信托的特别规定

为了运用信托这种形式促进公益事业的发展，草案根据公益信托活动的特殊性，设专章作了规定。根据各方面的意见，草案二次审议稿增加了以下规定：一是在公益信托目的中增加规定了扶助残疾人，发展医疗卫生、体育事业，维护生态环境等内容；二是将公益信托的批准机构由信托监督管理部门修改为公益事业管理机构；三是公益事业管理机构对于公益信托活动应当给予支持。（草案二次审议稿第五十七条、第五十九条）

此外，还对草案作了一些文字修改。

草案二次审议稿已按照上述意见作了修改，法律委员会建议全国人大常委会再次审议。由于制定信托法涉及许多复杂问题，草案二次审议稿中还有若干问题仍需进一步研究。为此，法律委员会建议，根据这次常委会的审议意见，并在深入调查研究、广泛征求意见的基础上，再作进一步修改和完善。

草案二次审议稿和以上汇报是否妥当，请审议。

全国人大法律委员会

2000年6月29日

中华人民共和国信托法(草案)

(二次审议稿)

目 录

第一章 总 则

第一条 为了调整信托关系,规范信托行为,保护信托当事人的合法权益,促进信托事业的健康发展,制定本法。

第二条 本法所称信托,是指委托人基于对受托人的信任,将其财产权委托给受托人,由受托人按委托人的意愿以自己的名义,为受益人的利益或者特定目的,进行管理或者处分的行为。

第三条 委托人、受托人、受益人(以下统称信托当事人)在中华人民共和国境内进行民事、营业、公益信托活动,适用本法。

第四条 信托当事人进行信托活动,必须遵守法律、行政法规,遵循自愿、公平和诚实信用原则,不得损害国家利益和社会公共利益。

第二章 信托的设立

第五条 设立信托,必须有合法的信托目的。

第六条 设立信托,必须有确定的信托财产,并且该信托财产必须是委托人合法所有的财产。

本法所称财产包括合法的财产权利。

第七条 设立信托,应当采取书面形式。

书面形式包括信托合同、遗嘱或者法律、行政法规规定的其他书面文件等。

第八条 设立信托,其书面文件应当载明以下事项:

(一)信托目的;

(二)委托人、受托人的姓名或者名称、住所;

(三)受益人或者受益人范围;

(四)信托财产的种类和范围;

(五)受益人取得信托利益的形式、方法。

除前款所列事项外,可以载明信托期限、信托财产的管理方法、新受托人的选任方式等。

第九条 设立信托,受托人接受委托人所委托的财产,法律、行政法规规定应当办理登记手续的,应当依法办理信托登记。

第十条 有下列情形之一的,信托无效:

（一）信托目的违反法律、行政法规；

（二）信托财产不能确定；

（三）委托人以非法财产设立信托；

（四）专以诉讼或者讨债为目的设立信托；

（五）受益人或者受益人范围不能确定；

（六）法律、行政法规规定的其他情形。

第十一条 委托人设立信托损害其债权人利益的，债权人可以申请人民法院撤销该信托。

委托人在信托设立后一年内被宣告破产或者其财产不能清偿到期债务的，视为损害债权人的利益。

人民法院依照本条第一款规定撤销信托的，不影响善意受益人已经取得的信托利益。

本条第一款规定的申请权，自债权人知道或者应当知道撤销原因之日起一年内不行使的，归于消灭。

第十二条 设立遗嘱信托，应当遵守继承法关于遗嘱的规定。

遗嘱指定的人拒绝或者不能担任受托人的，由受益人或者其遗嘱执行人选任新受托人。遗嘱另有规定的，从其规定。

第三章 信托财产

第十三条 受托人因接受信托而取得的财产是信托财产。

受托人因信托财产的管理、处分或者其他情形而取得的财产，也归入信托财产。

法律、行政法规禁止或者限制流通的财产，不得作为信托财产。

第十四条 信托财产与委托人未设立信托的其他财产相区别。设立信托后，委托人死亡或者因解散、被撤销、被宣告破产而终止，委托人是惟一受益人的，信托终止，信托财产作为其遗产或者清算财产;委托人不是惟一受益人的,信托存续,信托财产不作为其遗产或者清算财产,但委托人的信托受益权作为其遗产或者清算财产。

第十五条 信托财产与受托人原所有的财产(以下简称固有财产)相区别,不属于受托人的固有财产。

受托人死亡或者因解散、被撤销、被宣告破产而终止,信托财产不属于其遗产或者清算财产。

第十六条 除因下列情形外,对信托财产不得强制执行:

(一)信托设立前债权人已对该信托财产享有债权,并依法行使该权利的;

(二)受托人处理信托事务所产生债务,债权人要求清偿该债务的;

(三)信托财产本身应担负的税款;

(四)法律规定的其他情形。

对于违反前款规定而强制执行信托财产,委托人、受托人或者受益人有权向人民法院提出异议。

第十七条 受托人管理、处分信托财产取得的债权,不得与其固有财产产生的债务相抵消。

受托人管理、处分不同委托人设立的信托的信托财产所产生的债权债务,不得相互抵消。

第四章 信托当事人

第一节 委 托 人

第十八条 委托人应当是具有完全民事行为能力的自然人、法人或者依法成立的其他组织。

第十九条 委托人有权查阅、抄录或者复制与其信托财产有关的信托账目以及处理信托事务的其他文件。

委托人有权了解其信托财产的管理、处分及收支情况，并有权要求受托人作出说明。

第二十条　因设立信托时未能预见的特别事由，致使信托财产的管理方法不利于实现信托目的或者不符合受益人的利益时，委托人有权要求受托人调整该信托财产的管理方法。

第二十一条　受托人违反信托目的处分信托财产或者因违背管理职责、管理信托事务不当致使信托财产受到损失的，委托人有权申请人民法院撤销该处分行为，并有权要求受托人恢复信托财产的原状或者予以赔偿；该信托财产的受让人明知是违反信托目的而接受该财产的，应当予以返还。

前款规定的申请权，自委托人知道或者应当知道撤销原因之日起一年内不行使的，归于消灭。

第二十二条　受托人违反信托目的处分信托财产，或者管理、处分信托财产有重大过失的，委托人有权申请人民法院解任受托人。

第二节　受　托　人

第二十三条　受托人可以是自然人或者法人。

无民事行为能力人和限制民事行为能力人，不得作为受托人。

第二十四条　受托人应当遵守信托文件的规定，为受益人的最大利益处理信托事务。

受托人管理信托财产，负有与管理其固有财产同等谨慎的义务。

第二十五条　受托人除依照信托文件的约定取得报酬外，不得利用信托财产为自己谋取利益。

受托人违反前款规定，利用信托财产为自己谋取利益的，所得利益归入信托财产。

第二十六条　受托人不得将信托财产转为其固有财产或者以其固有财产与信托财产从事交易，但经委托人或者受益人同意的除外。

第二十七条　受托人必须将信托财产与其固有财产以及其他信托财产分别管理。信托财产为资金的，采取分别记账的方式。

第二十八条　受托人应当自己处理信托事务，但信托文件另有规定或者有不得已事由的，可以委托他人代为处理。

受托人依法将信托事务委托他人代理的，应当对他人处理信托事务的行为承担责任。

依法代理受托人处理信托事务的人，应当承担与受托人相同的责任。

第二十九条　同一信托的受托人有两个以上的，为共同受托人。

共同受托人应当共同处理信托事务。共同受托人意见不一致时，按信托文件规定处理；信托文件未规定的，由受益人或者其利害关系人决定。

第三十条　共同受托人处理信托事务对第三人所负债务，应当承担连带清偿责任。第三人对共同受托人之一所作的意思表示，对其他受托人同样有效。

共同受托人之一违背管理职责或者管理信托事务不当，致使信托财产受到损失的，其他受托人应当承担连带赔偿责任。

第三十一条　受托人应当保存处理信托事务的完整记录。

受托人应当每年定期将信托财产及其收支情况，报告受益人。

第三十二条　受托人以信托财产为限向受益人承担支付信托利益的义务。

第三十三条　受托人有权依照信托文件的约定取得报酬。

受托人处理信托事务，未经信托文件事先约定，不得收取报酬。

约定的报酬经信托当事人协商同意，可以增减其数额。

第三十四条　受托人违反信托目的或者因违背管理职责、管理信托事务不当致使信托财产受到损失的，在未予赔偿或者恢复原状前，不得请求给付报酬。

第三十五条　受托人因处理信托事务所支出的费用、对第三人所负债务，以信托财产承担。

受托人违背管理职责或者管理信托事务不当对第三人所负债务，以其固有财产承担。

第三十六条　信托生效后，经委托人和受益人同意，受托人可以辞任。本法对公益信托的受托人辞任另有规定的，从其规定。

受托人辞任的，在新受托人选出前仍应履行管理信托事务的职责。

第三十七条　受托人有下列情形之一的，其职责终止：

（一）死亡或者被依法宣告死亡；

（二）被依法宣告为无民事行为能力人或者限制民事行为能力人；

（三）被依法撤销或者被宣告破产；

（四）依法解散或者法定资格丧失；

（五）辞任或者被人民法院解任。

受托人职责终止时，其继承人或者遗产管理人、清算人应当妥善保管信托财产，协助新受托人接管信托事务。

第三十八条　受托人职责终止的，依照信托文件规定选任新受托人；信托文件未规定的，由委托人选任；委托人不能或者不指定的，由受益人选任。

原受托人处理信托事务的权利和义务，由新受托人承继。

第三十九条　受托人有本法第三十七条第一款第（三）项至第（五）项所列情形之一，职责终止的，应当作出处理信托事务的报告,并向新受托人办理信托财产和信托事务的移交手续。

前款报告经委托人或者受益人认可,原受托人就报告中所列事项解除责任。但受托人有不正当行为的除外。

第四十条 共同受托人之一职责终止的,信托财产由其他受托人管理和处分。

第三节 受益人

第四十一条 受益人是在信托中享有信托受益权的人。受益人可以是自然人、法人或者依法成立的其他组织。

委托人可以是受益人,也可以是同一信托的惟一受益人。

受托人可以是受益人,但不得是同一信托的惟一受益人。

第四十二条 受益人自信托生效之日起享有信托受益权。信托文件另有规定的,从其规定。

第四十三条 共同受益人按照信托文件的规定享受信托利益。信托文件对信托利益的分配比例或者分配方法未作规定的,各受益人按照均等的比例享受信托利益。

第四十四条 受益人可以放弃信托受益权。

全体受益人放弃信托受益权的,信托终止。

部分受益人放弃信托受益权的,被放弃的信托受益权按下列顺序确定归属:

(一)信托文件规定的人;

(二)其他受益人;

(三)委托人或者其继承人。

第四十五条 受益人不能清偿到期债务的,其信托受益权可以用于清偿债务。

第四十六条 受益人的信托受益权可以依法转让和继承,但信托文件有限制性规定的除外。

第四十七条　受益人享有本法第十九条至第二十二条规定的受托人享有的权利。

受托人违反信托目的处分信托财产,共同受益人之一申请人民法院撤销该处分行为时,人民法院所作出的撤销裁定,对全体共同受益人有效。

第五章　信托的变更与终止

第四十八条　委托人是惟一受益人的,委托人或者其继承人可以解除信托。信托文件另有规定的,从其规定。

委托人不是惟一受益人的,委托人在信托生效后不得变更受益人或者解除信托,也不得处分受益人的信托受益权,但有下列情形之一的除外:

(一)受益人对委托人或者其他受益人有重大侵权行为的;

(二)经受益人同意的;

(三)信托文件另有规定的。

第四十九条　信托不因委托人或者受托人的死亡、丧失民事行为能力、依法解散、被宣告破产或者被依法撤销而终止,也不因受托人的辞任而终止。但本法或者信托文件另有规定的除外。

第五十条　有下列情形之一的,信托终止:

(一)信托文件规定的终止事由发生;

(二)信托的存续违反信托目的;

(三)信托目的已经实现或者不能实现;

(四)信托当事人协商同意;

(五)信托期限届满;

(六)信托被解除。

第五十一条　信托终止,信托财产归属于信托文件规定的人;信托文件没有规定的,按下列顺序确定归属:

(一)受益人或者其继承人;

(二)委托人或者其继承人。

第五十二条 依照前条规定信托财产的归属确定后,在该信托财产转移给权利归属人的过程中,信托视为存续,权利归属人视为受益人。

第五十三条 信托终止后,人民法院依据本法第十六条的规定对原信托财产进行强制执行的,以权利归属人为被执行人。

第五十四条 信托终止后,受托人依照本法规定行使请求给付报酬、从信托财产中获得补偿的权利时,可以留置信托财产或者对信托财产的权利归属人提出请求。

第五十五条 信托终止的,受托人应当作出处理信托事务的清算报告。受益人或者信托财产的权利归属人对清算报告无异议的,受托人就清算报告所列事项解除责任。但受托人有不正当行为的除外。

第六章 公 益 信 托

第五十六条 公益信托适用本章规定,本章未规定的,适用本法及其他相关法律的规定。

第五十七条 为了下列公共利益目的之一而设立的信托,属于公益信托:

(一)救济贫困;

(二)扶助残疾人;

(三)发展教育、科技、文化、艺术、体育事业;

(四)发展医疗卫生事业,维护生态环境;

(五)发展其他社会公益事业。

第五十八条 国家采取优惠措施,鼓励发展公益信托。

第五十九条 设立公益信托,应当经有关公益事业的管理机构(以下简称公益事业管理机构)批准。

公益事业管理机构对于公益信托活动应当给予支持。

第六十条 公益信托的信托财产及其收益,不得用于非公益目的。

第六十一条 公益信托应当设置信托监察人。

信托监察人由信托文件规定。信托文件未规定的,由公益事业管理机构指定。

第六十二条 信托监察人有权以自己的名义,为维护受益人的利益,提起诉讼或者实施其他法律行为。

第六十三条 公益信托的受托人未经公益事业管理机构批准,不得辞任。

第六十四条 公益事业管理机构可以检查受托人处理公益信托事务的情况及财产状况。

受托人应当至少每年一次作出信托事务处理情况及财产状况报告,经信托监察人认可后,报公益事业管理机构核准,并由受托人予以公告。

第六十五条 公益信托的受托人违反信托义务或者不能履行其职责的,由公益事业管理机构变更受托人。

第六十六条 公益信托成立后,发生设立信托时不能预见的情形,公益事业管理机构可以根据信托目的,变更信托文件中的有关条款。

第六十七条 公益信托终止的,受托人应当于终止事由发生之日起十五日内,将终止事由和终止日期报告公益事业管理机构。

第六十八条 公益信托终止的,受托人作出的处理信托事务的情况及财产状况的清算报告,应当经信托监察人认可后,报公益事业管理机构核准,并由受托人予以公告。

第六十九条 公益信托终止,没有信托财产权利归属人或者信托财产权利归属人是不特定的社会公众的,经公益事业管理机构批准，受托人应当将信托财产用于与原公益目的相近似的目的，或者将信托财产转移给具有近似目的的公益组织或者其他公益信托。

第七章　附　　则

第七十条　本法自　　年　　月　　日起施行。

全国人大法律委员会关于《中华人民共和国信托法(草案)》审议结果的报告

全国人民代表大会常务委员会：

九届全国人大常委会第十六次会议对信托法(草案二次审议稿)进行了审议。会后,法制工作委员会将草案印发各地方、各部门、有关研究机构及部分信托机构、金融企业征求意见,还召开了有关法律专家的研讨会,对信托法草案的有关问题进行了专题研究,进一步征求意见。法律委员会于4月5日召开会议,根据常委委员的审议意见和各方面的意见,对草案进行了审议。财政经济委员会、国务院法制办的有关负责同志列席了会议。4月18日法律委员会再次进行了审议。法律委员会认为,信托是一种专门的财产管理制度,在民事活动和市场经济活动中有其自身的功能。随着我国社会主义市场经济的发展,通过信托活动,可以适应个人、企业或者其他组织委托他人管理和运用其财产的需要,对合理管理经营财产,促进社会投资,增进公益事业发展,具有积极的作用。为了在我国建立规范的信托制度,明确和规范信托关系,保护信托活动当事人的合法权益,促进经济的发展,制定信托法是必要的。草案经过常委会两次审议和修改,对信托关系的基本原则和基本规范作出的规定,基本上是可行的。同时提出以下主要修改意见：

一、关于信托法的调整范围

信托法草案二次审议稿根据国务院及有关部门的意见,将本法的调整范围确定在对信托关系作出规定,没有对信托公司进行规定。有些常委委员和地方、信托机构仍主张,在本法中对信托公司的管理作出规定。对此,法律委员会和财政经济委员会进一步作了研究,并再次与国务院法制办、中国人民银行等有关部门进行了协调。通过研究和协调都认为,前几年根据中央和国务院的部署,对信托公司等信托经营机构进行了整顿,并取得了进展,但信托经营机构存在的问题比较复杂。今年初,中国人民银行刚刚发布了信托投资公司管理办法,还需要通过试行进一步总结经验。现在将信托业的管理纳入本法的调整范围,客观条件还不够成熟。鉴于规定信托关系的基本规范对建立信托制度的实际需要和重要作用,同时,信托公司的经营活动和其他信托活动中出现的不少问题也与缺乏信托关系的基本规范有关,因此,先行制定调整信托基本关系的法律是必要的,草案确立的内容基本符合现实情况也是可行的。今后可根据信托实践的发展和积累的经验逐步制定有关信托业方面的法律。

二、关于信托的设立

1. 有些常委委员和地方、部门提出,草案二次审议稿第七条规定设立信托应当采取书面形式,包括信托合同、遗嘱或者其他书面文件。但对信托的成立和效力未作规定,也需要予以明确。因此,法律委员会建议在这一条中增加一款规定:“采取信托合同形式设立信托的,信托合同签订时,信托成立。采取其他书面形式设立信托的,受托人承诺信托时,信托成立。”(草案三次审议稿第七条第三款)

2. 一些地方和部门提出,草案二次审议稿第九条规定:“设立信托,受托人接受信托财产,法律、行政法规规定应当办理登记手续的,应当依法办理信托登记手续。”但是,对不按规定办理信托登记的是否具有法律效力,也应当予以明确。因此,法律委员会建议在这一条中增加一款规定:“未依照前款规定办理信托登记的,应当补办登记手续;不补办的,该信托不产生效力。”(草案三次审议稿第九条第二款)

3. 有些常委委员提出,草案二次审议稿第八条关于信托文件的记载事项中,还应当增加“受托人的报酬”、“信托终止事由”等事项,以使信托文件的内容更加完善。因此,法律委员会建议将第八条第二款修改为:信托文件“除前款所列事项外,可以载明信托期限、信托财产的管理方法、受托人的报酬、新受托人的选任方式、信托终止事由等事项”。(草案三次审议稿第八条第二款)

4. 有些常委委员和一些地方、部门提出,草案二次审议稿第十条关于无效信托的规定,应当进一步完善,如损害社会公共利益的信托行为,应当属于无效信托。因此,法律委员会建议将这一条第一项和第三项分别修改为:“信托目的违反法律、行政法规或者损害社会公共利益”、“委托人以非法财产或者本法规定不得设立信托的财产设立信托”,该信托无效。(草案三次审议稿第十条第一项、第三项)

三、关于信托财产

1. 草案二次审议稿第十三条第三款规定:“法律、行政法规禁止或者限制流通的财产,不得作为信托财产。”一些部门提出,把限制流通的财产一律规定不得设立信托,不符合实际情况,需要修改。因此,法律委员会建议将这一款修改为两款:“法律、行政法规禁止流通的财产,不得作为信托财产”;“法律、行政法规限制流通的财产,依法经有关主管部门批准后,可以作为信托财产。”(草案三次审议稿第十三条第三款、第四款)

2. 为了保证依法设立的信托财产能够用于委托人确定的信托目的和服务于受益人的利益，根据有些地方、部门和法律专家的意见，法律委员会建议将第十五条第一款修改为："信托财产与属于受托人所有的财产（以下简称固有财产）相区别，不得归入受托人的固有财产，或者成为固有财产的一部分。"（草案三次审议稿第十五条第一款）

四、关于受托人的条件及权利义务

1. 一些常委会组成人员和有的地方、部门提出，受托人作为信托活动的一个重要主体，其行为在本法关于其权利义务的规定中作出了规范，但对其以信托机构形式从事信托活动的，还需要有特别资格条件的要求，并制定具体的管理办法。因此，法律委员会建议作以下修改和补充：将第二十三条修改为："受托人应当是具有完全民事行为能力的自然人、法人"；"法律、行政法规对受托人的条件另有规定的，从其规定"（草案三次审议稿第二十三条）。另增加一条规定："受托人采取信托机构的形式，依据本法规定的信托关系从事信托活动的，必须取得合法资格，其具体办法由国务院另行规定。"（草案三次审议稿第四十一条）

2. 一些部门和法律专家提出，在财产管理制度中，受托人应当承担严格的管理职责，草案二次审议稿第二十四条的规定还应当强化。因此，法律委员会建议将这一条修改为："受托人应当遵守信托文件的规定，为受益人的最大利益处理信托事务"；"受托人管理信托财产，必须恪尽职守，履行诚实、信用、谨慎、有效管理的义务"（草案三次审议稿第二十四条）。同时，将第二十六条修改为："受托人不得将信托财产转为其固有财产，不得将其固有财产与信托财产进行交易或者将不同委托人的信托财产进行相互交易，但信托文件另有规定或者经委托人或者受益人同意，并以公平的市场价格进行交易的除外。"（草案三次审议稿第二十六条）

3. 有些地方、部门和法律专家提出，共同受托人处理信托事务，原则上应当共同实施管理行为，但也应当考虑有些事务不一定必须共同处理，应有一定的灵活性。因此，法律委员会建议将第二十九条第二款修改为："共同受托人应当共同处理信托事务，但信托文件规定对某些具体事务由受托人分别处理的，从其规定"；"共同受托人共同处理信托事务，意见不一致时，按信托文件规定处理；信托文件未规定的，由受益人或者其利害关系人决定。"（草案三次审议稿第二十九条第二款、第三款）

4. 有些常委委员和地方、部门提出，受托人为委托人和受益人及信托事务保密的问题应当作出规定。因此，法律委员会建议在第三十一条中增加一款规定："受托人对委托人、受益人以及处理信托事务的情况和资料负有依法保密的义务。"（草案三次审议稿第三十一条第三款）

五、关于信托的变更和解除

一些地方、部门和法律专家提出，草案二次审议稿第四十八条关于委托人变更受益人或解除信托的条件，规定得不够清楚，应当区别不同情况作出不同的规定。因此，法律委员会建议将第四十八条修改为两条：

1. 将表明可以解除信托的第一款列为一条，即："委托人是惟一受益人的，受托人或者其继承人可以解除信托。信托文件另有规定的，从其规定"。（草案三次审议稿第四十九条）

2. 将可以变更受益人或受益权的情形单列为一条，即："设立信托后，有下列情形之一的，委托人可以变更受益人或者处分受益人的信托受益权：（一）受益人对委托人有重大侵权行为；（二）受益人对其他共同受益人有重大侵权行为；（二）经受益人同意；（四）信托文件规定的其他情形"；"有前款第（一）项、第（三）项、第（四）项所列情形之一的，委托人可以解除信托。"（草案三次审

议稿第五十条）

六、关于公益信托

有些常委委员提出，草案二次审议稿第五十七条规定的设立信托的公益目的范围应当与有关法律相衔接，并补充“救助灾民”、“发展环境保护事业”等内容。因此，法律委员会建议将这一条修改为：“为了下列公共利益目的之一而设立的信托，属于公益信托：（一）救济贫困；（二）救助灾民；（三）扶助残疾人；（四）发展教育、科技、文化、艺术、体育事业；（五）发展医疗卫生事业；（六）发展环境保护事业，维护生态环境；（七）发展其他社会公益事业。”（草案三次审议稿第五十九条）

此外，还对草案二次审议稿作了一些文字修改。

草案三次审议稿已按上述意见作了修改。法律委员会认为，在我国现实经济生活中，运用信托关系的活动不断增加，通过制定信托法，有利于调整信托关系和规范信托活动，因此，法律委员会建议经本次常委会会议审议通过。

草案三次审议稿和以上意见是否妥当，请审议。

全国人大法律委员会
2001 年 4 月 18 日

中华人民共和国信托法(草案)

(三次审议稿)

目 录

第一章 总 则

第一条 为了调整信托关系,规范信托行为,保护信托当事人的合法权益,促进信托事业的健康发展,制定本法。

第二条 本法所称信托,是指委托人基于对受托人的信任,将其财产权委托给受托人,由受托人按委托人的意愿以自己的名义,为受益人的利益或者特定目的,进行管理或者处分的行为。

第三条 委托人、受托人、受益人(以下统称信托当事人)在中华人民共和国境内进行民事、营业、公益信托活动,适用本法。

第四条 信托当事人进行信托活动,必须遵守法律、行政法规,遵循自愿、公平和诚实信用原则,不得损害国家利益和社会公共利益。

第二章 信托的设立

第五条 设立信托,必须有合法的信托目的。

第六条 设立信托,必须有确定的信托财产,并且该信托财产必须是委托人合法所有的财产。

本法所称财产包括合法的财产权利。

第七条 设立信托,应当采取书面形式。

书面形式包括信托合同、遗嘱或者法律、行政法规规定的其他书面文件等。

采取信托合同形式设立信托的,信托合同签订时,信托成立。采取其他书面形式设立信托的,受托人承诺信托时,信托成立。

第八条 设立信托,其书面文件应当载明下列事项:

(一)信托目的;

(二)委托人、受托人的姓名或者名称、住所;

(三)受益人或者受益人范围;

(四)信托财产的范围、种类及状况;

(五)受益人取得信托利益的形式、方法。

除前款所列事项外,可以载明信托期限、信托财产的管理方法、受托人的报酬、新受托人的选任方式、信托终止事由等事项。

第九条 设立信托,对于信托财产,有关法律、行政法规规定应当办理登记手续的，应当依法办理信托登记。

未依照前款规定办理信托登记的，应当补办登记手续；不补办的，该信托不产生效力。

第十条　有下列情形之一的，信托无效：

（一）信托目的违反法律、行政法规或者损害社会公共利益；

（二）信托财产不能确定；

（三）委托人以非法财产或者本法规定不得设立信托的财产设立信托；

（四）专以诉讼或者讨债为目的设立信托；

（五）受益人或者受益人范围不能确定；

（六）法律、行政法规规定的其他情形。

第十一条　委托人设立信托损害其债权人利益的，债权人有权申请人民法院撤销该信托。

人民法院依照前款规定撤销信托的，不影响善意受益人已经取得的信托利益。

本条第一款规定的申请权，自债权人知道或者应当知道撤销原因之日起一年内不行使的，归于消灭。

第十二条　设立遗嘱信托，应当遵守继承法关于遗嘱的规定。

遗嘱指定的人拒绝或者无能力担任受托人的，由受益人另行选任受托人；受益人为无民事行为能力人或者限制民事行为能力人的，依法由其监护人代行选任。遗嘱对选任受托人另有规定的，从其规定。

第三章　信 托 财 产

第十三条　受托人因承诺信托而取得的财产是信托财产。

受托人因信托财产的管理运用、处分或者其他情形而取得的财产，也归入信托财产。

法律、行政法规禁止流通的财产,不得作为信托财产。

法律、行政法规限制流通的财产,依法经有关主管部门批准后,可以作为信托财产。

第十四条 信托财产与委托人未设立信托的其他财产相区别。设立信托后,委托人死亡或者依法解散、被依法撤销、被宣告破产时,委托人是惟一受益人的,信托终止,信托财产作为其遗产或者清算财产;委托人不是惟一受益人的,信托存续,信托财产不作为其遗产或者清算财产;但作为共同受益人的委托人死亡或者依法解散、被依法撤销、被宣告破产时,其信托受益权作为其遗产或者清算财产。

第十五条 信托财产与属于受托人所有的财产(以下简称固有财产)相区别,不得归入受托人的固有财产,或者成为固有财产的一部分。

受托人死亡或者依法解散、被依法撤销、被宣告破产而终止,信托财产不属于其遗产或者清算财产。

第十六条 除因下列情形之一外,对信托财产不得强制执行:

(一)设立信托前债权人已对该信托财产享有优先受偿的权利,并依法行使该权利的;

(二)受托人处理信托事务所产生债务,债权人要求清偿该债务的;

(三)信托财产本身应担负的税款;

(四)法律规定的其他情形。

对于违反前款规定而强制执行信托财产,委托人、受托人或者受益人有权向人民法院提出异议。

第十七条 受托人管理运用、处分信托财产所产生的债权,不得与其固有财产产生的债务相抵消。

受托人管理运用、处分不同委托人的信托财产所产生的债权债务,不得相互抵消。

第四章　信托当事人

第一节　委　托　人

第十八条　委托人应当是具有完全民事行为能力的自然人、法人或者依法成立的其他组织。

第十九条　委托人有权了解其信托财产的管理运用、处分及收支情况,并有权要求受托人作出说明。

委托人有权查阅、抄录或者复制与其信托财产有关的信托账目以及处理信托事务的其他文件。

第二十条　因设立信托时未能预见的特别事由,致使信托财产的管理方法不利于实现信托目的或者不符合受益人的利益时,委托人有权要求受托人调整该信托财产的管理方法。

第二十一条　受托人违反信托目的处分信托财产或者因违背管理职责、处理信托事务不当致使信托财产受到损失的,委托人有权申请人民法院撤销该处分行为,并有权要求受托人恢复信托财产的原状或者予以赔偿;该信托财产的受让人明知是违反信托目的而接受该财产的,应当予以返还或者予以赔偿。

前款规定的申请权,自委托人知道或者应当知道撤销原因之日起一年内不行使的,归于消灭。

第二十二条　受托人违反信托目的处分信托财产或者管理运用、处分信托财产有重大过失的,委托人有权依照信托文件的规定解任受托人,或者申请人民法院解任受托人。

第二节　受　托　人

第二十三条　受托人应当是具有完全民事行为能力的自然

人、法人。

法律、行政法规对受托人的条件另有规定的,从其规定。

第二十四条 受托人应当遵守信托文件的规定,为受益人的最大利益处理信托事务。

受托人管理信托财产,必须恪尽职守,履行诚实、信用、谨慎、有效管理的义务。

第二十五条 受托人除依照信托文件的约定取得报酬外,不得利用信托财产为自己谋取利益。

受托人违反前款规定,利用信托财产为自己谋取利益的,所得利益归入信托财产。

第二十六条 受托人不得将信托财产转为其固有财产,不得将其固有财产与信托财产进行交易或者将不同委托人的信托财产进行相互交易,但信托文件另有规定或者经委托人或者受益人同意,并以公平的市场价格进行交易的除外。

第二十七条 受托人必须将信托财产与其固有财产分别管理,并将不同委托人的信托财产分别管理。信托财产为资金的,采取分别记账的方式。

第二十八条 受托人应当自己处理信托事务,但信托文件另有规定或者有不得已事由的,可以委托他人代为处理。

受托人依法将信托事务委托他人代理的,应当对他人处理信托事务的行为承担责任。

第二十九条 同一信托的受托人有两个以上的,为共同受托人。

共同受托人应当共同处理信托事务,但信托文件规定对某些具体事务由受托人分别处理的,从其规定。

共同受托人共同处理信托事务,意见不一致时,按信托文件规定处理;信托文件未规定的,由受益人或者其利害关系人决定。

第三十条 共同受托人处理信托事务对第三人所负债务,应当承担连带清偿责任。第三人对共同受托人之一所作的意思表示,对其他受托人同样有效。

共同受托人之一违反信托目的处分信托财产或者因违背管理职责、处理信托事务不当致使信托财产受到损失的,其他受托人应当承担连带赔偿责任。

第三十一条　受托人应当保存处理信托事务的完整记录。

受托人应当每年定期将信托财产的管理运用、处分及收支情况,报告委托人和受益人。

受托人对委托人、受益人以及处理信托事务的情况和资料负有依法保密的义务。

第三十二条　受托人以信托财产为限向受益人承担支付信托利益的义务。

第三十三条　受托人有权依照信托文件的约定取得报酬。

受托人处理信托事务,未经信托文件事先约定,不得收取报酬。

约定的报酬经信托当事人协商同意,可以增减其数额。

第三十四条　受托人违反信托目的处分信托财产或者因违背管理职责、处理信托事务不当致使信托财产受到损失的,在未恢复信托财产的原状或者未予赔偿前,不得请求给付报酬。

第三十五条　受托人因处理信托事务所支出的费用、对第三人所负债务,以信托财产承担。受托人以其固有财产先行支付的,对信托财产享有优先受偿的权利。

受托人违背管理职责或者处理信托事务不当对第三人所负债务或者自己所受到的损失,以其固有财产承担。

第三十六条　设立信托后,经委托人和受益人同意,受托人可以辞任。本法对公益信托的受托人辞任另有规定的,从其规定。

受托人辞任的,在新受托人选出前仍应履行管理信托事务的职责。

第三十七条 受托人有下列情形之一的,其职责终止:

(一)死亡或者被依法宣告死亡;

(二)被依法宣告为无民事行为能力人或者限制民事行为能力人;

(三)被依法撤销或者被宣告破产;

(四)依法解散或者法定资格丧失;

(五)辞任或者被解任;

(六)法律、行政法规规定的其他情形。

受托人职责终止时,其继承人或者遗产管理人、监护人、清算人应当妥善保管信托财产,协助新受托人接管信托事务。

第三十八条 受托人职责终止的,依照信托文件规定选任新受托人;信托文件未规定的,由委托人选任;委托人不指定或者无能力指定的,由受益人选任;受益人为无民事行为能力人或者限制民事行为能力人的,依法由其监护人代行选任。

原受托人处理信托事务的权利和义务,由新受托人承继。

第三十九条 受托人有本法第三十七条第一款第(三)项至第(六)项所列情形之一,职责终止的,应当作出处理信托事务的报告,并向新受托人办理信托财产和信托事务的移交手续。

前款报告经委托人或者受益人许可,原受托人就报告中所列事项解除责任。但原受托人有不正当行为的除外。

第四十条 共同受托人之一职责终止的,信托财产由其他受托人管理和处分。

第四十一条 受托人采取信托机构的形式,依据本法规定的信托关系从事信托活动的,必须取得合法资格,其具体办法由国务院另行规定。

第三节　受　益　人

第四十二条　受益人是在信托中享有信托受益权的人。受益人可以是自然人、法人或者依法成立的其他组织。

委托人可以是受益人，也可以是同一信托的惟一受益人。

受托人可以是受益人，但不得是同一信托的惟一受益人。

第四十三条　受益人自信托生效之日起享有信托受益权。信托文件另有规定的，从其规定。

第四十四条　共同受益人按照信托文件的规定享受信托利益。信托文件对信托利益的分配比例或者分配方法未作规定的，各受益人按照均等的比例享受信托利益。

第四十五条　受益人可以放弃信托受益权。

全体受益人放弃信托受益权的，信托终止。

部分受益人放弃信托受益权的，被放弃的信托受益权按下列顺序确定归属：

（一）信托文件规定的人；

（二）其他受益人；

（三）委托人或者其继承人。

第四十六条　受益人不能清偿到期债务的，其信托受益权可以用于清偿债务，但法律、行政法规以及信托文件有限制性规定的除外。

第四十七条　受益人的信托受益权可以依法转让和继承，但信托文件有限制性规定的除外。

第四十八条　受益人可以行使本法第十九条至第二十二条规定的委托人享有的权利。受益人行使上述权利，与委托人意见不一致时，可以申请人民法院作出裁定。

受托人有本法第二十一条第一款所列行为，共同受益人之一申请人民法院撤销该处分行为的,人民法院所作出的撤销裁定,对全体共同受益人有效。

第五章　信托的变更与终止

第四十九条　委托人是惟一受益人的,委托人或者其继承人可以解除信托。信托文件另有规定的,从其规定。

第五十条　设立信托后,有下列情形之一的,委托人可以变更受益人或者处分受益人的信托受益权:

(一)受益人对委托人有重大侵权行为;

(二)受益人对其他共同受益人有重大侵权行为;

(三)经受益人同意;

(四)信托文件规定的其他情形。

有前款第(一)项、第(三)项、第(四)项所列情形之一的,委托人可以解除信托。

第五十一条　信托不因委托人或者受托人的死亡、丧失民事行为能力、依法解散、被依法撤销或者被宣告破产而终止,也不因受托人的辞任而终止。但本法或者信托文件另有规定的除外。

第五十二条　有下列情形之一的,信托终止:

(一)信托文件规定的终止事由发生;

(二)信托的存续违反信托目的;

(三)信托目的已经实现或者不能实现;

(四)信托当事人协商同意;

(五)信托被撤销;

(六)信托被解除。

第五十三条　信托终止的,信托财产归属于信托文件规定的人;信托文件没有规定的,按下列顺序确定归属:

(一)受益人或者其继承人;

（二）委托人或者其继承人。

第五十四条　依照前条规定，信托财产的归属确定后，在该信托财产转移给权利归属人的过程中，信托视为存续，权利归属人视为受益人。

第五十五条　信托终止后，人民法院依据本法第十六条的规定对原信托财产进行强制执行的，以权利归属人为被执行人。

第五十六条　信托终止后，受托人依照本法规定行使请求给付报酬、从信托财产中获得补偿的权利时，可以留置信托财产或者对信托财产的权利归属人提出请求。

第五十七条　信托终止的，受托人应当作出处理信托事务的清算报告。受益人或者信托财产的权利归属人对清算报告无异议的，受托人就清算报告所列事项解除责任。但受托人有不正当行为的除外。

第六章　公 益 信 托

第五十八条　公益信托适用本章规定，本章未规定的，适用本法及其他相关法律的规定。

第五十九条　为了下列公共利益目的之一而设立的信托，属于公益信托：

（一）救济贫困；

（二）救助灾民；

（三）扶助残疾人；

（四）发展教育、科技、文化、艺术、体育事业；

（五）发展医疗卫生事业；

（六）发展环境保护事业，维护生态环境；

（七）发展其他社会公益事业。

第六十条　国家采取优惠措施，鼓励发展公益信托。

第六十一条 设立公益信托,应当经有关公益事业的管理机构(以下简称公益事业管理机构)批准。

公益事业管理机构对于公益信托活动应当给予支持。

第六十二条 公益信托的信托财产及其收益,不得用于非公益目的。

第六十三条 公益信托应当设置信托监察人。

信托监察人由信托文件规定。信托文件未规定的,由公益事业管理机构指定。

第六十四条 信托监察人有权以自己的名义,为维护受益人的利益,提起诉讼或者实施其他法律行为。

第六十五条 公益信托的受托人未经公益事业管理机构批准,不得辞任。

第六十六条 公益事业管理机构可以检查受托人处理公益信托事务的情况及财产状况。

受托人应当至少每年一次作出信托事务处理情况及财产状况报告,经信托监察人认可后,报公益事业管理机构核准,并由受托人予以公告。

第六十七条 公益信托的受托人违反信托义务或者无能力履行其职责的,由公益事业管理机构变更受托人。

第六十八条 公益信托成立后,发生设立信托时不能预见的情形,公益事业管理机构可以根据信托目的,变更信托文件中的有关条款。

第六十九条 公益信托终止的,受托人应当于终止事由发生之日起十五日内,将终止事由和终止日期报告公益事业管理机构。

第七十条 公益信托终止的,受托人作出的处理信托事务的清算报告,应当经信托监察人认可后,报公益事业管理机构核准,并由受托人予以公告。

第七十一条 公益信托终止,没有信托财产权利归属人或者信托财产权利归属人是不特定的社会公众的，经公益事业管理机构批准，受托人应当将信托财产用于与原公益目的相近似的目的，或者将信托财产转移给具有近似目的的公益组织或者其他公益信托。

第七章　附　　则

第七十二条　本法自 2002 年 1 月 1 日起施行。

关于税收征收管理法等四个法律草案修改意见的报告（节录）

（2001 年 4 月 27 日）

全国人大法律委员会主任委员　王维澄

本次会议于 2001 年 4 月 24 日下午、25 日上午、25 日下午、26 日上午对税收征收管理法（修订草案）、信托法（草案三次审议稿）、关于修改婚姻法的决定（草案）、国防教育法（草案二次审议稿）分组进行了审议。大家认为，上述四个法律草案吸收了常委会组成人员和地方、部门、专家的意见，已经比较成熟，建议本次常委会会议通过。同时，也提出了一些修改意见。法律委员会于 4 月 25 日下午、26 日上午、26 日下午、27 日上午召开会议，财政经济委员会、内务司法委员会、教育科学文化卫生委员会的负责同志列席了有关会议，逐条研究了委员们的意见，提出了进一步修改意见。

一、关于税收征收管理法（修订草案）（略）

二、关于信托法（草案三次审议稿）

（一）有些常委委员提出，先对信托关系作出规范可以适应当前的现实需要，有关调整信托业的法律今后可以根据条件逐步制定，但在本法中应增加信托机构的设立、组织形式、管理等由国务院制定具体办法的条款，并应放在总则中。因此，法律委员会建议在总则中增加一条规定："受托人采取信托机构形式从事信托活动，其组织和管理由国务院制定具体办法。"（建议表决稿第四条）

（二）有些常委委员提出，对受托人违反信托文件的规定给信托财产造成损害的，应规定相应的责任，以增强规范性。因此，法律委员会建议在草案中增加这方面的规定，并将草案第二十六条修改为两条：

1. "受托人不得将信托财产转为其固有财产。受托人将信托财产转为其固有财产的，必须恢复该信托财产的原状；造成信托财产损失的，应当承担赔偿责任。"（建议表决稿第二十七条）

2. "受托人不得将其固有财产与信托财产进行交易或者将不同委托人的信托财产进行相互交易，但信托文件另有规定或者经委托人或者受益人同意，并以公平的市场价格进行交易的除外"；"受托人违反前款规定，造成信托财产损失的，应当承担赔偿责任。"（建议表决稿第二十八条）

（三）有的专门委员会委员提出，草案关于受托人处理信托事务收取报酬的规定，还应当再具体一些。因此，法律委员会建议将草案第三十三条修改为："受托人有权依照信托文件的约定取得报酬。信托文件未作事先约定的，经信托当事人协商同意，可以作出补充约定；未作事先约定和补充约定的，不得收取报酬。"（建议表决稿第三十五条）

（四）有些常委委员提出，为防止利用公益信托进行违法活动，应当加强对公益信托的管理。因此，法律委员会建议作如下的修改和补充：

1. 将草案第六十一条第一款修改为："公益信托的设立和确定其受托人，应当经有关公益事业的管理机构（以下简称公益事业管理机构）批准。"（建议表决稿第六十二条第一款）

2. 在草案第六十一条中增加一款规定:“未经公益事业管理机构的批准,不得以公益信托的名义进行活动。”(建议表决稿第六十二条第二款)

在审议中,有些常委委员提出,草案第五十九条规定的公益信托的范围过大。经过研究,法律委员会认为,草案规定的公益目的的范围与公益事业捐赠法的规定是对应的,建议维持这一规定。

有些常委委员提出,本法中应当考虑专章规定法律责任。经过研究,法律委员会认为,法律责任一般包括民事责任、行政责任和刑事责任三个部分,本法调整的是信托关系,信托当事人之间发生的民事责任,已在有关章节中分别作出了规定。信托机构违反行政管理规定的,可以由国务院在管理办法中规定行政处罚。对信托活动中非法侵占信托财产、进行欺诈等构成犯罪的行为,可以直接适用刑法的有关规定,追究刑事责任。因此,建议本法中不再单设法律责任一章。

三、关于修改婚姻法的决定(草案)(略)

四、关于国防教育法(草案二次审议稿)(略)

此外,还对上述四个法律草案作了一些文字修改。

以上修改意见,请审议。

附录二：

九届全国人大常委会第十六次会议分组审议信托法(草案)二次审议稿的意见

九届全国人大常委会第十六次会议分组对信托法(草案)二次审议稿进行了审议。现将委员们的审议意见简报如下：

一、关于信托法的调整范围

有的委员提出,信托法草案是调整信托关系的法律,在当前有它的积极意义。要进一步考虑与现行有关法律体系的结合,强调适用性。有的委员提出,我国信托业刚起步,草案二次审议稿对信托业只作原则上的规范比较符合实际情况。有的委员提出,同意法律委员会对信托法草案修改情况的汇报,草案二次审议稿内容比较好。有的同志提出,信托法调整规范信托关系,而信托业的规范问题留待国务院另外作规定。现在迫切希望信托法尽快出台,规范信托业的法规也尽早出台。

有的同志提出,信托法草案只规定了信托基本法律关系,未对信托业作出规定。但信托财产和信托关系必须由合法的管理机构或者经营机构来实现,因信托业机构形式较为复杂,可以在本法中不作具体规定。但是建议在附则中增加一条规定:“按照本法所确定的信托基本法律关系以及其他相关法律的规定,可以设立不同形式的信托经营管理机构,具体办法由国务院另行颁布。”有的委员建议在附则中增加规定:“经营信托业务的金融性信托公司的设立和规范,由国务院另行规定”,这样在信托法中先授权国务院制定行政法规,待时机成熟后,再纳入法律调整。

有的委员提出,信托法草案二次审议稿删去了有关信托公司的内容。这样修改后的草案,无法操作,没有现实意义。一部有用的信托法应当对信托业务有基本的规定。有的委员提出,初次审议信托法草案时,主要针对信托公司存在的问题提出了一些审议意见,此次修改后,这部分内容抽掉了,而以民事信托为主立法,这在目前意义就不大了,建议使这个法更成熟规范。有的委员提出,我国最迫切需要解决的是规范信托公司的行为,现在二次审议稿只调整界定信托中的一些基本关系,建议把有关信托公司部分研究清楚以后再制定信托法。有的委员提出,信托公司是非银行金融机构,在其发展过程中出现了一些问题,主要是有章不循,无法可依,审批不严,监管不力,应保留有关信托公司的规定,否则,宁可待条件成熟时再立法。

二、关于信托法的立法时机

有的同志提出,目前我国信托业正在进行清理整顿,在法律上如何加以规范尚需进一步总结经验。建议对信托法的调整范围和内涵进一步完善,针对性更强些,待条件成熟后再出台为宜。有的委员提出,信托法草案二次审议稿规定的民事信托行为离我国现实还很远,对我国的社会针对性不是很强。有的委员提出,信托法草案修改情况的汇报未讲清制定信托法的现实性与必要性,草案二次审议稿针对性不强,建议暂缓制定。有的委员提出,信托行业正在改革之中,还不规范。信托业发展中也存在一些风险和其他体制相互关系的处理,以及具体经营机制还不健全等问题。因此,建议暂时不宜出台信托法,可由国务院及有关部门起草通过一个信托业管理条例,可试行几年,再立法。

有的常委会组成人员提出,信托法草案二次审议稿目前只从信托关系上加以规范,体制、法律责任未规定,效力有限。虽然出台本法很必要,但不够成熟,不宜急于出台。目前国务院正在制定信托管理条例,还是先制定行政法规为好。

有的常委会组成人员提出,目前在我国设立信托公司,开展信托业务都属于探索性的事业,许多东西还未定型,要制定一个完备的信托法比较困难,希望在制定修改中慎重考虑。

三、关于信托的定义

有的委员提出,第二条中规定委托人"将其财产权委托给受托人","财产权"一词不够确切,且与其他条文中对"信托财产"和"财产权利"的提法不一致。建议将"财产权"修改为"财产或者财产权利"。有的同志提出,信托法草案应区别信托与委托关系,信托是广义物权法的范畴,信托要把财产权转给受托人,草案第二条用"委托"不妥,应改为"移转",草案中也不应使用委托人的概念,改为"信托人"。

有的同志提出,第三条所称"信托当事人"中,除了委托人、受托人、受益人之外,还需要加入信托管理人(信托监察人)。信托管理人应承担维护受益人利益的职责,同时也应有行使管理的权利。

四、关于信托文件的记载事项

有的委员提出,信托期限是设立信托的一个重要因素,建议将"信托期限"作为信托文件应当载明的内容之一。

有的委员提出,草案第三十三条规定受托人有权依照信托文件的规定取得报酬,但第八条规定的信托文件中没有这个内容,建议增加规定受托人依法处理信托事务取得合法报酬的内容。

有的委员建议,在信托文件中增加"受托人应当承担的法律责任”一项。

有的委员建议增加规定:“设立信托可以采用电子文件的形式”。

五、关于信托财产

有的委员提出,信托期间财产所有权在修改草案中没有明确,建议考虑。有的同志提出,应明确信托财产权的概念和内容,建议第十三条规定“信托财产权是受托人依据法律、信托文件而享有的对信托财产的管理、使用和处分权”。还要区分信托财产与受托人的固有财产,建议在第十五条中规定“信托财产不受受托人的债权人的追击”。

六、关于受托人的权利和义务

有的同志提出,草案关于受托人的资质问题规定力度不够,应明确具备什么能力的自然人、什么经济能力、资历的法人才有资格担任受托人。有的同志提出,应对“受托人”中的“法人”作出原则规定,建议增加规定“受托人中的法人是依照本法、公司法和国家有关规定设立的、经信托管理部门批准的经营信托业务的金融机构”。

有的同志提出,第二十四条第一款规定受托人“为受益人的最大利益处理信托事务”,建议修改为“为受益人的利益而公正、诚实、谨慎处理信托事务”。

有的委员建议在第二十八条中明确规定,受托人在信托文件没有约定的情况下,委托他人代为处理信托事务,应当事先征求委托人、受益人或其他利害关系人的意见。

有的委员提出,委托人与受托人权利义务应当尽量均衡,这样才有利于信托业的发展。草案二次审议稿对委托人权益保护的比较充分,对受托人的权益保护不够,建议修改。

七、关于公益信托

有的委员提出，公益信托在我国应当提倡，不要搞太难的审批手续，建议将草案二次审议稿对设立公益信托需要批准的规定修改为登记制。

有的委员提出，第六十一条中公益信托的信托监察人是指机构还是个人？如是几个监察人，相互间是什么关系，应承担哪些责任？建议予以明确规定。

有的同志建议在第六十四条第一款中应增加规定公益信托监察人可以检查受托人处理公益信托事务的情况和财产状况；将第六十六条修改为：发生不能预见的情形之后，“信托监察人应向委托人提出报告，并根据信托目的，向公益事业管理机构提出变更信托文件中的有关条款。”

八、关于信托的主管部门

一些委员提出，根据执法检查的经验，法律落实不好，重要原因之一是主管部门没有明确，建议在信托法中规定明确的主管部门。

九、关于法律责任

有的委员提出，为防止利用受托之机违法谋财，应有法律责任的专条规定予以制裁。

有的委员提出，草案中应设法律责任一章，这样法律才能完整，法院在处理信托纠纷时才有法可依。

有的委员建议在信托法草案中增加法律责任的规定。

（法制工作委员会办公室）

各地方和中央有关部门对信托法（草案）二次审议稿的意见

九届全国人大常委会第十六次会议对信托法（草案）二次审议稿进行审议后，法制工作委员会将草案印发各地方、中央有关部门、有关研究机构及部分信托机构、金融机构征求意见。各方面认为，制定信托法，对健全我国社会主义市场经济的法律制度，进一步规范信托行为，保护信托当事人的合法权益，促进信托事业的健康发展，很有必要。草案二次审议稿在许多方面作了进一步的完善，基本可行，应当加快信托法的立法工作。同时，对草案二次审议稿提出了以下意见和建议：

一、关于信托法的调整范围

有些地方、部门提出，信托法（草案）二次审议稿通过对原草案进行的修改，主要规定信托的基本关系，而信托公司从事营业性信托活动的管理另作规定，是可行的，比较规范、准确，符合我国目前的实际，建议进一步修改后及时出台。

有的地方、部门提出，我国信托业所从事的业务并不是真正意义上的信托业务，现在的草案仅仅规定信托基本关系，没有对信托公司的活动作出规范。建议对信托市场准入、经营范围、市场退出、监督管理及法律责任等内容，由国务院以条例形式尽快作出有关规定，或者将信托公司营业信托的原则规定纳入信托法。

有的部门、地方提出，在信托法草案中增加一条授权规定：有关从事营业性信托业务的信托经营机构的监督管理办法，由国务院或者国务院有关部门制定，或者规定“信托公司及从事营业性信托活动，本法未作规定的，由法律、行政法规另行规定”。

有的地方和部门提出，制定信托法要考虑与其他法律的衔接关系，特别是处理好与我国民法通则、合同法和继承法中的有关规定的关系。

二、关于信托关系的适用范围

信托法（草案）二次审议稿第三条规定：“委托人、受托人、受益人（以下统称信托当事人）在中华人民共和国境内进行民事、营业、公益信托活动，适用本法。”

有的地方和部门提出，这一条仅仅调整、规范在我国境内的信托活动，没有考虑到我国有关部门、单位和国有企业在境外设立企业或将资金直接委托境外当事人经营的情况，由于没有建立相关的涉外信托合同关系，发生了国有财产在境外流失的情况，信托法应规范、保护我国公民、法人特别是国有企业法人在境外的信托活动及其合法权益。

有的地方和部门提出，将信托活动界定在民事、营业和公益信托三种类别，分类不太准确，建议改为“民事、商事和公益信托”三个类别，或将其改为“营业、非营业和公益信托”三个类别。有的地方和部门提出信托法调整的不限于“委托人、受托人和受益人”三个信托当事人，因为还有第三人、法院、信托监察人等信托活动参与人未被列举，应予考虑。

有的地方建议对营业信托的特殊性要作明确规定，比如营业信托的税制问题、信托资金的集中运用、营业信托中的赔偿准备金制度等等。有的地方和部门提出，在信托法中要规范有关资金信托和投资基金或证券投资信托和贷款信托。

三、关于信托的定义

有的地方和部门提出，建议在第二条有关信托的定义中明确规定，信托财产的所有权或财产权转移给受托人，或者将委托人所有或有权处分的特定财产交付给受托人；有的地方建议明确受托人对信托财产具有使用权和支配权；有的单位提出，应强调信托是以受托人的名义进行的财产管理和处分，将“管理和处分”改为“占有、收益或处分”。

四、信托的设立

1. 有的地方建议在草案第七条中增加规定设立信托可以采取书面形式之外的“其他方式”，以适应电子商务、互联网等新的方式；建议对未订立书面协议的事实上的财产信托关系也应承认；建议对设立信托的书面形式应作公证。

2. 有的地方、部门建议增加关于信托成立的规定，以信托合同设立信托的，信托关系自委托人将信托财产转移至受托人后生效；以遗嘱设立信托的，信托关系自受托人明确表示接受信托、受领信托财产后生效；司法机关、行政机关依法设立信托的，信托关系自司法、行政机关指定受托人后生效；对信托的成立和信托关系效力的产生等问题，应在草案第九条中予以明确。

3. 有的地方、部门建议第八条信托文件的记载内容中增加“受托人取得报酬的方式和条件”、“信托终止的事由及处理”等内容；增加“信托争议的处理方式”和“信托财产的价值”的内容。

4. 有的地方、部门建议增加规定信托财产的公告明示制度；建议对办理信托财产登记的机构及其手续作出明确规定，并明确登记的法律效力；非经登记不能对抗第三人。

5. 有的部门、地方提出，在草案第十条中，建议增加规定“损害社会公共利益的信托”、“以欺诈、胁迫手段设立的信托”或“损害国家利益的信托”为无效信托；增加规定“受托人主体资格不符合法定条件的”为无效信托；建议将本条第二项改为“信托财产所有权关系不明确”，并具体界定第三项中规定的“非法财产”的界限，在非法财产之后增加“无权处分的财产”的内容；在本条增加规定“信托财产不存在”的情形。

五、关于信托财产

1. 有的部门提出，草案规定设立信托必须有确定的信托财产，并且该信托财产必须是委托人合法所有的财产，这样规定还不够，还应包括委托人“依照法定授权享有管理权的财产”；应明确信托财产是否包括无形财产及其孳息。

2. 有的地方为防止法人通过信托转移资产或逃避银行债务，建议规定对法人设定他人为受益人的信托的控制手段；建议增加规定“信托成立后，除委托人和受托人外，不得在信托财产上设定担保”。

3. 有的部门建议在草案第三章中增加规定有关信托财产管理方法和依法申请变更的程序；应增加规定股票作为信托财产时的移交登记。

4. 有的地方、部门建议规定信托设立前债权人已对信托财产享有“担保物权”或“其他物权和物上优先权”的，可以申请强制执行。对违反本法规定强制执行信托财产的，该强制执行应为无效，人民法院应中止执行。

5. 有的单位提出，草案第十五条第二款中应规定例外的情形，当受托人为受益人的，其受益权应作为其遗产或清算财产。

六、关于信托当事人

1. 有的地方和部门提出，草案第二十一条第一款规定受托人违背管理职责处分信托财产，除恢复信托财产的原状或予以赔偿外，还应规定其对信托财产造成的损失应当赔偿，并加重恶意受让人的责任；建议将委托人向人民法院申请撤销该处分行为的申请权改为直接由其行使撤销权。

2. 有的地方提出，草案第二十二条仅规定了委托人非以司法程序不得解任受托人，不妥，可以考虑由委托人自行解任受托人，或增加规定委托人解任受托人，可由信托文件或信托合同约定。

3. 有的部门、地方建议在草案第二十三条中增加规定“依法成立的其他组织”可以成为受托人；建议规定个人合伙和个人独资企业可以成为受托人；建议将受托人为自然人的情形仅限于遗嘱确定的信托方式或民事信托；建议规定法人作为受托人时，必须符合法律、行政法规规定的条件；建议具体规定受托人的资格条件。鉴于其他法律已规定证券公司、商业银行不得经营信托业务，因此要对受托人规定例外的情况；建议增加规定：“经营营业性信托业务的受托人，应当是经国务院有关监督管理机关核准的企业法人”。

4. 有的地方、单位建议在草案第二十四条中增加规定“受托人负有善良管理的义务”，或者规定“负有与管理和处分其固有财产同等勤勉、谨慎的义务”。

5. 有的单位建议在草案第二十九条第二款中规定共同处理信托事务的受托人意见不一致时，委托人有权作出决定；或只应由委托人和受益人决定，不应包括利害关系人，利害关系人的概念不清，应予明确。

6. 有的地方、单位建议在草案第三十一条第一款中增加规定，受托人对信托事务以及委托人、受益人等秘密或隐私应当加以保密。在第二款中增加规定受托人应将信托财产及收支情况报告“委托人”。

7. 有的地方、单位提出，在草案第三十五条中应明确：受托人因处理信托事务所支出的费用、所负债务，受托人是否就信托财产享有优先于无担保债权人的受偿权利？信托财产不足补偿的，受托人是否可以要求受益人清偿或提供担保？受托人是否可以拒绝将信托财产交还受益人；建议规定，受托人在处理信托事务中非因自己的过失遭受损失的，有权请求委托人或者受益人给予补偿，但受益人放弃信托利益的，不在此限。建议明确受托人与第三人恶意串通损害受益人利益的，应如何承担责任？

8. 有的部门建议在草案第三十六条中增加规定，受托人辞任应对信托财产的损失负赔偿责任；并增加规定受托人有过错的，委托人或受益人可以申请将其解任。

9. 有的地方、部门草案第三十八条第一款关于受托人的职责终止后在受益人无能力选任受托人时，可以考虑增加规定由其监护人选任受托人，一段时期仍选不出，则信托终止，或由人民法院选任新的受托人。

10. 有的地方、单位建议在草案第四十一条受益人范围中增加规定“国家”和“未出生的胎儿”。

11. 有的单位建议增列一条：“信托财产的管理方法，可以经委托人、受托人及受益人的同意变更；信托财产的管理方法因情事变更致使不符合受益人的利益时，委托人、受益人或受托人可以申请人民法院变更。”

七、关于信托的变更和终止

1. 有的地方提出，草案第五十条第四项规定经“信托当事人”协商同意，可以终止信托，在实际中容易发生纠纷，应改为经“委托人与受益人协商同意”，可以终止信托。

2. 有的单位建议在草案第五十一条中规定：信托终止，在委托人、受益人都没有继承人的情况下，信托财产归国家或集体所有。

八、关于公益信托

1. 有的地方和部门建议，将草案第五十七条公益信托的范围与公益事业捐赠法第三条规定的公益事业范围一致起来。建议增加一项"减灾救灾"；第三项增加"救助孤儿和孤寡老人"；将第四项中的"维护生态环境"单列一项；建议增加一项"保护未成年人"。

2. 有的地方、部门建议增加规定公益信托监督管理部门的审批权，明确其性质、职能和管理权限；应增加规定公益事业管理机构撤销公益信托许可的条件。公益信托有利于社会公共利益，没有必要进行批准，应采取登记备案制度。

3. 有的地方提出，草案第六十五条、第六十六条规定公益信托管理机构可以行使变更受托人、变更信托文件中有关条款等事项的权利，这样会使该章规定的信托监察人的权利被架空，建议对公益信托管理机构和信托监察人两方的权限进行适当的平衡。

4. 有的部门、地方建议具体明确信托监察人的权利义务，明确信托监察人和委托人的关系，建议对信托监察人的选任条件及其程序予以明确规定。

九、其　　他

有的地方、部门提出，信托法草案中应体现支持民族地区信托事业发展的内容。建议在草案中增加规定法律责任一章。建议在草案中明确信托关系的纳税及减免税问题的处理原则，并授权国务院税收主管部门制订具体的实施办法。

（法制工作委员会经济法室、研究室整理）

上海市有关专家对制定信托法的意见

5 月 31 日,法制工作委员会副主任卞耀武同志在上海进行立法调研,主持召开会议,听取有关专家关于制定信托法的意见。

参加座谈会的专家认为,当前情况下,需要制定一部信托法。但制定这部法律时,既要考虑到我国的实际情况,又要借鉴国外有关信托立法的成功经验。同时,对信托法的有关内容提出了以下意见:

一、信托法的适用范围

有的专家提出,信托法应是一部规范信托关系的基本法律,应就信托关系的基本规则作出规定。信托法应当主要规范的是商业信托,即受托人对投资者交由其管理的财产,进行控制和管理,为投资者获取利益。同时,还要兼顾其他方面的信托,如公益信托等。信托法不应大而全,信托法要求相对稳定一些,需要规定一些最基本的信托关系,而涉及信托业方面的法律则应在制定信托法之后进行,因为信托业方面涉及的问题较多,特别是和国家的政策相联系,目前情况下难以将信托业方面的内容规定到信托法之中。另外,在立法体例上,日本分别制定了信托法和信托业法,我国台湾地区的立法也是如此。因此,我国制定的信托法调整范围应适合中国的国情。

二、应明确信托的含义

有些专家提出,制定信托法,首先要明确信托的基本概念。只有明确信托的基本概念,涉及信托法律关系的其他问题才容易作出规定。明确信托的基本概念需要注意两点:一是要借鉴国外一些通行的规定,同时还要适合我国国情,做到通俗易懂。二是要体现信托制度的基本特点。信托制度的基本特点就是"受人之托,代人理财"。信托法要在此基础上进行规范。

有的专家提出,一般认为,信托这种制度源于英美法系国家,而英美法系国家对信托财产的基本理论是:信托财产的所有权具有双重性,也就是一个财产可以有两个所有权(即委托人有所有权,受托人也有所有权)。这种理论同大陆法系国家的一个财产只有一个所有权的理论是不一样的。目前看来,英美法系国家一个财产有两个所有权的理论,在我国难以接受。但两大法系有一个共同点,即信托制度是一种"受人之托,代人理财"的制度。我国制定信托法规定信托概念时,应考虑到这一共同点。

此外,有些专家提出,还应考虑下述特点:要体现授予性(即基于委托产生)、独立性(在信托期间,委托人不能处分信托财产、受托人对信托财产有依法独立处分的权利)、自愿性(指是否委托应由当事人自己决定)和期限性(即委托关系有一定的期间)等。

有的专家提出,信托法的概念涉及到信托财产,信托法应对信托财产的范围、信托财产的性质(制定时应考虑到我国的实际情况)、信托财产不受侵犯等作出规定。

三、应对信托法律关系的主体作出规定

多数专家提出,目前,我国从事信托业务的主体不规范,现在是各行各业搞信托,全民搞信托,比如商业银行接受委托从事信托业务、保险公司以特定险种的形式变相从事信托业务、证券公司也接受委托从事理财业务、投资咨询公司也从事信托业务。经过批准的,从事信托业务;没有经过批准的,也从事信托业务。信托行业就是一个百货公司,以致出现了"种了别人的地,荒了自己的

田”的现象。信托法律关系中涉及的三方当事人(委托人、受托人、受益人)之间的权利义务关系也不明确,使得一些当事人的权利没有保证,结果使得信托失去了应有的理财作用,大家都不太相信这种理财制度。此外,中国的信托公司,名为信托公司,实际上从事的不是信托业务,有些直接从事的是一些银行存贷业务,有的信托公司成为政府的第二财政。因此,信托法应明确信托法律关系。应对信托法律关系中三方当事人的权利和义务作出规范。这个规范应当体现:鼓励委托人拿出自己的财产给受托人;受托人代人理财要受到约束;保证受益人得到实际利益。同时,要鼓励竞争,允许委托人自愿选择受托人。

此外,信托法中还应对受托人的范围和法定条件作出规定,不仅允许法人从事信托业务,而且也应当允许个人从事信托业务。但是,无论是法人还是个人从事信托业务,均应当经过主管机关的批准。

四、信托法应体现的原则

有些专家提出,信托法应体现一些基本原则,如信用原则、效率与公正原则。信托要具有独立性,要与银行、保险等分业经营;明确信托行为受监管机关监管的原则等。

(法制工作委员会经济法室)

信托法国际研讨会
提出的主要立法建议

2000 年 11 月初，法制工作委员会副主任卞耀武主持召开了由我国和加拿大、美国、日本、英国以及亚洲开发银行等中外专家参加的信托法国际研讨会，就信托立法的有关问题进行了专题研讨。全国人大财经委、国务院法制办、国务院体改办、中国人民银行、劳动和社会保障部、中国证监会等部门的有关同志参加了会议。现将会议研讨情况简报如下：

一、关于制定信托法的必要性

与会专家认为，现代信托制度具有特殊的功能和广泛的用途，是一种有效的财产管理制度。随着中国经济的发展，社会经济领域中的一些重要变化使实行信托制度成为现实需要，也为信托立法创造了必要的条件。随着生产力的发展和社会财富的增加，闲置资产在转化为社会投资时，可以采取信托形式进行投资；随着社会保障制度的建立和公益事业的发展，社会保障基金和其他公益基金日趋增多，有必要利用信托制度进行基金的管理和运用，使之不断增值，扩大其规模；生产经营企业为提高资产使用效益，也需要采用信托这种有效的资产管理和资产运用方式，获取更好的经济效益。因此，为促进经济发展和增进公益事业，不断健全我国的民事财产法律制度，有必要制定信托法，用以规范信托行为，保护信托当事人的合法权益，发挥信托制度在社会主义市场经济中的作用。

二、关于信托法的调整范围

有的专家认为,信托关系的规范与信托业的管理应当分别立法。信托法将调整范围确定在信托关系的基本规则方面,使其成为规范信托关系的基本法,是合适的。有的专家认为,制定信托法应当规定信托活动必须遵守的一些共同规则,即规定信托关系的基本问题,而对营业信托可以具体制定特别法。日本专家提出,在现实生活中,对于信托关系和信托业管理,法律的调整手段不同,规则也有所不同,很难在一部信托法中加以涵盖,应当制定一部调整信托基本规则的法律,适用所有类型的信托,包括民事信托、营业信托和公益信托。同时,根据实际的需要,制定一些特别的法律,规范不同类型的营业信托。对于公益信托,有必要制定一些特别规则,但这些规则并不复杂,可以规定在基本的信托法中。

三、关于信托的法律定位

与会专家主要有三种观点:英国、美国的专家认为,在信托关系中,受托人对信托财产享有"普通法上的所有权",而受益人对信托财产享有"衡平法上的所有权"。这种对信托的法律定位是基于普通法传统的国家的信托制度而来的。日本专家认为,普通法国家关于信托的法律定位实行"双重所有权"原则,与大陆法国家"一物一权"的物权法原则相冲突,因此,大陆法国家的信托法虽然规定在设立信托时,委托人向受托人移转财产,但对财产所有权的归属不作具体规定。大陆法国家的学者一般认为委托人移转信托财产于受托人,受托人对信托财产享有不完全的权利,即受托人对信托财产享有管理、使用和处分的权利,并且这种权利是限制在为受益人利益的范围之内的。而受益人对信托财产享有受益权。为此,在大陆法系国家的信托法中回避了信托财产所有权的归属问题。加拿大专家提出,按照加拿大魁北克民法典的规定,委托人为了特定目的将自己的财产移转于受托人,受托人接受信托而承担持有和管理该项财产的义务,信托财产由此独立于委托人、受托人和受益人,各方当事人都不对信托财产享有物权。这种法律定位着重考虑了信托是一种基于信任关系的理财制度,其最大功能在于是借助一种外部力量进行财产的管理,信托关系是以信托财产为中心形成的法律关系。专家们建议,中国信托立法在对信托关系进行定位时,既要借鉴其他国家的经验,又要立足于中国国情,注意信托法与其他法律规范的衔接,选择适宜于中国的既有法律传统和人们习惯的表述方法,进而对信托作出合理的法律定位,发挥信托制度的作用。

四、关于信托法的地域适用问题

有的专家提出,由于信托制度在各国之间存在着较大差异,法律冲突在所难免,而我国民法通则对涉外民事关系的法律适用问题规定得又比较简单,因此,建议在信托法中对涉外信托关系的法律适用问题作出规定。美国专家介绍说,美国统一信托法典关于国际信托的准据法和管辖地选择问题作了以下主要规定:涉及信托的诉讼程序通常应在信托的主要管理地进行。如果信托的主要管理地不止一个,委托人应在信托条款中指定。如果受托人的主要营业地位于指定的管辖地,或者受托人是指定管辖地的居民,或者管理、处分信托财产行为的全部或者一部分发生在指定的管辖地,则委托人指定管辖地的条款是有效的。在解释信托条款的含义和效力时,信托文件所涉及的事项符合有密切联系的管辖地的重要公共政策,即可以作为适用的依据。

五、关于信托的设立

1. 关于信托设立形式

有的专家提出,信托在我国属于新事物,对信托的设立应当采取严格、谨慎的态度，所以，在信托法中应当要求设立信托必须采取明示的书面形式。英国专家提出，在英国，设立信托除了采取合同、遗嘱或者其他书面形式外，还承认推定信托和默示信托，这样就需要在书面形式以外作出例外的规定。

2. 关于信托的成立

有的专家建议在信托法中对信托成立和生效的时间作出规定，即：采用书面合同形式设立信托的，受托人接受信托时，信托成立；采用遗嘱形式设立信托的，自遗嘱作出时，信托成立。有的专家提出，信托合同是诺成合同，还是践成合同，有不同的理解。如果是诺成合同，委托人和受托人意思表达一致时，信托合同即发生法律效力；如果是践成合同，一般理解应当是信托关系自信托财产转移时发生法律效力。这一问题涉及信托的生效时间，也关系到信托当事人的利益，建议在信托法中予以明确。

3. 关于信托登记

英国专家介绍说，在英国，所有的信托都应当进行登记，比如：公益信托应在公益事业管理机构进行登记；投资基金、共同基金等投资性信托，应当在证券监督部门登记；养老金信托可以在证券监管部门，也可以在劳动部门登记；遗产信托和家庭信托应当在继承法庭或者家庭法庭登记。因此，建议在信托法中要考虑规定信托登记的内容。日本专家说，在日本，信托登记曾引起一些麻烦，当信托财产是不动产时，信托登记没有问题。但是，如果信托财产是证券，要求登记是非常不现实的。比如：在投资信托中，受托人不断地售出和买入证券，不可能连续地进行信托登记。因此，日本的信托法几年前作了修改，对证券等信托财产可以不进行信托登记。有的专家提出，对信托财产应当登记而未办理登记的法律后果在法律上应有规定，否则会给司法审判带来困难。

4. 关于信托的无效

有的专家提出，信托目的违反法律、行政法规的，信托无效，那些违反“公序良俗”的信托也应无效。此外,日本信托法还规定专以诉讼为目的而设立的信托也属无效信托。有的专家提出,信托目的违法,信托当然无效。但是在一个信托中往往有多个信托目的,如果其中部分信托目的违法,是部分无效还是全部无效呢?如果认定信托全部无效,对保护信托当事人的利益不利。

有的专家建议对信托无效的法律后果作出明确规定,即在认定信托无效后,信托财产如何处理,设定无效信托给第三人造成损害的,信托当事人应当承担什么责任等。

5. 关于信托的撤销

日本专家提出,委托人设立信托损害其债权人利益的,债权人有权申请法院撤销该信托,这是一般原则,但是,在有些情况下,委托人为第三人的利益设立信托,是为了履行法定的义务,例如:丈夫作为委托人,将前妻作为受益人,以履行给付扶养费的义务。如果信托财产的价值对于扶养而言是合理的,即使委托人在信托设立后一年内破产或者其财产不能清偿到期债务,这种信托也不应当被撤销。英国专家提出,委托人在信托设立后一年内被宣告破产或者其财产不能清偿到期债务的,视为损害债权人的利益。规定一年的时间可能太长了,如果是设立信托后情况突然发生变化而出现上述事实,则这种善意的信托不应被撤销。

六、关于信托财产的强制执行

有的专家提出,信托设立前债权人已对该信托财产享有债权并依法行使该权利的,可以对信托财产进行强制执行,这是合理的,但需要进一步明确该债权人的范围。典型的符合条件的债权人是在信托设立前已对该财产享有担保利益的债权人。其次,委托人的债权人对信托财产没有担保利益,但他就该财产已向法院申请了扣押令,那么他也可以申请对该财产进行强制执行。有的专家认为,债权是一种对人权,设立信托前委托人对他人负有债务，此项债务可以用信托财产以外的财产偿还。而物权是一种对物权，只有设定信托前就已经存在于信托财产上的抵押权等担保物权，债权人才能对信托财产申请强制执行。因此，建议在信托法中对此作出明确规定。

七、关于受托人的权利和义务

1. 关于受托人的谨慎义务

日本专家提出，日本信托法规定受托人应当履行“勤勉管理者的谨慎义务”，这一规定比“受托人负有与管理其固有财产同等谨慎的义务”要求程度更高、更严格。有的专家指出，对受托人谨慎义务的标准，还可以规定得更高一些，应当要求受托人谨慎、勤勉、有效地履行自己的职责。

2. 关于受托人自我交易禁止的义务

有的专家提出，在一般情况下，禁止受托人以其固有财产与信托财产从事交易，防止受托人损害信托财产，以保护受益人的利益。在有些情况下，经委托人或受益人同意，受托人可以进行自我交易，但是，受托人在进行这种交易时，必须基于公平的价格或者市场价格，并且有义务将每一次自我交易的内容通知受益人。此外，营业信托中的受托人，管理着多个信托财产，在这种情况下，只有在各方委托人或者受益人都同意的情况下，才允许受托人为一个信托购买另一个信托的财产。

3. 关于共同受托人

美国专家提出，原则上共同受托人应当共同处理信托事务，并且对共同处理信托事务应承担连带责任。但是，一些营业信托的投资计划是很复杂的，有必要由共同受托人分担责任。例如，在全体受托人的同意下，可以指定某个受托人负责特定项目，由该受托人对该特定项目负责。

英国专家提出，共同受托人共同处理信托事务意见不一致时，受益人可以来作决定。此外,在特殊的信托中,还有其他处理方法,如在养老金信托中,受托人中的独立董事可以作出决定。美国专家提出,共同受托人的意见不一致时,当事人可以向法院起诉,法院应当对整个信托的情况进行审查,以受益人的利益为重作出处理决定。

4. 关于处理信托事务的费用和债务的承担

有的专家提出,受托人因处理信托事务所产生的费用和债务,应当以信托财产承担。但是,受托人在以其固有财产先行偿付后,应当对信托财产享有优先受偿的权利。这些内容建议在信托法中予以明确。

八、关于受益人

1. 共同受益人

有的专家提出,信托文件如何规定共同受益人的受益权,将使受益人之间产生不同的法律关系。信托文件规定所有受益人享有相同的受益权,各受益人按比例享受信托收益。如果信托文件规定了不同种类的受益人,那么受益人享有的信托利益就有所不同。如果信托文件中没有对信托利益的分配作出规定,应当平等地对待每一个受益人。因此,最好在信托文件中对受益人的权利作出具体约定。

2. 关于受益权能否用于清偿债务

有的专家提出,一般情况下,受益人不能清偿到期债务的,其信托受益权可以用于清偿债务。但是,有时以受益权清偿债务,有可能违背委托人设立信托的目的,因此,建议规定"信托文件另有规定的除外"。有的专家提出,在投资信托中,受益权是可以用于清偿债务的,在这类信托中,受益权转让给第三人,受让人可以成为新的受益人。但是,有些信托的受益权是不能转让的,例如子女教育信托、养老金信托的受益权是不可转让的。美国专家提出,在美国，有的信托文件限制以受益权来偿还债务；有些联邦法律也规定，债权人不得要求受益人用其特殊的受益权来清偿债务，比如养老金信托受益权。

九、关于信托的变更与解除

1. 关于信托的变更

有的专家提出，狭义的信托变更是指信托目的及条件的变更。现实中客观情况会发生较大的变化，如果信托不能进行调整，这种理财方式就不利于实现信托的目的。但是，如果信托的变更与设立信托的目的发生冲突，对这种变更的条件和程序必须作出严格规定，只有经过委托人、受托人和受益人的一致同意才能进行变更。有的专家建议对信托的变更应当确定一些基本规范，如：委托人、受托人、受益人经协商同意，可以变更信托财产的管理方法。当信托财产的管理方法不利于实现信托目的，委托人或受益人要求受托人调整信托财产的管理方法遭到受托人拒绝的，或者受托人要求变更信托财产的管理方法而委托人、受益人不予同意的，委托人、受益人或者受托人均可向人民法院请求变更。

2. 关于信托的解除

关于信托生效后委托人能否解除信托的问题，英国专家提出，由于解除信托对委托人有一定好处，并可能被归还一定数量的信托财产，所以，除少数法定情况外，是不允许由委托人解除信托的。有的专家提出，在委托人不是唯一受益人的情况下，委托人单方面解除信托的权利必须受到限制，否则会影响受益人的利益。由于受益人在信托中的利益最大，只有所有的受益人同意，才可以解除信托。与之相关的是，受益人面临需要用信托财产偿还债务等情况时，应当允许受益人不经委托人同意而解除信托。

十、关于公益信托

1. 关于公益信托的设立

美国专家提出,在美国,设立公益信托,需要得到政府有关部门的批准,因为涉及到信托设立人的纳税问题。英国专家提出,为了监督公益事业管理机构正确行使对公益信托的批准权,应当规定除特定情况外,公益信托都应得到批准。公益事业管理机构对不批准的公益信托应当作出书面解释,当事人可以向其他机构申请复议或者向法院起诉。

2. 关于公益信托的变更

英国专家提出,如果公益信托的财产是由公众或者政府所提供的,可以赋予公益事业管理机构对信托文件有关条款进行变更的权力。除此之外,对于公益信托文件的条款能否进行变更,应当事先在信托文件中作出规定。如果在信托文件中未作规定,应当申请法院对信托文件有关条款进行变更。美国专家建议规定,公益事业管理机构不合理地修改信托文件给受益人和受托人利益造成损害的,受益人和受托人可以向法院提起诉讼。

3. 关于公益信托的终止

英国专家提出,公益信托终止后,在没有信托财产权利归属人的情况下,应当区分信托财产是由公众、政府提供的,还是由个人捐资提供的,并根据不同情况对信托财产的归属作出不同的规定。日本专家提出,如果法律允许信托财产在公益信托终止后归还委托人,可能会鼓励公民为公益事业提供更多的私人财产。

(法制工作委员会经济法室、研究室整理)

日本信托法律制度介绍

一、日本信托立法的基本情况

日本关于信托活动的立法,分为四个方面:

一是有关信托关系的基本法。日本于1922年制定了“信托法”,对信托的基本法律关系作出了规定,适用于民事信托、公益信托、营业信托。由于公益信托有其特殊性,该法用部分条款对公益信托的范围、监督管理等作出了特别规定。

二是有关信托业务的单行法。对一些重要的信托业务,日本制定了专门的单行法律,包括:1905年的“担保公司债券信托法”、1951年的“证券投资信托法”、1952年的“贷付信托法”等。

三是有关信托业管理的法律。日本于1922年制定了“信托业法”,对信托公司的业务许可、受托财产的范围、兼营业务的范围、资产运用的方法、财务统计报告、准备金的提取、监督管理措施等作出了规定。后于1994年制定了“关于金融机构兼营信托业务的法律”,对其他金融机构以设立子公司的形式从事信托业务作了规定。

四是与信托事务有密切联系的相关立法。主要包括以下三个方面:第一,对信托财产和信托资金的运用的有关规定,主要是在国有资产法、厚生年金保险法、职工财产形成促进法、农地法、森林法等法律中,作了有关的规定。第二,对设立信托的公示制度作出有关规定,如:不动产登记法、公司债券登记法等有关规定适用信托活动。第三,对信托财产的转移、信托收益的分配的纳税问题作出规定，主要在所得税法、法人税法、继承税法等9个税收法律中作出了规定。

二、日本信托关系的基本规范

（一）信托的分类

日本按照信托的性质和适用法律的不同，将信托作了如下划分：

1. 按照信托的目的不同，分为“公益信托”和“私益信托”。“公益信托”，是指为促进慈善事业和学术、艺术及其他公益事业的发展，而设立的信托。“公益信托”之外的信托属于“私益信托”。

2. 按照信托行为设立的形式不同，分为“契约信托”和“遗嘱信托”。“契约信托”，是指委托人与受托人订立信托协议而设立的信托。“遗嘱信托”，是指由委托人立遗嘱而设立的信托。

3. 按照受托人行为的性质，可分为“营业性信托”（又称商事信托）和“非营业性信托”（又称民事信托）。受托人接受委托，以商行为从事信托业务活动的，属于营业性信托；而营业性信托以外的受托行为为非营业性信托。

4. 按照委托人与受益人的关系不同，可分为“自益信托”和“他益信托”。“自益信托”是指委托人同时也是受益人而设立的信托。“他益信托”是指委托人专门指定第三人为受益人而设立的信托。

5. 按照信托财产的管理方式不同，区分为“个别信托”和“集团信托”。“个别信托”是指受托人与每一个委托人分别订立信托协议，并且分别管理信托财产。“集团信托”是指受托人与不特定的众多委托人，以格式条款的形式订立信托协议，并将信托财产混同加以运用的信托。

（二）信托的设立与公示方式

1. 关于设立信托的条件,按照日本信托法的规定,设立信托其基本要件是委托人对特定的财产权作出设定信托的明确的意思表示,包括:有明确的信托财产;有明确的信托目的;确定受益人或受益人范围。设立信托,一般采用协议形式或者遗嘱形式作出。对于设立民事信托,不要求必须采用书面形式,可以采用口头形式。

为了加强对特定信托活动的监督管理,日本信托法规定,公益信托必须经主管部门批准才产生效力,如:抚养残疾人的信托,需报税务署长认可。对于私益信托中的职工年金信托,必须报国税厅批准;从事外汇资本交易的信托,需报大藏大臣备案。

日本信托法还规定,以下两种信托属于无效信托:一是委托人以自己为受托人和受益人的"宣言信托";二是专门为他人代办诉讼的"诉讼信托"。同时,信托法还规定,明知侵害债权人的利益而将财产设定信托,属于欺诈性信托,债权人有权申请撤销该信托。

2. 关于设立信托的公示方式,按照日本信托法的规定,对不同种类的财产,采取不同的公示方式。对于不动产,应按照不动产登记法、船舶登记规则、建筑机械登记令的规定,办理信托登记;对于有价证券,在设定信托的证券上表明信托的字样,或者在股东名册、公司债券存根簿上作出设立信托的表示;对于采矿权、渔业权、著作权、出版权、专利权、商标权等设定信托时,需按照各相关法律办理变更登记手续;对于动产,信托法未规定具体的公示方法,在实际操作上,一般是在信托财产上黏附标识,用这种方法就信托财产的权属对抗第三人。

(三)信托财产

1. 关于信托财产的范围,包括:金钱(货币)、动产所有权、不动产所有权、地上权、租赁权、无形财产权、金钱债权、其他债权、有价证券及股权等。而人身权、投票权、表决权等,不能设定信托。

同时，以经营管理权设定信托，在日本属于规避公司法的行为，因此属于无效信托。

2. 关于信托财产的特性，第一，信托财产具有独立性，即信托财产与受托人原有的财产（固有财产）相分离，受托人死亡时，信托财产不属于其遗产，该受托人的地位，其继承人不能承继；受托人破产时，其管理的信托财产不属于其破产财产，受益人可以依法取回；除设定信托之前产生的债权或者管理运用信托财产所产生的债权，该债权人对信托财产享有强制执行的申请权外，受托人的债权人不得要求强制执行信托财产。如果发生这种情形，委托人（包括其继承人）、受益人、受托人都有权向法院提出执行异议。

第二，信托财产的非冲抵性，即受托人管理信托财产产生的债权不得与其自有财产产生的债务相抵消；受托人管理的某一信托财产的债权，不得与其管理的其他信托财产的债务相互冲抵。

第三，信托财产的非混同性。按照日本民法的一般规定，当事人取得某物的所有权后，原先取得的该物上的其他权利，因权利混同而随之消灭。但是信托财产则不同，受托人事先取得委托人的土地使用权后，该委托人又将该块土地的所有权转移给受托人，在此情况下，该地上权并不消失，仍作为独立的财产权利。

第四，信托财产占有瑕疵的承继性。按照日本民法的一般规定，转让人对财产的占有瑕疵不影响善意的受让人。但是对于信托财产则不同，由于信托财产独立于受托人的固有财产，在自益信托情况下，委托人将存在占有瑕疵的财产设定信托时，受托人应全部承继该信托财产的占有瑕疵，即使受托人在接受该信托财产时是善意的，债权人可以向受托人主张占有该物的权利。

（四）委托人的地位与权利

在信托关系中，“委托人”是指设立信托，指示受托人按照一定的信托目的，而管理或处分信托财产或财产权的当事人。

按照日本信托法的规定，委托人可以是个人或者法人。委托人的民事能力，按照日本民法的规定，一般应当具有财产权的处分能力。但是，在设立遗嘱信托时，只要具有遗嘱能力即可。例如：按照日本法律的规定，满十五岁的未成年人，虽然不具有完全的行为能力，但是可以设立遗嘱信托。法人作为委托人，设立信托必须符合其章程或者捐赠文件所规定的目的范围。

委托人具有以下权利：第一，对于生前信托，委托人可以主张信托行为无效，或者撤销信托；对于遗嘱信托，委托人的继承人可以行使上述权利。第二，信托被撤销或者宣告无效时，信托财产归属于委托人；在信托终止时，权利归属人不明确的，信托财产也归属于委托人。第三，有权对违法强制执行信托财产的行为提出异议。第四，有权要求变更信托财产的管理方式。第五，对违反信托管理义务的行为，有权要求赔偿损失或者恢复信托财产的原状。第六，有权查阅信托财产的管理资料，并要求受托人作出说明。第七，同意受托人辞任，并有权选任新的受托人。第八，有权请求解任受托人。第九，有权请求选任信托管理人。第十，委托人可以在信托协议中保留变更受益人的权利。

（五）受托人的地位、权利和义务

在信托关系中，“受托人”是指从委托人处接受财产权的转移，并为一定的目的，管理或者处分信托财产的当事人。受托人与委托人之间具有很强的信赖关系。

按照日本信托法的规定，受托人必须是具有完全行为能力的自然人，或者是依法设立的法人。无行为能力人、限制行为能力人以及破产人，不得担任受托人。此外，法律规定经过批准才能从事信托业务的机构，应具有专门的资格。

1. 关于受托人的权限，日本信托法规定，受托人对信托财产具有广义上的管理权和处分权，包括对财产及财产权的事实行为、法律行为和诉讼行为。同时，受托人的权限还受信托协议和有关法律、法令的约束。例如：为了保证受托人忠实于信托目的，政府主管部门通过制定专门的规定,或发布命令,或者由法院作出相应的裁定,以约束受托人。

2. 关于受托人的管理义务,日本信托法规定:第一,除法律有特别规定以外,受托人应当对每一信托财产进行分别管理;第二,受托人应当设置和制作信托财产的管理记录,并按照委托人、受益人的要求,提供各种记录资料,并说明情况。第三,受托人应当履行忠实管理的义务,不得从事与信托目的相冲突的行为,例如:不得将信托财产据为自己的固有财产,也不得将信托财产与固有财产进行交易。第四,亲自执行管理职务,除信托协议有特别约定或者因不得已的事由,受托人应当亲自执行信托财产的管理职务。第五,受托人应当履行善良管理的义务,即受托人应当将信托财产视为自己的财产给予同等的重视。并且,对于共同的受益人,应当公平、平等地处理信托事务。受托人为数人时(共同受托人),相互之间应当监督,阻止其他受托人违反信托义务。在信托财产有可能灭失或者遭受侵害时,应当及时采取措施。在一般情况下,受托人违反善良管理义务的,应承担赔偿责任。但是,委托人可以在信托协议中特别约定对于受托人责任的减免条款。第六,受托人填补损失和恢复信托财产原状的义务。受托人因疏忽、失职,造成信托财产损失的,或者违反信托目的而处分信托财产的,应当承担填补损失、恢复信托财产原状的责任。受托人违反对信托财产的分别管理义务的,即使遇有不可抗力,也不得免除责任。

3. 关于受托人对第三人的责任。日本信托法规定,受托人处理信托事务对第三人负有债务的,受托人应当承担无限责任。受托人向受益人履行支付信托收益的义务时,仅以信托财产为限,承担有限责任。

4. 关于受托人的权利。第一,受托人有请求支付报酬的权利。日本信托法继承了英国信托法的传统,一般实行无偿信托的原则。但是,对于营业性信托,可以在信托协议中约定信托财产的管理报酬。第二,管理费用及损失补偿的请求权。例如:受托人就信托财产办理纳税申报所担负的费用,或者处理信托事务使受托人受到的损失,受托人有权请求从信托财产中获得补偿。

5. 关于受托人的变更。按照日本信托法的规定,第一,受托人死亡或者破产,或者被宣告解散的,导致受托人的职务终止。第二,受托人经信托关系人的同意,可以辞任。第三,因不可抗力,经法院裁定,受托人可以辞任。第四,受托人因丧失法定资格而终止其职务。第五,受托人违反其义务,法院根据委托人、受益人的请求,可以解任受托人。在受托人因上述情形终止职务时,其法律后果:一是共同受托人中的某一受托人终止职务时,由其他受托人承担全部管理义务。二是受托人终止职务之后,在新的受托人尚未产生之前,由法院指定信托财产的管理人,临时代行该职务。三是原受托人终止职务后,其处理信托事务产生的对受益人或者第三人的债务,由新受托人承继。四是对信托财产已经依法开始强制执行或者进行拍卖的,即使受托人变更,而不影响该执行程序。

(六)受益人的地位和权利

在信托关系中,"受益人"是基于信托行为而享受信托利益的当事人。受益人在信托关系中处于重要地位。按照日本法律的规定,在设立信托时,委托人如果未明确指定受益人范围的,即推定其自己为受益人。

受益人享有的受益权具有债权和物权的双重要素,是信托关系中的独特的权利。受益人具有对受托人的监督权能,主要表现为:一是有权查阅信托事务处理文件,要求受托人说明情况。二是有权请求法院作出裁定,变更信托财产的管理方式。三是有权请求法院作出裁定,解任受托人。四是在受托人变更时,就信托事务的承继问题参与意见。五是在新受托人确定之前,有权请求法院选任信托财产的管理人。六是当受托人违反信托目的而处分信托财产时,受益人有权行使撤销权,要求受托人填补损失、恢复信托财产的原状,并有权要求有重大过失或者恶意的受让人返还该信托财产。

关于受益权的继承和转让,按照日本信托法的规定,除委托人在设立信托时保留了变更受益人的权利外,原则上受益人死亡后,其继承人可以继承受益权。委托人为保护特定受益人的权益,在设立信托时作出“一身专属权”的意思表示的,则禁止该受益权的转让或者出质,这主要是针对扶养信托所采取的措施。

关于受益权的放弃与消灭,按照日本信托法的规定和信托活动的实践,如果信托财产产生的费用和税金负担过重,受托人应当告知受益人,在规定期限内,受益人可以作出放弃受益权的选择。按照日本法律规定,设立信托时约定了期限的,期满时信托终止,该受益权派生的给付请求权自信托终止时起算,满二十年而消灭。如果在信托协议中作出特别约定的,自该约定的期限届满时权利消灭。此外,受益人全部放弃受益权的,信托终止,受益权随之消灭,信托财产归于委托人或者其继承人。

(七)信托财产管理人与信托管理人

日本信托法设置了信托财产管理人制度与信托管理人制度。“信托财产管理人”是指因受托人辞任或者被解任,在新的受托人未确定之前,作为临时的信托财产的管理人,由法院根据利害关系人的请求而选任。在日本,信托财产管理人的法律地位及义务、责任,准用民法有关委任的规定。“信托管理人”是指在受益人尚未出生(如以胎儿作为受益人),或者在公益信托所指定的受益人范围不够具体的情况下,经法院或者公益信托主管机关的认可,按照非讼案件程序法的规定选定信托管理人,主要职责是为受益人代管信托利益。

(法制工作委员会研究室整理)

韩国信托法和我国台湾地区“信托法”的主要规定

韩国信托法于1961年颁布实施,共八章七十二条,我国台湾地区“信托法”于1995年颁布实施,共九章八十六条,其主要规定介绍如下:

一、信托的定义及其设立

1. 信托的定义。韩国规定,本法中的信托,是指以信托指定者与信托接受者间特别信任关系为基础,信托人将特定财产转移给受托人,或经过其他手续,请受托人为指定人的利益或特定目的管理和处分其财产的法律关系。台湾“信托法”规定,称信托者,谓委托人将财产权移转或为其他处分,为受益人的利益或特定目的,管理或处分信托财产之关系。

2. 信托的设立。韩国规定,信托可根据信托人与受托人签订的契约或信托人的遗嘱而设立。台湾规定,信托除法律另有规定外,以契约或者遗嘱方式设立。设立信托,有下列情形之一的,信托无效:(1)信托目的违反善良风俗和公共秩序;(2)信托目的违法或不能成立;(3)以诉讼为主要目的的信托;(4)以依法不得受让特定财产权的人为该财产权的受益人。

3. 信托财产的公示。韩国、台湾均规定,以需要登记或注册的财产权设立信托的,非经登记不得对抗第三人,以有价证券设立信托的,非经于证券上或其他代表证券权利的文件上载明为信托财产,不得对抗第三人。

4. 信托的撤销。韩国、台湾规定,委托人设立信托损害其债权人利益的,债权人可以申请法院撤销该信托。法院依照上述规定撤销信托的,不影响受益人已取得的信托利益,但是受益人取得的信托利益未届清偿期或取得利益时明知或应当知道信托有害于债权人利益的除外。台湾还规定,信托行为成立后六个月内,委托人或其遗产受破产宣告的,视为信托行为损害其债权人的利益。此项撤销权自债权人知道撤销原因时起一年内不行使或者自撤销原因发生时起十年内不行使而归于消灭。

二、信 托 财 产

1. 信托财产的范围。韩国、台湾规定,受托人因信托行为取得的财产为信托财产。受托人因信托财产的管理、处分、灭失、毁损或者其他原因取得的财产,也属信托财产。

2. 信托财产的独立性。(1)受托人死亡或者破产时,信托财产不属于其遗产或者破产财产。(2)属于信托财产的债权与不属于该信托财产的债务不得互相抵消。(3)信托财产为所有权以外的权利时,受托人虽取得该财产,但其权利不因混同而消灭。(4)对信托财产不得强制执行,但基于信托设立前存在于该财产上的权利、因处理信托事务所产生的权利及法律另有规定的除外。违反上述规定强制执行信托财产,委托人、受益人或者受托人可以向法院对债权人提出异议。

三、委托人的权利、义务

1. 权利的保留。委托人在设立信托时,可以通过信托契约保留部分权利,我国台湾“信托法”规定,委托人与受益人不是同一人时,委托人于信托成立后不得变更受益人或者终止信托,也不得处分受益人的权利,但是委托人在设立信托时予以保留的除外。

2. 对信托财产强制执行的异议权。韩国、台湾规定，对信托财产的强制执行，委托人可以在强制执行程序终结前，向法院对债权人提出异议之诉。

3. 信托财产管理方法的变更权。台湾“信托法”规定，信托财产的管理方法因情事变更不符合受益人的利益时，委托人可以申请法院予以变更；委托人经受托人及受益人的同意可以变更信托财产管理方法。

4. 赔偿损失和恢复原状请求权。韩国、台湾规定，受托人因管理不当致使信托财产发生损害或违反信托目的处分信托财产时，委托人可以要求受托人以金钱赔偿信托财产所受损害或恢复原状，并可以减免报酬。

5. 对受托人的监督权。韩国、台湾规定，委托人可以要求受托人送交信托财产目录及收支计算表，要求阅览、抄录或影印上述文件，并可以要求受托人说明信托事务的处理情况。委托人还可以请求法院选任检查人，对信托事务进行检查。

6. 受托人的解任权和新受托人的选任权。韩国、台湾规定，受托人违背职务或有其他重大事由时，委托人可以向法院申请解任受托人，并可选任新受托人或申请法院指定新受托人。

7. 信托监察人的选任和解任的申请权。台湾规定，为了保护受益人的利益，在认为必要时，委托人可以向法院申请选任一人或数人为信托监察人。信托监察人有怠于执行其职务或有其他重大事由时，委托人可以申请法院将其解任。

8. 信托财产取回权。台湾规定，信托关系消灭时，信托财产一般归属于受益人。但在没有受益人的情况下，信托财产则归属于委托人或者其继承人。

9. 给付报酬的义务。台湾规定，信托行为约定支付报酬的，委托人应当向受托人给付报酬。

10. 台湾规定，委托人终止信托，给受托人造成损害的，应承担损害赔偿责任，或者与受益人承担连带损害赔偿责任。

四、受托人的资格、权利和义务

1. 韩国、台湾规定，未成年人、禁治产人及破产人不能担任受托人。

2. 信托财产管理方法的变更权。韩国、台湾规定，受托人经委托人及受益人的同意可以变更信托财产的管理方法。信托财产的管理方法因情事变更致使不符合受益人之利益的，受托人也可以向法院提出申请予以变更。

3. 报酬请求权。韩国、台湾规定，受托人处理信托事务，如属专门从事信托业务的人或者设立信托时订有给付报酬的条款，可以请求给付报酬。台湾还规定，如果信托行为规定的报酬因情势变更而显失公平，受托人可以请求法院增加其报酬。韩国规定，受托人应获得的报酬，可以从信托财产中扣除。

4. 对信托财产强制执行的异议权。韩国、台湾规定，对信托财产的强制执行，受托人可以在强制执行程序终结前，向法院对债权人提出异议之诉。

5. 忠实管理的义务。韩国规定，受托人无论以任何人的名义都不能获得将信托财产转为固有财产或与此有关的权利；但明显地对受益人有利或有其他正当理由时，在得到法院的许可后，可将信托财产转为固有财产。

6. 善良管理的义务。韩国、台湾规定，受托人应根据信托目的，以善良管理人的注意，处理信托事务。

7. 信托财产分别管理的义务。受托人应将信托财产与其自有财产及其他信托财产分别管理。如果信托财产为金钱，受托人应当以分别记账的方式分别管理。

8. 设置账簿、编制报表、说明信托事务处理情况的义务。韩国规定，受托人处理信托事务，应当按规定就各信托分别制作账簿、财产目录,清楚地记载各信托事务的处理和结算情况,并编制收支计算表送交委托人及受益人,并向其说明信托事务的处理情况。

9. 亲自处理信托事务的义务。韩国、台湾规定,受托人应亲自处理信托事务。但是设立信托时订有允许第三人代为处理的条款,或有不得已之事由,受托人可以委托第三人代为处理信托事务。受托人选任不适当或不诚实之人代为处理信托事务,或者对第三人处理信托事务未尽到监督的责任而损害信托财产时,受托人应当与该第三人负连带损害赔偿责任。

10. 共同受托人的义务。韩国、台湾规定,同一信托的受托人有数人的,处理信托事务时除经常事务、保存行为或信托文件另有规定外,应当由全体受托人共同进行。共同受托人因信托行为负担的债务以信托财产为限向受益人承担连带清偿责任。

11. 移交信托财产的义务。韩国、台湾规定,信托人变更或信托关系消灭时,受托人应制作结算报告,移交信托财产,并取得受益人、信托监察人或权利归属人的承认。

五、受益人的权利、义务

1. 享有信托利益。韩国规定,根据信托行为而被指定的受益人享有信托利益。台湾规定,受益人因信托之成立而享有信托利益,但信托行为另有订定者,从其所定。

2. 对受托人处分信托财产行为的撤销权。韩国、台湾规定,受托人违反信托目的处分信托财产,受益人可以申请法院撤销该处分行为。此项撤销权自受益人知道撤销原因起一个月内不行使(韩国)、一年内不行使(台湾),或者自撤销原因发生之日起一年内不行使(韩国)、十年内不行使(台湾),而归于消灭。

3. 受益权的让与权。台湾规定,受益权作为民事权利,受益人可依意思自治原则让与他人享有。

4. 信托终止权。韩国规定,在受益人享有全部信托利益的情况下，当不动用信托财产便不能清偿其债务时，受益人可以请求法院解除信托，信托文件另有规定的除外。我国台湾“信托法”规定，除信托文件另有规定外，受益人可与委托人随时共同终止信托。

5. 补偿受托人处理信托财产之损失。韩国、台湾规定，受托人就处理信托事务所支出的税款、费用或负担的债务，用信托财产充抵。当信托财产不足以清偿上述费用或债务时，受托人在支付费用、清偿债务后，可以向受益人请求补偿或提供相应的担保。如果信托文件订有受托人可以先对受益人要求清偿所负的债务或要求提供担保的，从其规定。

六、信托关系的消灭

韩国、台湾规定，发生下列情形时，信托关系消灭：1. 信托文件规定的事由发生，或信托目的已经实现或不能实现；2. 委托人或其继承人终止信托；3. 法院根据受益人或其他利害关系人的申请，命令终止信托；4. 委托人和受益人共同终止信托。

信托关系消灭时，信托财产原则上归属于信托文件规定的人，信托文件没有规定的，按顺序归属于享有全部信托利益的受益人、委托人及其继承人。信托关系消灭，信托财产完全转移给权利归属人之前，信托关系视为存续，视权利归属人为受益人。

为保障信托财产债权人及受托人的权益，韩国、台湾还规定，信托关系消灭后，该债权人仍可以以权利归属人为债务人对信托财产开始或继续强制执行。受托人就管理信托财产所产生的税款和费用以及因处理信托事务对第三人所负担的债务，仍可以向权利归属人要求清偿，并可对信托财产行使留置权。

七、公 益 信 托

（一）公益信托的设立

韩国规定，接受公益信托时，受托人须得到主管官署的许可。

台湾规定,公益信托的设立及其受托人应经目的事业主管机关的许可,此项许可的申请由受托人提出。

(二)公益信托受托人的义务

韩国、台湾规定,公益信托的受托人除了应当履行法律规定的一般受托人的义务外,还应当履行下列义务:1. 依据主管机关的命令,提供相应的担保或为其他处置,以保护信托财产;2. 每年至少一次定期将信托事务处理情况及财务状况,交公益信托监察人审核后,报请主管机关核备并公告;3. 非有正当理由,并经主管机关许可,不得辞任;4. 公益信托关系消灭时,应当按照规定向主管机关申报。

(三)公益信托关系的变更和消灭

1. 公益信托关系的变更。韩国、台湾规定,公益信托成立后,如果发生设立信托时不能预见的情况,主管机关可以参照信托目的,变更信托条款。

2. 公益信托关系的消灭。台湾规定,公益信托关系可因主管机关的撤销设立许可而归于消灭。韩国规定,公益信托关系消灭,而信托文件又没有规定权利归属人时,主管官署可以以类似目的,使信托关系存续,或使信托财产转移给有类似目的的公益法人或公益信托。

(法制工作委员会经济法室整理)

美国信托法律制度介绍

一、信托立法和法律适用

美国对于信托关系没有制定联邦统一的信托法，而是由各州分别通过长期形成的判例法来调整，并且在规定上各有不同。近年来，有些州为了吸引外州资金在本州设立信托，着手制定新的信托法，如特拉华州、阿拉斯加州等，在信托设立方式、信托资产管理、信托期限以及税收等方面放宽限制。

美国各州的信托法规范，主要是调整信托的基本关系，民事信托、公益信托、营业信托等信托活动都要受其调整，主要内容包括受托人的义务与责任、财产管理评价、投资事务管理、营业活动管理、内部和外部审计、会计管理、禁止利益冲突等。为了使人们掌握各州信托法律的规定，美国法律协会将各州的有关信托的判例法整理成《信托法案例重述》，将各州共同的法律规范以成文形式编撰起来。同时，美国统一州法委员会还草拟了《统一信托法》，作为模范法文本，供各州修改本州信托法时参考。

由于美国开展营业信托活动比较广泛，对此，为了加强监督管理，美国以联邦立法的形式，对营业信托涉及的领域，从商事法律和行政管理方面，另行制定了有关法律或规定，如：1915 年关于全国性银行的信托权的法律，1939 年信托文件法，1940 年投资顾问法，1940 年投资公司法，以及近年来陆续制定的关于公司作为受托人有关信托权的法律、关于组合投资基金和证券交易中有关信托权和信托事项的规定、信托责任规则等。

二、信托的概念和特征

美国各州的信托判例法对信托的定义，表述不尽一样。按照美国法律专家的解释，所谓“信托”是指一个或多个人（受托人）为另外一个或多个人（受益人）的利益持有财产，受托人对其受托的财产拥有法律规定的财产权，而信托受益人拥有受益权和最终的所有权。信托一旦设立，原财产就具有了一种衡平法上的权利和义务关系，适用衡平法对信托财产的规范，它只有在衡平法院才能起诉、应诉和被强制执行，不受普遍法规则的调整。因此，在比较长的时间里，在美国各州都分别设有普通法院和衡平法院，信托活动受衡平法和衡平法院的管辖。现在，即使有些州将法院统一起来，但在适用法律上，仍适用衡平法的规范。

三、信托的分类

在美国，对于信托活动，按照信托的目的和方式不同，可以作以下分类：

1. 按照有无意思表示，可分为：明示信托（有生前宣布建立的信托和通过遗嘱建立的信托两种）、默示信托（又称作结果信托，是指非经明确表示而根据衡平法对事实和当事人行为的解释产生的信托）和法定信托（又称作拟制信托，例如按照美国法律规定由农业部必须设立的野生动物保护基金）。

2. 按照信托设立时受托人的情况不同，可分为私人信托（又称作民事信托）和营业信托（又称作商事信托）。

3. 按照受益人的情况不同，可分为自益信托和他益信托。

4. 按照信托设立的目的不同，可分为公益信托和非公益信托。

5. 按照信托财产种类的不同，可分为动产信托、不动产信托、金钱信托和权利信托等。

6. 按照信托是否可撤销,可分为可撤销信托和不可撤销信托等。

四、信托的设立

在美国,设立信托一般采取遗嘱形式或者信托协议的形式。设立信托,有三个要件:一是要有明确的信托目的;二是必须有确定的信托财产;三是要有受益人。在美国,委托人设立以自己为受托人的"宣言信托",要求在设立时和其后的五年间,委托人没有对外负债的情况。各州法律还规定,出于违法目的的信托是无效的,例如:在离婚处理夫妻财产时,某方当事人为转移财产而设立信托,对此法院有权撤销该信托。如果委托人为了逃避债务在设立信托后破产,债权人有权要求撤销该信托,请求的时效,有的州规定为6个月,有的州规定为2年。

在设立信托时,是否需要进行公示才有效,各州的规定不同。在少数的几个州里,法律对设立信托的公示方式有强制性的规定,即:信托财产必须通过书面形式进行公示才有效。在大部分的州,除将土地及其地上权设定信托,必须以书面形式进行公示外,其他信托财产不需要进行书面公示。

五、信托财产和信托期限

美国法律规定,设立信托必须有确定的信托财产。信托财产的范围包括:有形财产,如土地、房屋、其他动产,也包括无形财产,如专利权、商标权、著作权等。但是还未实现的或者已经失效的财产权利不能作为信托财产。

对于信托期限,各州的法律规定有所不同。近几年,在法律界和立法机关中也一直进行争论。一种意见认为,设立信托应当有期限,由于一些财产信托的目的是为了避税,不应允许无限期地规避税法。另一种意见主张,应当允许信托没有期限,有利于对受益人利益的保护。目前,多数的州规定,除公益信托可以不约定期限外,一般信托应当约定期限,受益人的受益权为二十年,最长不超过延续三代人的时间。纽约州规定信托的期限为受益人的生存时间再加21年。

六、关于受托人

1. 自然人作为受托人的条件:美国法律规定,任何自然人,只要具有行为能力,能够为受益人的利益而接受、持有并管理财产,就可以成为受托人。

2. 公司法人成为受托人的条件:除法律有限制性规定外,公司法人接受并持有信托财产的条件与自然人基本相同,但是公司管理信托财产的权限范围取决于其法定的经营权限和经营目的。

3. 受托人的变更:为了预防受托人在执行信托事务过程中因死亡、意外事故等无法履行职务,一般在设立信托时,委托人在信托文件中事先约定后续的受托人,在法定事由出现时而变更受托人。另外,受托人可以由法院裁定予以解任,或者根据信托协议的约定或者授权,由有权的人解任受托人。

4. 新受托人的选任:如果信托设立后,信托文件中的受托人因故拒绝担任受托人或无法担任受托人的,或者受托人或共同受托人之一因故无法再继续担任受托人的,可由法院任命新的受托人,或者根据信托协议的约定或者授权,由有权的人任命新的受托人。

信托设立后,受托人发生变更,除信托协议另有约定外,无论受托人基于何种原因无法继续行使职务,信托本身都不因此而终止。

5. 受托人的义务:按照美国法律规定和司法实践,在信托的情况下,受托人对信托受益人有最高的诚信义务,受托人完全为受益人的利益持有信托财产,除非信托文件另有规定,受托人无权支配由信托财产所产生的任何收益。因此,在美国,受托人的义务是各种法律义务当中要求最高的一种,应当承担严格责任。因此,各种信托机构在接受委托、订立信托协议和从事信托业务时,都是非常谨慎的。各种信托事项都要在信托协议中作出明确的约定。这种严格责任和最高义务表现在如下几个方面:一是受托人负有管理信托财产、执行信托事务的义务。共同受托人中的每一受托人都有义务参与信托管理。二是受托人负有忠诚的义务,应当全身心地为受益人的利益而管理信托财产。受托人不得为自己购买信托财产,只有在信托文件有特别授权或者法院为了受益人的利益进行特别批准的情况下,才可以购买。在进行有关的交易时,必须以公平的交易价格,并将其所知道或应当知道的与交易有关的重要事实通知受益人。三是受托人负有直接执行信托事务的义务。受托人在自己能为的情况下,不得委派他人处理信托事务。四是受托人负有保存并向受益人报告有关信托管理账目的义务。五是受托人负有善良管理信托财产的义务,受托人必须将信托财产视为自有财产,同样谨慎地加以运用。六是受托人负有控制、取得并保管信托财产所产生的收入的义务。七是受托人负有催讨和追偿到期债务,并提起诉讼的义务。八是受托人负有将信托财产分别加以管理的义务。九是受托人负有使信托财产增值的义务,并按照信托文件的约定,向受益人支付信托财产的收益。十是对于共同的受益人,受托人必须公平地、一视同仁地执行信托事务。十一是共同受托人之间,应当阻止其他受托人违反信托协议,并督促违反信托协议的受托人承担相应的责任。

6. 受托人的权利:按照美国法律的规定,受托人的权利主要有:一是在信托文件没有作禁止性规定的情况下,受托人根据信托文件的明确授权,有权为执行信托事务而从事必要的、合理的行为。法院除非为了防止受托人滥用权力,无权加以干涉。二是受托人在管理信托财产过程中,有权合理地支付各种费用,包括诉讼费用、维护和维修费用、为信托财产的投保费用。三是受托人在管理或者处分信托财产时对第三人产生的债务,受托人有权从信托财产中支付。四是受托人有权合理地出租、出贷信托财产。五是在信托文件的授权下,受托人可以将信托财产设置抵押。共同受托人中的一人或者多人死亡、辞任或者被撤销,除信托文件另有约定外,管理信托财产的权利由其他受托人行使。仅存的受托人死亡的,该权利可以由他的继承人继续行使。受托人管理信托财产出现疑问时,有权询问法院并采取适当的措施。

七、关于委托人

按照各州的法律规定,信托一旦成立,委托人一般不可撤销该信托,除非在信托协议中事先约定此信托是属于可撤销的信托,在约定的可撤销的条件成立时,委托人可以撤销该信托。在设立可撤销信托的情形下,如果委托人破产,该信托财产成为破产财产。

委托人在订立信托协议时,可以规定由其他人或者某一机构担任信托监管人,负责监督受托人对信托财产的处理情况,或者赋予其在特定条件下撤换受托人的权利。

八、关于受益人

美国对受益人的资格没有特别的限定,在衡平法上,受益人是信托财产的最终的承继人,在信托终止时,信托财产不是返还委托人,而是归受益人。受益人死亡的,作为其遗产,由受益人的继承人继承;只是在受益人死亡而又无继承人的情况下,信托财产才复归委托人。受益人主动放弃受益权的,按照受益人的意思表示,信托财产可以归属受托人或委托人。某受益人放弃受益权时,还有其他共同受益人的,其受益权按照该受益人的意思表示,可以归属其他受益人或受托人、委托人,该信托并不因此而终止。

受益人有权查阅与其有直接关系的信托管理文件,查阅信托财产的会计财务资料,在认为其权益受到损害时,要求法院变更受托人。

（法制工作委员会研究室、经济法室整理）

附录三：

证券投资基金管理暂行办法

（1997年11月5日国务院批准
1997年11月14日国务院证券委员会发布）

第一章　总　　则

第一条　为了加强对证券投资基金的管理，保护基金当事人的合法权益，促进证券市场的健康、稳定发展，制定本办法。

第二条　本办法所称证券投资基金（以下简称基金）是指一种利益共享、风险共担的集合证券投资方式，即通过发行基金单位，集中投资者的资金，由基金托管人托管，由基金管理人管理和运用资金，从事股票、债券等金融工具投资。

第三条　基金资产独立于基金托管人和基金管理人的资产。

第四条　在中国境内从事基金活动及与该活动相关的自然人、法人和其他组织，应当遵守本办法。

第二章　基金的设立、募集与交易

第五条　基金的设立，必须经中国证券监督管理委员会（以下简称中国证监会）审查批准。

第六条 基金发起人可以申请设立开放式基金,也可以申请设立封闭式基金。

第七条 申请设立基金,应当具备下列条件:

(一)主要发起人为按照国家有关规定设立的证券公司、信托投资公司、基金管理公司;

(二)每个发起人的实收资本不少于3亿元,主要发起人有3年以上从事证券投资经验、连续盈利的记录,但是基金管理公司除外;

(三)发起人、基金托管人、基金管理人有健全的组织机构和管理制度,财务状况良好,经营行为规范;

(四)基金托管人、基金管理人有符合要求的营业场所、安全防范设施和与业务有关的其他设施;

(五)中国证监会规定的其他条件。

申请设立开放式基金,还必须在人才和技术设施上能够保证每周至少一次向投资者公布基金资产净值和申购、赎回价格。

第八条 基金发起人申请设立基金,应当向中国证监会提交下列文件:

(一)申请报告;

(二)发起人名单及协议;

(三)基金契约和托管协议;

(四)招募说明书;

(五)证券公司、信托投资公司作为发起人的,经会计师事务所审计的发起人最近3年的财务报告;

(六)律师事务所出具的法律意见书;

(七)募集方案;

(八)中国证监会要求提交的其他文件。

前款基金契约、托管协议和招募说明书的内容和格式,由中国证监会规定。

第九条 基金发起人认购基金单位占基金总额的比例和在基金存续期间持有基金单位占基金总额的比例,由中国证监会规定。

第十条 封闭式基金的存续时间不得少于5年,最低募集数额不得少于2亿元。

第十一条 封闭式基金扩募或者续期,应当具备下列条件,并经中国证监会审查批准:

(一)年收益率高于全国基金平均收益率;

(二)基金托管人、基金管理人最近3年内无重大违法、违规行为;

(三)基金持有人大会和基金托管人同意扩募或者续期;

(四)中国证监会规定的其他条件。

申请基金扩募或者续期,应当按照中国证监会的要求提交有关文件。

第十二条 基金发起人应当于基金募集前3天在中国证监会指定的报刊上刊载招募说明书。

第十三条 封闭式基金的募集期限为3个月,自该基金批准之日起计算。封闭式基金自批准之日起3个月内募集的资金超过该基金批准规模的80%的,该基金方可成立。开放式基金自批准之日起3个月内净销售额超过2亿元的,该基金方可成立。

封闭式基金募集期满时,其所募集的资金少于该基金批准规模的80%的,该基金不得成立。开放式基金自批准之日起3个月内净销售额少于2亿元的,该基金不得成立。基金发起人必须承担基金募集费用,已募集的资金并加计银行活期存款利息必须在30天内退还基金认购人。

第十四条 开放式基金只能在符合国家规定的场所申购、赎回。

封闭式基金成立后,基金管理人、基金托管人可以向中国证监会及证券交易所提出基金上市申请。基金上市规则由证券交易所制定，报中国证监会批准。

第三章 基金托管人和基金管理人

第十五条 经批准设立的基金，应当委托商业银行作为基金托管人托管基金资产，委托基金管理公司作为基金管理人管理和运用基金资产。

第十六条 基金托管人必须经中国证监会和中国人民银行审查批准。

第十七条 基金托管人、基金管理人应当在行政上、财务上相互独立，其高级管理人员不得在对方兼任任何职务。

第十八条 基金托管人应当具备下列条件：

（一）设有专门的基金托管部；

（二）实收资本不少于80亿元；

（三）有足够的熟悉托管业务的专职人员；

（四）具备安全保管基金全部资产的条件；

（五）具备安全、高效的清算、交割能力。

第十九条 基金托管人应当履行下列职责：

（一）安全保管基金的全部资产；

（二）执行基金管理人的投资指令，并负责办理基金名下的资金往来；

（三）监督基金管理人的投资运作，发现基金管理人的投资指令违法、违规的，不予执行，并向中国证监会报告；

（四）复核、审查基金管理人计算的基金资产净值及基金价格；

（五）保存基金的会计账册、记录15年以上；

（六）出具基金业绩报告，提供基金托管情况，并向中国证监会和中国人民银行报告；

（七）基金契约、托管协议规定的其他职责。

第二十条 基金托管人必须将其托管的基金资产与托管人的自有资产严格分开，对不同基金分别设置账户，实行分账管理。

第二十一条 有下列情形之一的，经中国证监会和中国人民银行批准，基金托管人必须退任：

（一）基金托管人解散、依法被撤销、破产或者由接管人接管其资产的；

（二）基金管理人有充分理由认为更换基金托管人符合基金持有人利益的；

（三）代表50%以上基金单位的基金持有人要求基金托管人退任的；

（四）中国人民银行有充分理由认为基金托管人不能继续履行基金托管职责的。

第二十二条 新任基金托管人应当经中国证监会和中国人民银行审查批准；经批准后，原任基金托管人方可退任。原任基金托管人托管的基金无新任基金托管人承接的，该基金应当终止。

第二十三条 申请设立基金管理公司，必须经中国证监会审查批准。

第二十四条 设立基金管理公司，应当具备下列条件：

（一）主要发起人为按照国家有关规定设立的证券公司、信托投资公司；

（二）主要发起人经营状况良好，最近3年连续盈利；

（三）每个发起人实收资本不少于3亿元；

（四）拟设立的基金管理公司的最低实收资本为1000万元；

（五）有明确可行的基金管理计划；

（六）有合格的基金管理人才；

（七）中国证监会规定的其他条件。

申请设立基金管理公司，应当按照中国证监会的要求提交有关文件。

第二十五条 基金管理公司经批准，可以从事下列业务：

（一）基金管理业务；

（二）发起设立基金。

第二十六条 基金管理人应当履行下列职责：

（一）按照基金契约的规定运用基金资产投资并管理基金资产；

（二）及时、足额向基金持有人支付基金收益；

（三）保存基金的会计账册、记录15年以上；

（四）编制基金财务报告，及时公告，并向中国证监会报告；

（五）计算并公告基金资产净值及每一基金单位资产净值；

（六）基金契约规定的其他职责。

开放式基金的管理人还应当按照国家有关规定和基金契约的规定，及时、准确地办理基金的申购和赎回。

第二十七条 有下列情形之一的，经中国证监会批准，基金管理人必须退任：

（一）基金管理人解散、依法被撤销、破产或者由接管人接管其资产的；

（二）基金托管人有充分理由认为更换基金管理人符合基金持有人利益的；

（三）代表50%以上基金单位的基金持有人要求基金管理人退任的；

（四）中国证监会有充分理由认为基金管理人不能继续履行基金管理职责的。

第二十八条 新任基金管理人应当经中国证监会审查批准；经批准后，原任基金管理人方可退任。原任基金管理人管理的基金无新任基金管理人承接的，该基金应当终止。

第四章 基金持有人的权利和义务

第二十九条 基金持有人享有下列权利:

(一)出席或者委派代表出席基金持有人大会;

(二)取得基金收益;

(三)监督基金经营情况,获取基金业务及财务状况的资料;

(四)申购、赎回或者转让基金单位;

(五)取得基金清算后的剩余资产;

(六)基金契约规定的其他权利。

第三十条 有下列情形之一的,应当召开基金持有人大会:

(一)修改基金契约;

(二)提前终止基金;

(三)更换基金托管人;

(四)更换基金管理人;

(五)中国证监会规定的其他情形。

前款事项,经基金持有人大会作出决议后,应当经中国证监会批准。

第三十一条 基金持有人应当履行下列义务:

(一)遵守基金契约;

(二)交纳基金认购款项及规定的费用;

(三)承担基金亏损或者终止的有限责任;

(四)不从事任何有损基金及其他基金持有人利益的活动。

第五章 投资运作与监督管理

第三十二条 基金成立前,投资者的认购款项只能存入商业银行,不得动用。

第三十三条 基金的投资组合应当符合下列规定：

（一）1个基金投资于股票、债券的比例，不得低于该基金资产总值的80%；

（二）1个基金持有1家上市公司的股票，不得超过该基金资产净值的10%；

（三）同一基金管理人管理的全部基金持有1家公司发行的证券，不得超过该证券的10%；

（四）1个基金投资于国家债券的比例，不得低于该基金资产净值的20%；

（五）中国证监会规定的其他比例限制。

第三十四条 禁止从事下列行为：

（一）基金之间相互投资；

（二）基金托管人、商业银行从事基金投资；

（三）基金管理人以基金的名义使用不属于基金名下的资金买卖证券；

（四）基金管理人从事任何形式的证券承销或者从事除国家债券以外的其他证券自营业务；

（五）基金管理人从事资金拆借业务；

（六）动用银行信贷资金从事基金投资；

（七）国有企业违反国家有关规定炒作基金；

（八）将基金资产用于抵押、担保、资金拆借或者贷款；

（九）从事证券信用交易；

（十）以基金资产进行房地产投资；

（十一）从事可能使基金资产承担无限责任的投资；

（十二）将基金资产投资于与基金托管人或者基金管理人有利害关系的公司发行的证券；

（十三）中国证监会规定禁止从事的其他行为。

第三十五条 开放式基金必须保持足够的现金或者国家债

券,以备支付赎金。

第三十六条 基金托管人的托管费、基金管理人的报酬以及可以在基金资产中扣除的其他费用,应当按照国家有关规定执行并在基金契约和托管协议中订明。

第三十七条 基金托管人、基金管理人应当执行国家财务会计制度,依法纳税。

第三十八条 基金收益分配应当采用现金形式,每年至少1次。基金收益分配比例不得低于基金净收益的90%。

第三十九条 中国证监会、中国人民银行按照各自的职权随时对基金募集、交易、投资运作以及相关的业务活动和财务会计资料进行检查、稽核。基金托管人、基金管理人以及有关的机构和人员应当及时提供有关情况和资料,不得拒绝、阻挠。

第四十条 有下列情形之一的,基金应当终止:

(一)基金封闭期满,未被批准续期的;

(二)基金经批准提前终止的;

(三)因重大违法、违规行为,基金被中国证监会责令终止的。

第四十一条 基金终止时,必须组成清算小组对基金资产进行清算;清算结果应当报中国证监会批准并予以公告。

中国证监会监督基金清算过程。

第四十二条 基金清算后的全部剩余资产,按基金持有人持有的基金单位占基金资产的比例,分配给基金持有人。

第六章 罚 则

第四十三条 未经批准,擅自设立、募集或者变相募集基金的,由中国证监会予以取缔,责令退还所募集的资金及其利息,有违法所得的,没收违法所得,并处违法所得1倍以上10倍以下的罚款;没有违法所得的,处100万元以下的罚款。

第四十四条 未经批准，擅自将基金上市交易的，由中国证监会责令停止交易，处100万元以下的罚款。

第四十五条 未经批准，擅自设立基金管理公司或者擅自从事基金管理业务的，由中国证监会予以取缔，有违法所得的，没收违法所得，并处违法所得1倍以上10倍以下的罚款；没有违法所得的，处100万元以下的罚款。

第四十六条 未经批准，擅自从事基金托管业务的，责令停止基金托管业务，没收违法所得，并处50万元以下的罚款。

基金托管人未按照规定将其托管的基金资产与托管人的自有资产分开，或者对基金资产未实行分账管理的，责令改正，没收违法所得，并处违法所得1倍以上5倍以下的罚款。

第四十七条 基金管理人违反本办法第三十二条规定的，责令改正，有违法所得的，没收违法所得，并处违法所得1倍以上5倍以下的罚款；没有违法所得的，处50万元以下的罚款。

第四十八条 基金管理人违反本办法第三十三条规定的，由中国证监会责令改正，有违法所得的，没收违法所得，并处违法所得1倍以上3倍以下的罚款；没有违法所得的，处30万元以下的罚款。

第四十九条 有本办法第三十四条所列行为之一的，责令改正，有违法所得的，没收违法所得，并处违法所得1倍以上5倍以下的罚款；没有违法所得的，处50万元以下的罚款。

第五十条 基金管理人或者基金托管人营私舞弊、违规操作，不履行其基金管理或者基金托管职责的，或者严重失职，造成基金经营不善或者重大损失的，除依法给予处罚外，暂停、撤销其基金管理业务资格或者基金托管业务资格。

第五十一条 基金管理人或者基金托管人违反本办法第三十九条规定，不提供或者拖延提供有关情况和资料，或者拒绝、阻挠依法进行的检查、稽核的，责令改正，给予警告，并处5万元以下的罚款。

第五十二条　本办法第四十六条、第四十七条、第四十九条、第五十条、第五十一条规定的处罚，由中国证监会、中国人民银行按照各自的职权作出决定；但是，对同一违法行为，不得给予两次以上的处罚。

第五十三条　有操纵市场价格、内幕交易、虚假陈述等证券欺诈行为的，由中国证监会依法给予处罚。

第五十四条　违反本办法规定，除依法给予行政处罚外，对直接负责的主管人员和其他直接责任人员暂停、撤销其从业资格。

违反本办法规定，给他人造成损失的，依法承担民事赔偿责任。

违反本办法规定，构成犯罪的，依法追究刑事责任。

第七章　附　　则

第五十五条　本办法下列用语的含义：

（一）“基金单位”，是指基金发起人向不特定的投资者发行的，表示持有人对基金享有资产所有权、收益分配权和其他相关权利，并承担相应义务的凭证。

（二）“开放式基金”，是指基金发行总额不固定，基金单位总数随时增减，投资者可以按基金的报价在国家规定的营业场所申购或者赎回基金单位的一种基金。

（三）“封闭式基金”，是指事先确定发行总额，在封闭期内基金单位总数不变，基金上市后投资者可以通过证券市场转让、买卖基金单位的一种基金。

（四）“基金资产总值”，包括基金购买的各类证券价值、银行存款本息以及其他投资所形成的价值总和。

（五）“基金资产净值”，是指基金资产总值减去按照国家有关规定可以在基金资产中扣除的费用后的价值。

（六）“每一单位基金资产净值”，是指计算日基金资产净值除以计算日基金单位总数后的价值。

（七）“基金收益”，包括基金投资所得红利、股息、债券利息，买卖证券价差，存款利息以及其他收入。

（八）“基金净收益”，是指基金收益减去按照国家有关规定可以在基金收益中扣除的费用后的余额。

第五十六条 本办法由中国证监会组织实施。

第五十七条 本办法自发布之日起施行。

信托投资公司管理办法

（2001 年 1 月 12 日中国人民银行发布）

第一章 总 则

第一条 为了加强对信托投资公司的监督管理，规范信托投资公司的经营行为，促进信托投资公司的健康发展，根据《中华人民共和国中国人民银行法》等法律和国务院有关规定，制定本办法。

第二条 本办法所称信托投资公司，是指依照《中华人民共和国公司法》和本办法设立的主要经营信托业务的金融机构。

第三条 本办法所称信托，是指委托人基于对受托人的信任，将其财产权委托给受托人，由受托人按委托人的意愿以自己的名义，为受益人的利益或者特定目的，进行管理或者处分的行为。

委托人是指具有完全民事行为能力的自然人、法人或者依法成立的其他组织；受益人是在信托中享有信托受益权的自然人、法人或者依法成立的其他组织。受益人和委托人可以是同一人，也可以不是同一人。

第四条 本办法所称信托业务，是指信托投资公司以收取报酬为目的，以受托人身份接受信托和处理信托事务的经营行为。

第五条 本办法所称信托财产，是指信托投资公司因接受信托而取得的财产。信托投资公司因信托财产的管理、处分或者其他情形而取得的财产,也属于信托财产。法律、法规禁止流通的财产,不得作为信托财产;法律、法规限制流通的财产,依法经有关主管部门批准后,可以作为信托财产。

信托财产不属于信托投资公司的自有财产,也不属于信托投资公司对受益人的负债。信托投资公司终止时,信托财产不属于其清算财产。

第六条 信托不因信托投资公司依法解散、被宣告破产或者被依法撤销而终止,也不因信托投资公司的辞任而终止,但法律或者信托文件另有规定的除外。

第七条 信托投资公司从事信托活动,应当遵守法律、法规的规定和信托文件的约定,不得损害国家利益、社会公共利益和他人的合法权益。

第八条 信托投资公司经营信托业务,应当遵守诚实、信用、谨慎、有效的原则。

第九条 信托投资公司不得办理存款业务,不得发行债券,不得举借外债。

第十条 中国人民银行依照法律、法规和本办法对信托投资公司及其业务实施监督和管理。

第二章 机构的设立、变更与终止

第十一条 设立信托投资公司,应当采取有限责任公司或者股份有限公司的形式。

第十二条 设立信托投资公司,必须经中国人民银行批准,并领取《信托机构法人许可证》。

未经中国人民银行批准,任何单位和个人不得经营信托业务,任何经营单位不得在其名称中使用“信托投资”字样,但法律、法规另有规定的除外。

第十三条　信托投资公司的设立及经营应当具备下列条件：

（一）有符合《中华人民共和国公司法》和中国人民银行规定的公司章程；

（二）有具备中国人民银行规定的入股资格的股东；

（三）具有本办法规定的最低限额的注册资本；

（四）有具备中国人民银行规定任职资格的高级管理人员和与其业务相适应的信托从业人员；

（五）具有健全的组织机构、信托业务操作规则和风险控制制度；

（六）有符合要求的营业场所、安全防范措施和与业务有关的其他设施；

（七）中国人民银行规定的其他条件。

中国人民银行可以根据经济发展的需要和信托市场的状况对信托投资公司的设立申请进行审查。

第十四条　信托投资公司的注册资本不得低于人民币 3 亿元。

经营外汇业务的信托投资公司，其注册资本中应包括不少于等值 1500 万美元的外汇。

中国人民银行根据信托投资公司行业发展的需要，可以增加设立信托投资公司的注册资本最低限额。

第十五条　信托投资公司有下列情形之一的，应当经中国人民银行批准：

（一）变更名称；

（二）变更注册资本金；

（三）变更公司所在地；

（四）改变组织形式；

（五）调整业务范围；

（六）更换高级管理人员；

（七）变更主要股东或者调整股权结构；

（八）修改公司章程；

（九）合并或者分立；

（十）中国人民银行规定的其他变更事项。

第十六条 信托投资公司因分立、合并或者公司章程规定的解散的事由出现，申请解散的，经中国人民银行批准后解散，并依法组织清算组进行清算。

第十七条 信托投资公司因违法违规经营、经营管理不善等原因，不能支付到期债务，不撤销将严重损害社会公众利益、危害金融秩序的，由中国人民银行根据国务院有关规定予以撤销。

第十八条 信托投资公司不能支付到期债务，经中国人民银行同意，由人民法院依法宣告破产。

第十九条 信托投资公司设立、变更、终止的审批程序，按照中国人民银行的规定执行。

第二十条 中国人民银行在批准信托投资公司设立、变更、终止后，发现原申请事项有隐瞒、虚假的情形，可以责令补正或者撤销批准。

第三章 经营范围

第二十一条 信托投资公司可以申请经营下列部分或者全部业务：

（一）受托经营资金信托业务。即委托人将自己无法或者不能亲自管理的资金以及国家有关法规限制其亲自管理的资金，委托信托投资公司按照约定的条件和目的，进行管理、运用和处置。

（二）受托经营动产、不动产及其他财产的信托业务。即委托人将自己的动产、房产、地产以及版权、知识产权等财产、财产权，委托信托投资公司按照约定的条件和目的，进行管理、运用和处置。

（三）受托经营国家有关法规允许从事的投资基金业务，作为基金管理公司发起人从事投资基金业务。

（四）经营企业资产的重组、购并及项目融资、公司理财、财务顾问等中介业务。

（五）受托经营国务院有关部门批准的国债、企业债券承销业务。

（六）代理财产的管理、运用与处分。

（七）代保管业务。

（八）信用见证、资信调查及经济咨询业务。

（九）以自有财产为他人提供担保。

（十）中国人民银行批准的其他业务。

信托投资公司的上述业务包括外汇业务。

第二十二条 信托投资公司可以接受为了下列公益目的而设立的公益信托：

（一）救济贫困；

（二）扶助残疾人；

（三）发展教育、科技、体育、文化、艺术事业；

（四）发展医疗卫生事业，维护生态环境；

（五）发展其他有利于社会的公共事业。

第二十三条 信托投资公司管理、运用信托财产时，可以依照信托文件的约定，采取出租、出售、贷款、投资、同业拆放等方式进行。

第二十四条 信托投资公司可以根据市场需要，按照信托目的、信托财产的种类或者对信托财产管理方式的不同设置信托业务品种。

信托投资公司设置新的信托业务品种，应当事先将信托合同样本及有关资料报中国人民银行核准。

第二十五条 信托投资公司所有者权益项下依照规定可以运用的自有资金,可以存放于银行或者用于同业拆放、融资租赁和投资,但包括自用固定资产在内的长期累计投资余额不得超过其自有资金的80%。

第二十六条 经中国人民银行批准,信托投资公司可以办理金融同业拆借。

第二十七条 信托投资公司的经营范围由公司章程规定,报中国人民银行批准。

第四章 经营规则

第二十八条 信托投资公司接受信托,应当采取书面的形式。书面形式包括信托合同、遗嘱或者法律、法规规定的其他书面文件。

第二十九条 信托投资公司接受信托的书面文件,除法律、法规另有规定外,应当载明以下事项:

(一)委托人、受托人及受益人的姓名或者名称、住所;

(二)信托目的;

(三)信托财产的范围、种类及状况;

(四)信托当事人的权利和义务;

(五)信托财产管理中风险的揭示和承担;

(六)信托财产的管理方式及信托利益的分配方式;

(七)信托投资公司的报酬;

(八)信托财产税费的缴纳和有关管理费用的核算;

(九)信托期限和信托的终止;

(十)信托终止时信托财产的归属;

(十一)信托当事人的违约责任及纠纷仲裁方式;

（十二）委托人和受托人认为需要载明的其他事项。

第三十条　信托投资公司应当以受益人的最大利益为宗旨处理信托事务，并谨慎管理信托财产。

第三十一条　信托投资公司不得以经营资金信托或者其他业务的名义吸收存款。

第三十二条　信托投资公司经营信托业务，不得有下列行为：

（一）利用受托人地位谋取不当利益；

（二）将信托财产挪用于非信托目的的用途；

（三）承诺信托财产不受损失或者保证最低收益；

（四）以信托财产为自己或他人债务提供担保；

（五）将信托资金投资于自己或者关系人发行的有价证券；

（六）将信托资金贷放给自己或者关系人；

（七）将不同信托账户下的信托财产进行相互交易；

（八）以信托资金购买自有财产或者以自有资金购买信托财产；

（九）法律、法规和中国人民银行禁止的其他行为。

信托投资公司依据信托文件的约定，并以公平的市场价格进行交易的，不受前款第（七）至（八）项的限制。

第三十三条　前条所称关系人是指：

（一）持有信托投资公司10%以上股权的股东；

（二）信托投资公司投资控股的企业；

（三）信托投资公司的董事、监事、经理、信托业务人员及其近亲属；

（四）前项所列人员投资或者担任高级管理人员的公司、企业和其他经济组织。

第三十四条　信托投资公司应当自己处理信托事务，但信托文件另有规定的除外。

第三十五条　信托投资公司应当为委托人、受益人以及处理信托事务的情况和资料保密，但法律、法规或者信托文件另有规定的除外。

第三十六条 信托投资公司应当将信托财产与其自有财产分开管理，并将不同客户的信托财产分开管理。信托财产为资金时，可以采取分别记账的方式。

第三十七条 信托投资公司应当妥善保存处理信托事务的完整记录，至少每半年定期向委托人及受益人报告信托财产及其管理、收益的情况。

委托人、受益人可以随时了解信托事务处理情况，并要求信托投资公司做出说明。

第三十八条 信托投资公司经营信托业务，依据约定以手续费或者佣金的方式收取报酬。

信托投资公司收取报酬的标准，除中国人民银行另有规定外，原则上由信托当事人协商确定。

第三十九条 信托投资公司违反信托目的或者因违背管理职责、管理信托事务不当致使信托财产受到损失的，信托投资公司应当予以补偿、赔偿或恢复原状，在未予补偿、赔偿或恢复原状前，信托投资公司不得请求给付报酬。

第四十条 信托投资公司因处理信托事务而支出的费用、负担的债务，以信托财产承担。因信托投资公司违背管理职责或者管理信托事务不当所负债务及所受到的损害，以其自有财产承担。

第四十一条 信托投资公司不履行受托人职责或者有影响其履行职责的其他重大事由，不利于实现信托目的或者给委托人、受益人造成损害的，委托人和受益人可以请求变更受托人。

第四十二条 信托投资公司终止时，其管理信托事务的职责同时终止。清算组应当妥善保管信托财产，并就其未结束的信托业务编制报告，会同委托人和受益人将信托财产移交给其他信托投资公司继续管理，但信托文件另有规定的除外。

第四十三条 信托投资公司因被变更或者终止而使其受托人职责终止的,担任新受托人的信托投资公司依照信托文件的规定选任;信托文件未规定的,由委托人选任;委托人不能选任的,由受益人或者其利害关系人选任。

第四十四条 信托投资公司经营信托业务,有下列情形之一的,信托终止:

(一)信托文件规定的终止事由发生;

(二)信托的存续违反信托目的;

(三)信托目的已经实现或不能实现;

(四)信托当事人协商同意;

(五)信托期限届满;

(六)信托被解除。

第四十五条 信托终止时,信托投资公司应当对该项信托业务编制报告,经委托人及受益人确认后,将信托财产交还给信托文件规定的人。

第四十六条 信托投资公司接受由其代为确定管理方式的信托资金,应当符合下列规定:

(一)信托资金总余额不得超过注册资本金的 10 倍;

(二)信托期限不得少于一年;

(三)单笔信托资金不得低于人民币 5 万元。

第四十七条 中国人民银行根据防范金融风险的需要,可以规定由信托投资公司代为确定管理方式的信托资金的管理办法。

第四十八条 信托投资公司经营外汇信托业务,应当遵守国家外汇管理的有关规定,并接受外汇主管部门的检查、监督。

第四十九条 信托投资公司为他人提供担保和拆入资金的总余额不得超过其注册资本金。

第五十条 信托投资公司运用自有资金和信托资金从事同业

拆借,应当遵守中国人民银行有关规定。

第五十一条 信托投资公司每年应当从税后利润提取5%,作为信托赔偿准备金,但该赔偿准备金累计总额达到公司注册资本的20%时,可不再提取。

信托投资公司的赔偿准备金只能存放于国有商业银行或者购买国债。

第五章 监督管理与自律

第五十二条 信托投资公司应当按规定制订本公司的信托业务及其他业务规则,建立、健全本公司的各项业务管理制度和内部控制制度,并报中国人民银行备案。

信托投资公司应当设立对公司董事会负责的内部审计部门,对本公司的业务经营活动进行审计和监督。信托投资公司的内部审计部门应当至少每半年向公司董事会提交内部审计报告,同时向中国人民银行报送上述报告的副本。

第五十三条 信托投资公司应当依法建账,对信托业务与非信托业务分别核算,并对每项信托业务单独核算。具体财务会计制度由财政部制定。

第五十四条 信托投资公司应当按照国家有关规定建立、健全本公司的财务会计制度,真实记录并全面反映其业务活动和财务状况。公司年度财务会计报表,应当经具有相应资格的注册会计师审计。

信托投资公司应当按照规定向中国人民银行及有关部门报送营业报告书、信托业务及非信托业务的财务会计报表和信托账户目录等有关资料。

第五十五条 信托投资公司的信托业务部门应当在业务上独立于公司的其他部门,其人员不得与公司其他部门的人员相互兼职,业务信息不得与公司的其他部门共享。

第五十六条 中国人民银行有权对信托投资公司的经营活动进行检查。中国人民银行认为必要时,可以责令信托投资公司聘请具有相应资格的中介机构对其业务、财务状况进行审计。

信托投资公司应当按照中国人民银行的要求提供有关业务、财务等报表和资料,并如实介绍有关业务情况。

第五十七条 中国人民银行对信托投资公司实行年检制度,具体办法由中国人民银行另行制定。

第五十八条 中国人民银行对信托投资公司的高级管理人员实行任职资格审查制度。未经中国人民银行任职资格审查或者审查、考核不合格的,不得任职。

信托投资公司的高级管理人员离任应当进行离任审计,并将审计结果报中国人民银行备案。信托投资公司的法定代表人变更时,在新的法定代表人未经中国人民银行进行任职资格认定前,原法定代表人不得离任。

第五十九条 中国人民银行对信托投资公司的信托从业人员实行信托业务资格考试制度。考试合格的,由中国人民银行颁发信托从业人员资格证书;未经考试或者考试不合格的,不得经办信托业务。具体考试办法由中国人民银行另行制定。

第六十条 信托投资公司的高级管理人员和信托从业人员违反法律、法规,损害受益人利益的,中国人民银行有权取消其任职资格或者从业资格。

第六十一条 中国人民银行就对信托投资公司监管中发现的重大问题,有权质询信托投资公司的高级管理人员,并责令其采取有效措施,限期改正。

第六十二条 信托投资公司管理混乱,经营陷入困境的,由中国人民银行责令该公司采取措施进行整顿或者重组,并建议撤换高级管理人员。中国人民银行认为必要时,可以对其实行接管。

第六十三条　信托投资业可以成立同业协会，实行行业自律。

信托投资公司同业协会开展活动，应当接受中国人民银行的指导和监督。

第六章　原有业务的清理与规范

第六十四条　在本办法实施前设立的信托投资公司，应当依照国家有关规定进行清理整顿，整顿合格后确定保留的，中国人民银行对其予以重新登记。

信托投资公司在本办法实施前已经办理的各项业务中符合本办法要求的，可以继续办理；凡不符合本办法要求的，应当在中国人民银行规定的期限内压缩、清理完毕。国务院另有规定的，按有关规定办理。

第六十五条　信托投资公司在重新登记前，原有的委托投资、委托贷款业务，经当事人协商一致，可以规范为信托业务。

第六十六条　信托投资公司原有的以负债资金办理的信托贷款、信托投资、融资租赁、资金拆放及其他资金运用业务，应当在规定的期限内进行清理。未经批准，不得再办理上述业务。

第六十七条　信托投资公司原有拆入资金或者为他人提供担保的余额，不符合本办法第四十九条规定的，不得办理新的资金拆入或者担保业务，并在规定的期限内进行清理。

第六十八条　信托投资公司应当制订切实可行的清理规范计划，并建立贷款、投资的清收责任制，对已经确认的呆坏账和投资损失，按照有关规定予以核销。

信托投资公司在清理规范期间应当每半年向中国人民银行当地分支行报告上述计划的执行情况。

第六十九条　信托投资公司在清理规范期间，应当对原有业务单独列表、单独考核。

第七十条　中国人民银行对信托投资公司的原有业务按照余额控制、逐年压缩的原则进行监督、考核，并据此对信托投资公司及其高级管理人员进行年检和考核。

第七十一条　信托投资公司未按规定的期限进行原有业务清理的，中国人民银行可以对该公司进行处罚，并取消其高级管理人员一定期限的任职资格；情节严重的，暂停其开办新业务。

第七章　罚　　则

第七十二条　未经中国人民银行批准，擅自设立信托投资公司或者擅自经营信托业务的，按照《非法金融机构和非法金融业务活动取缔办法》，予以取缔，并予以处罚。

第七十三条　信托投资公司违反本办法的，由中国人民银行按照《金融违法行为处罚办法》及有关规定进行处罚。

第七十四条　信托投资公司违反本办法第三十一条规定办理资金信托的，由中国人民银行责令限期退回存款，并停办其部分或全部业务；对直接负责的主管人员和其他直接责任人员依法给予纪律处分，并由中国人民银行取消高级管理人员的任职资格和从业人员的从业资格。构成犯罪的，由司法机关追究刑事责任。

第七十五条　信托投资公司违反本办法第三十二条规定的，由中国人民银行责令限期改正，并处1万元以上3万元以下的罚款；对直接负责的主管人员和其他直接责任人员依法给予纪律处分，并由中国人民银行取消高级管理人员的任职资格和从业人员的从业资格。构成犯罪的，由司法机关追究刑事责任。

第七十六条　信托投资公司对中国人民银行的处罚决定不服的，可以依法提请行政复议或者向人民法院提起行政诉讼。

第八章 附 则

第七十七条 本办法由中国人民银行负责解释。

第七十八条 本办法自公布之日起施行,中国人民银行1986年颁布的《金融信托投资机构管理暂行规定》同时废止。